PATRIMONIO LITERARIO ANDALUZ (III)

Antonio A. Gómez Yebra (editor)

Créditos

© de los textos, sus autores
© de la presente edición, Fundación Unicaja

Edita   Servicio de Publicaciones
de la Fundación Unicaja
C./ San Juan de Dios, 1-6°
29015 Málaga

D.L.   MA-1980-2009
I.S.B.N.   978-84-92526-15-4
Impreso en España - Printed in Spain

Diseño   Oreille
Imprenta   Gráficas Urania

Andalucía, tierra de buenas letras

Andalucía, tierra de buenas letras

El Patrimonio Literario Andaluz es considerable, y se amplía suce-
sivamente con aportes de ayer y de hoy. Del rescate y estudio de los
textos desconocidos o menos conocidos tanto como del análisis de las
novedades, se ocupa desde hace varios años el Grupo de Excelencia de
la Junta de Andalucía "Recuperación del Patrimonio Literario Andaluz"
compuesto por un nutrido grupo de profesores e investigadores empeñados en que ningún texto de interés pase desapercibido.

Las letras andaluzas, que tuvieron protagonismo en lejanas etapas
de nuestra Historia, (sobresaliendo el espléndido periodo de predominio árabe) y más tarde en los Siglos de Oro, con figuras de primerísima
fila como Herrera o Góngora, no han dejado de aportar nombres y obras
de gran calidad a la Literatura Española.

Si Bécquer se convirtió en un referente para todos los poetas finise-
culares, Juan Ramón fue el máximo exponente de la lírica de la primera
mitad del siglo XX, y la joven generación que siguió su estela se colocó
en la vanguardia durante casi todo el siglo pasado. La generación del 27
aportó seis miembros al listado canónino –Alberti, Aleixandre, Altolaguirre, Cernuda, García Lorca, Prados-, y muchos otros oficiaron como
tales aunque no sean admitidos por cierto sector de la crítica como integrantes, de pleno derecho, en ese grupo generacional.

Teniendo en cuenta, por otra parte, que de los cinco escritores españoles galardonados con el Premio Nobel, dos de ellos, Juan Ramón y
Vicente Aleixandre, son andaluces, hay que considerar a Andalucía
como tierra de buenas letras.

Cierto que hasta el siglo XX apenas habían destacado los escritores
en prosa, aunque Juan Valera puede considerarse espléndida excep-

ción. En el último tercio del pasado siglo se invirtió el signo, y empezaron a destacar nuevas voces narrativas como Caballero Bonald o Antonio Prieto. El panorama actual no puede ser más prometedor, con figuras destacadas, y con obras que alcanzan los mejores galardones y el mayor reconocimiento a nivel nacional e internacional.

Además, como hemos dicho en otro momento, Andalucía es tierra de acogida, y en ella se han radicado escritores de toda la península. En los últimos años, incluso, de diversos países europeos, que encuentran en esta tierra el mejor clima y todas las facilidades para construir sus mundos de ficción.

Todos ellos son considerados dignos de estudio y de análisis, lo mismo que los autores que han dejado a lo largo de los siglos una impronta.

Para este volumen del *Patrimonio Literario Andaluz* hemos reunido trabajos sobre algunos de los más señalados escritores y obras de todas las épocas, desde *La Farsalia* de Juan de Jáuregui, hasta la obra poética de Carmelo Guillén, el más joven de los estudiados, motivo por el cual el artículo que de él se ocupa va en el último lugar.

En *"La Farsalia* de Jáuregui. Del manuscrito a la edición"*, escrito por Carolina Fernández Cordero, se rescata el manuscrito autógrafo de *La Farsalia* de Juan de Jáuregui (BNE, Mss/3707), con el fin de establecer una comparación con la primera edición impresa de la obra. La acuciada distancia temporal que se evidencia entre ellos (el manuscrito está fechado en 1640 y el impreso en 1684) conlleva un amplio abanico de diferencias formales y, en ocasiones, de contenido, que hasta el momento no han sido recogidas y que ha podido influir en las diferentes interpretaciones que se han dado al poema. Y, desde luego, se intenta aportar una breve relación de estas alteraciones y variantes textuales con el fin de esclarecer algo más ese oscuro paso intermedio entre ambos textos.

"La prensa literaria andaluza en la época isabelina (II)" de José Antonio Gijón Núñez aborda el estudio de las varias revistas. De la provincia de Granada: *La Alhambra* (1839-1843), *El Abencerraje. Revista Semanal de Literatura, Artes y Costumbres.* (1844); de la provincia gaditana: *La Aureola. Periódico semanal de Literatura, Ciencias y Artes.* (1839-1840), *Revista Gaditana.* (1839); de la provincia sevillana: *Revista Andaluza.* (1841-1842), *La Floresta Andaluza. Diario de Literatura y Artes.* (1843); de la provincia almeriense: *El Deseo. Periódico científico, literario y mercantil.* (1844); de Jaén: *Revista Literaria de El Avisador de Jaén.* (1848);

y de Málaga: *La abeja*. (1842). Menciona los escritores románticos que colaboraron en ellas, por ejemplo: Espronceda, Dumas, Campoamor, etc. Y descubre artículos sobre la recuperación del teatro español del siglo XVI, comentarios a los estrenos románticos: *La conjuración de Venecia, Los amantes de Teruel*... Es la continuación del artículo publicado en nuestro *Patrimonio Literario Andaluz, II*: "La prensa literaria andaluza en la época isabelina".

Francisco José Ramos Molina se ocupa del tema religioso en la poesía de Salvador Rueda; un tema sin el cual no se puede entender la obra del escritor de Benaque. Para el líder español del Modernismo, todos los seres vivos que aparecen en su poesía tienen una referencia religiosa. De la religión católica, desde luego. Salvador Rueda canta los seres más insignificantes de la Naturaleza porque son creación de Dios.

Varios son los poemarios de Salvador Rueda dedicados íntegramente a lo religioso, además de numerosos poemas donde aborda objetos de la liturgia católica o pasajes bíblicos. Tal es el caso de *El poema de las rosas* donde la rosa es manifestación de la concepción alegre de la religiosidad de Salvador Rueda. Igualmente organizado encontramos el poemario *Sierra Nevada*, con un discurso completo y unívoco que va desde lo terrenal a lo divino.

La poesía de Rueda incorpora cereales (trigo, especialmente, espigas...) y vino (uva), que no son ni más ni menos que el cuerpo (pan) y la sangre (vino) de Cristo, símbolos eucarísticos esenciales de la liturgia católica. Rueda logra desarrollar este paralelismo simbólico de modo consciente a lo largo de sus composiciones poéticas partiendo de elementos de la agricultura andaluza para trascenderlos a universales dentro de su concepción católica del universo.

La profesora María José Jiménez Tomé en "De cordobés a cordobés: Antonio Porras escribe a Bernabé Fernández-Canivell" pone de manifiesto cómo el exilio – aunque sea en un país muy cercano – se articula para los creadores de modo distinto. Es incuestionable que entre los intelectuales se organizaron redes para que les sirvieran como medio de comunicación y también para evitar el aislamiento en un país que les era extraño. Aunque lo hubieran conocido de antemano, nunca es igual visitar que vivir. Este es el caso de Antonio Porras, quien antes de la contienda gozaba de un gran prestigio como escritor lo que le valió la obtención de premios tan importantes como el *Fastenrath de Novela* correspondiente al quinquenio de 1922-1927. El hecho es que Antonio Porras existió en el mundo de las letras y desarrolló su vida literaria en distintos campos en los cuales fue muy respetado: la narrativa, la poesía y el ensayo, que colmaban sus afanes como intelectual. Pero en Francia, lugar donde el cordobés de Pozoblanco vivió tras la guerra civil, se evidenció que a los españoles les fue muy difícil penetrar en el mundo literario.

En mi trabajo "Cuestiones poéticas al *Final* de Jorge Guillén" me he ocupado de algunos asuntos de interés sobre el tema. El poeta de Valladolid, que apenas había teorizado sobre poesía en sus libros anteriores, lo hará en su último libro más abundante y decididamente.

Había dicho en *Cántico* que poesía era "gracia de la vida extrema" o una "criatura viviente"; en *Clamor* había evitado definirse diciendo "poesía eres tú"; en *Homenaje* había definido la poesía como "tesoro"; y en *Y otros poemas* había apuntado que es "sensación de una materia verbal que ilumina una visión con frescura de raudal".

En *Final* dirá que poesía es "un curso de palabras / En una acción de vida manifiesta / Por signos de concreto movimiento / Que al buen lector remueven alma y testa".

Propone también el quinto volumen de *Aire Nuestro* definiciones sobre "poema" como criatura viviente, y sobre el poeta, que

Se arroja hacia la luz y la trasciende
Con su palabra, siempre más allá
De un ser humano.

También se ocupa, finalmente, de la crítica literaria, sin olvidarse de los malos poetas, de los malos críticos y de los malos autores de manuales de Literatura.

En cuanto a "Memoria de la muerte en la poesía de Emilio Prados", el profesor, poeta e investigador Manuel Gahete se fija en el tema de la muerte como uno de los grandes referentes poéticos del ser humano, en todas las culturas y épocas. En Juan Ramón no se solucionó hasta los últimos instantes de su vida y de su obra, y en Lorca era recurrente. Su extensión significativa, desde luego, traspasa ideologías, barreras sociales, condicionamientos históricos, atavismos, leyes, tradiciones, religiones y convenciones. Es la gran verdad a la que nos remite Emilio Prados en muchos de sus versos: el destino común y fatal que presagiaba Pitágoras; la eternidad suma, como Ramón y Cajal advertía, frente a todo lo terreno pasajero y efímero.

La profesora e investigadora Sonia Hurtado, gran especialista en la obra de Rafael de León, uno de los más representativos letristas españoles del siglo XX, que llegó a componer más de cinco mil letras para otras tantas canciones del que se configuró como trío Quintero-León-Quiroga, vuelve sobre su principal objeto de estudio en "El valor coral en las coplas de Rafael de León".

En él señala, entre otros aspectos, que al tratar de la gente no nos referimos a nadie en concreto sino a una pluralidad que no se concreta en particularismos subjetivos sino en el imaginario colectivo. En la copla de Rafael de León podemos encontrarnos con la gente como personaje innominado. Un colectivo que da su parecer, sospecha, desprecia, comenta, aconseja, critica, investiga, avisa, elogia, lamenta, murmura, se pregunta; un colectivo que, en la mayoría de los casos, actúa como factor determinante en la actuación de algún otro personaje sí individualizado en la copla. La gente actúa como coro, como voz de fondo, como conciencia colectiva, como ojo que todo lo ve y todo lo juzga. El artículo queda hermosamente ejemplificado con textos del gran autor, coetáneo de la generación del 27.

Por su parte, el profesor Carlos San Millán y Gallarín, da cuenta en su estudio de la obra de un desconocido: Sebastián Roca Ortega, corresponsal que fue de *La Unión Mercantil*, diario malagueño en el que colaboró desde 1926 hasta 1936.

Algo más de doscientas crónicas escribió el escritor alhaurino, donde relacionaba con detalle los acontecimientos diarios del pueblo. En ellas encontramos datos de interés sobre temas religiosos, culturales, políticos y sociales de su localidad en la vega malagueña: Alhaurín de la Torre.

En las crónicas, Sebastián Roca llegó a realizar una perfecta simbiosis, mezclando su lenguaje sencillo con un espíritu profundamente cristiano, que lo convirtió en un escritor sencillo pero al mismo tiempo profundo. Vivió y fue testigo en primera persona de los hechos que posteriormente narraba de forma totalmente objetiva. Ello le permitió ser un escritor que, en su ingente corpus periodístico, derrochó siempre un cierto halo de verdad, de sinceridad escrituraria a la que unió en todo momento una demanda de justicia.

A su vez, el profesor y reconocido crítico, Francisco Morales Lomas, en su trabajo "La lírica de Manuel Alcántara: primera época" pretende reunir las claves poéticas del articulista malagueño Manuel Alcántara a través de tres de sus obras más emblemáticas: *Manera de silencio*, *Plaza Mayor* y *Ciudad de entonces*. El autor del ensayo ofrece los instrumentos básicos de una lírica nostálgica, neorromántica, cernudiana, filosófico-vital, senequista –y, por tanto, estoicista, en la línea quevediana-, metafísica, a veces; musical, heredera del modernismo en su musicalidad y del noventayochismo en su densidad vitalista, donde muestra las grandes raíces de la lírica intemporal: la vida, la muerte, Dios, la tierra, el paso del tiempo.

Por su parte, la investigadora Cecilia Belmar Hip en "Inés María Guzmán, la ciudad elegíaca y vernacular: trayectoria de un instante fugaz", se fija en el conjunto de la obra poética de Inés María Guzmán, rica en matices y en aportaciones renovadoras, como resultado de una reflexiva sencillez que provoca el entusiasmo en el lector/a e invita a indagar sobre la búsqueda de la identidad humana mediante la palabra justa, el gesto melancólico o la mirada afectiva. Cada poemario bosqueja una travesía vital y existencial que navega entre los límites del tiempo, del amor y de la vida.

Observamos, en *Hace ya tiempo que no sé de ti*, cómo estos tres ejes temáticos universales tiempo-amor-vida, a partir de una mirada afectiva e innovadora, trazan un cambio de registro hacia un nuevo estilo y una nueva voz, al dar paso a una nueva visión de la magnífica tradición elegíaca española. Pues, ante la acostumbrada descripción de hechos y situaciones reflejadas en la elegía tradicional, el poemario *Hace ya tiempo que no sé de ti* recrea, reconstruye y restituye una nueva perspectiva elegíaca, en cuanto a espacios, personajes y situaciones inmersos en un mundo contextual poético. Realidad que se visualiza en el espacio de la cotidianidad urbana.

La presencia de rasgos innovadores como el uso de la técnica del *flaschback*; el carácter circular y unitario de los textos poéticos (poemas funerales) que conforman un solo epicedio; el distanciamiento emocional; la figura del padre erigido en héroe cotidiano frente al héroe épico, componen una situación y un espacio temporal determinantes, la trayectoria de un instante fugaz.

Y, en esto radica la innovación de Inés María Guzmán que analiza Cecilia Belmar: al recrear el objeto amado resalta y reafirma los rasgos de afecto y ternura en el ámbito de lo cotidiano.

El profesor y crítico Antonio Garrido se ocupa, en "De la soledad y el miedo", de las últimas novelas de dos escritores ya plenamente consolidados: José Antonio Garriga Vela, con su novela *Pacífico*, probablemente la mejor desde *Muntaner 38*, y el joven Isaac Rosa, con *El país del miedo*, con una obra menos amplia, pero no menos interesante que el barcelonés afincado en Málaga por propia voluntad.

Para Garrido la soledad y el miedo son estados que cambian con el tiempo, y frente al clásico pasaje genesíaco en que Dios descubre que el hombre está solo y necesita una ayuda semejante a él, propone que la soledad es más moderna y el miedo más antiguo.

Ejemplifica la soledad con *Pacífico*, y el miedo con la novela del sevillano, donde aborda el miedo real e imaginario, encontrando tres clases de textos al servicio del mismo propósito.

Para Garrido los detalles son muy importantes y descubre la violencia agazapada en cada página, los miedos de los bienpensantes, de los que disfrutan de la sociedad del bienestar, de los hipócritas, de los que abusan de niños.

Finalmente, el profesor y poeta Arcadio Pardo en "Aprendiendo a querer. La poesía de Carmelo Guillén Acosta" se ocupa de la poesía de este poeta sevillano que destaca en la poesía española actual tanto por los contenidos de sus poemas como por el lenguaje que los expresa. La amistad, el amor filial, su concepto de España, sus vivencias religiosas y otros temas vienen expresados en un lenguaje realmente renovador que se apoya en el uso popular de la lengua y también en formas espontáneamente creadas en la escritura. Poesía hondamente serena y humana enmarcada en general en formas métricas tradicionales.

Esta tercera entrega del *Patrimonio literario andaluz* consolida las anteriores, y sigue marcando líneas de investigación sobre autores menos conocidos, aunque también sobre algunos de reconocido prestigio de ayer y de hoy. Y, como hemos visto, incorpora estudios sobre escritores afincados en Andalucía, dignos de ser incorporados a la nómina de escritores andaluces.

Antonio A. Gómez Yebra

La Farsalia de Jáuregui.

Del manuscrito a la edición

La *Farsalia* de Jáuregui.
Del manuscrito a la edición

Carolina Fernández Cordero

El sevillano Juan de Jáuregui, aunque clasificado como poeta menor y de exiguo interés por los estudiosos, despierta enorme curiosidad en cualquier investigador que se acerque a su vida. La oscuridad que gira en torno a su infancia y juventud no son más que los preliminares de una biografía nutrida de contradicciones (recuérdese el matrimonio con doña María de Loaysa en 1614 tras haber sido denunciado un año antes por incumplimiento de palabra matrimonial), que se complementa con una obra poética y teórica no menos paradójica. La búsqueda de un equilibrio entre las dos vertientes poéticas predominantes del momento («claros» y «oscuros») le convirtieron en un poeta y teórico conflictivo en cuya obra no se dibuja una línea estética definitiva[1]. La fama adquirida en Italia tras la traducción del *Aminta* de Tasso en 1607 y su labor como censor le proporcionaron un estatus cultural que lo situaron por encima de las pugnas literarias del momento[2].

Así, en el año 1616 se inició en la polémica desatada tras la publicación de las *Soledades* de Góngora con el *Antídoto*, en el que censuraba

---

1 Melchora Romanos en «La poesía de Juan de Jáuregui en el fiel de la balanza» (*Edad de Oro*, VI, 1987, págs. 332-371) profundiza en esta aspecto de la búsqueda del equilibrio contraponiendo las dos etapas principales de la obra del poeta.

2 De ello da cuenta el biógrafo José Jordán de Urríes (*Biografía y estudio crítico de Jáuregui*, Madrid, Sucesores de Rivadeneyra, 1899, pág. 16): «cuando vino a España definitivamente era famosísimo como artista o como hombre de profundos estudios y como poeta. Allí adquirió o perfeccionó las sólidas bases artísticas que durante su vida habían de informar sus muchos y doctos escritos; allí el conocimiento de la antigüedad clásica, que tantos elogios había de proporcionarle...»

el estilo culterano. Heredero del canon estético de Herrera y hermanado con la escuela sevillana, editó sus *Rimas* en 1618, en cuyo prólogo quiso demostrar una vez más su reticencia hacia la oscuridad en la poesía[3]. Seis años después, en 1624, salen a la luz el *Orfeo* y el *Discurso poético contra el hablar culto y claro*, como una unidad teórico-práctica. Aunque en el *Orfeo* intentó mantenerse neutral en su estilo, la lectura del poema muestra una evidente relación con Góngora, lo que supuso una negativa acogida del texto tanto por parte de los «claros» como de los «oscuros». Por tanto, a los paradójicos avatares de su vida se puede sumar una nueva contradicción en su obra. Jáuregui, que escribe el *Antídoto* con el fin de criticar la poesía gongorina y se estrena como seguidor de Herrera en sus *Rimas*, acaba siendo imitador del culteranismo con el *Orfeo*.

Si Jáuregui había adquirido una importante fama como poeta y como teórico literario, mayor fue, sin duda, la obtenida como traductor[4]. Su traducción del *Aminta* de Tasso en 1607 contó con una recepción muy

---

3 «Vemos unas poesías desalmadas, que no tienen fundamento ni traza de asunto esencial y digno, sino sólo un cuerpo disforme de pensamientos y sentencias vanas, sin propósito fijo ni trabazón y dependencia de partes. Vemos otras que sólo contienen un adorno o vestidura de palabras, un paramento o fantasma sin alma ni cuerpo. [...] Y no se ha de dudar que el artificio de la locución y verso es el más propio y especial ornamento de la poesía, y el que más se la distingue y señala entre las demás composiciones porque la singulariza y la reduce a su perfecta forma con esmerado y último pulimiento. Mas también se supone como forzosa deuda que esa locución trabaje, empleada siempre en cosa de sustancia y peso. No es sufrible que la dejemos devanear ociosamente en lo superfluo y baldío, contentos sólo con la redundancia de las dicciones y número...» («Introducción» a las *Rimas* de 1618 en Juan de Jáuregui, *Poesía*, edición de Juan Matas Caballero, Madrid, Cátedra, 1993, págs. 138 y 139).

4 La crítica ha destacado sus labores como traductor incluso por encima de las de poeta y teórico. Contemporáneos suyos como Cervantes (véase el capítulo XXX del *Quijote* de 1615) y estudiosos posteriores como Adolfo de Castro (*Poetas líricos de los siglos XVI y XVII*, BAE, Madrid, Atlas, 1950-1951, pág. XCV), por citar algún ejemplo, sobresalen sus aptitudes como traductor.

favorable desde sus contemporáneos hasta los estudiosos modernos[5].
No obstante, no sólo destacó por sus trabajos en lenguas modernas,
sino también por sus traducciones del latín. Su amplia formación clásica
adquirida en Italia le convirtió en un gran conocedor de las obras latinas:

> *Don Juan fue considerado durante toda su vida como hombre de muy sólida
> erudición y como muy versado en todo linaje de letras. [....] Los tesoros de la
> antigüedad fueron conocidos por él a maravilla, los apreció cual se merecen y
> aprovechó muchísimo con su conocimiento. Poseía las lenguas clásicas y sobre
> todo la latina del modo más admirable. Los poetas, los oradores y los escrito-
> res todos de las literaturas griega y latina le eran familiares en extremo[6].*

En las *Rimas* de 1618, concebida como una recopilación de su obra
poética hasta el momento, incluye versiones y traducciones de poetas
latinos como Ausonio, Marcial, Horacio o Claudiano[7]. Sin embargo, a
excepción de la que parte del epigrama CIX de Ausonio «*Illa ego sum
Dido, vultu quam conspicis hospes...*», en la mayoría de los casos se trata
de versiones muy libres, casi nuevas creaciones poéticas que han tenido
como base el texto latino.

Entre todas las composiciones traducidas destaca la «Batalla naval
de los de César y Décimo Bruto, su general, contra los griegos habita-
dores de Marsella, descrita por Lucano en el tercero libro de su *Farsalia* y transferida a nuestra lengua». En estas 56 octavas reales (448
versos) de los versos 521-762 del Libro III de la *Farsalia* se encuentra la
primera traducción de la mano de Jáuregui de un fragmento de la obra
de Lucano. En 1629, pocos años después, como Jordán de Urríes reve-
ló en su biografía[8], en *El aiustamineto i proporción de las monedas de*

---

5 Así lo describe Marcelino Menéndez Pelayo: «un obra, en su original, de mérito
notable, mas no de importancia ni de valor poético muy subido, ha tenido la suerte
de hallar un intérprete tan diestro que la ha trasladado a un idioma extraño, sin
hacerla perder nadad de su natural valor y hasta añadiendo, en opinión de algunos,
nuevos quilates a su mérito» (*Biblioteca de Traductores Españoles*, II, Santander,
Consejo Superior de Investigaciones Científicas, 1952, pág. 257).
6 José Jordán de Urríes, *op. cit.*, pág. 17.
7 Juan de Jáuregui, *Rimas*, ed. cit., págs. 214-242 (rimas 21-28).
8 José Jordán de Urríes, *op. cit.*, pág. 45.

oro, plata i cobre i la reducción destos metales a su debida estimación, son regalía singular del Rei de España i de las Indias..., de Alonso de Carranza (Madrid: por Francisco Martínez, 1629, págs. 68-69) se registra una nueva traducción de otro fragmento de la *Farsalia*, esta vez de los versos 417-430 del Libro IV. En el texto adjunta Carranza los versos en latín y menciona a un *Lucano ilustrado* de Jáuregui del que ha extraído la traducción que adjunta[9]. Este dato lleva a pensar en que Jáuregui, experimentado traductor, ya había comenzado a elaborar su versión de *La Farsalia*, cuyo manuscrito autógrafo[10] se encuentra en la Biblioteca Nacional de España bajo la signatura Mss/3707, con aprobaciones fechadas en 1640 pero editado de manera póstuma en 1684 (Madrid, por Lorenzo García, a costa de Sebastián Armendáriz).

Lucano se encontraba entre los autores preferidos de Jáuregui, no dejó de leerlo a lo largo de su vida y desde bien temprano trabajó en traducciones de su obra. Antes incluso de la traducción que se incluye en las *Rimas* de 1618, el propio Cervantes, con quien mantenía amistad, lo relaciona con Lucano en su segundo capítulo del *Viaje del Parnaso*, que se publicó en 1614, mucho antes de su versión definitiva de *La Farsalia*:

> Y tú, D. Juan de Jáuregui, que a tanto
> el sabio curso de la pluma aspira,
> que sobre las esferas le levanto;
> aunque Lucano por tu voz respira,
> déjale un rato y con piadosos ojos
> a la necesidad de Apolo mira: [...]*[11]*.

---

9 «Los quales versos don *Iuan de Xáuregui* en su *Lucano ilustrado*, con superior espíritu i estilo, penetrando bien su sentido, hizo nuestros diziendo...» (Alonso de Carranza, *El aiustamiento i proporción de las monedas de oro, plata i cobre i la reducción destos metales a su debida estimación, son regalía singular del Rei de España i de las Indias*, Madrid, por Francisco Martínez, 1629, pág. 69).
10 Vid. Pablo Jauralde (dir.), *Catálogo de manuscritos de la Biblioteca Nacional con poesía en castellano de los siglos XVI-XVII*, vol. I, Madrid, Arco-Libros, 1998, págs. 537-538 e *Inventario general de manuscritos de la Biblioteca Nacional*, vol. X, Madrid, Ministerio de Cultura, 1953-, págs. 160-161.
11 Miguel de Cervantes, *Viaje del Parnaso* (edición y comentarios de Miguel Herrero García), Madrid, Instituto Miguel de Cervantes, 1983, pág. 229.

Si en la obra de Jáuregui la crítica ha querido ver dos etapas bien diferenciadas y contradictorias, una italianizante y otra gongorista, en su labor como traductor no es diferente; prueba de ello son estos cuatro textos que parten de *La Farsalia* de Lucano: la traducción de las *Rimas*, la de la obra de Carranza, la versión manuscrita de la obra completa y la posterior versión impresa de 1684. Los dos primeros responderían a la línea estética adoptada en su primera época y los dos siguientes a la última. Algunos como Jordán de Urríes (*op. cit.*, pág. 46) han querido ver en esas traducciones fragmentarias un antecedente de la traducción del texto completo, pero como ha demostrado Miguel Rodríguez-Pantoja Márquez en su comparación entre la traducción incluida en las *Rimas* (1618), el impreso de *La Farsalia* de Jáuregui (1684) y el original latino, el método de traducción resulta bastante diferente[12].

Hasta el momento, la crítica no ha dudado de la calidad de Jáuregui como traductor en su primera época y se ha centrado en intentar clasificar el texto de *La Farsalia*. Esta obra ha sido calificada de versión, imitación, etc. sin llegar a una conclusión definitiva, coincidiendo, no obstante, en que no se trata de una traducción convencional, dada la gran libertad con que Jáuregui toma el texto latino[13]. Entre estas alusiones a *La Farsalia* de Jáuregui, escasas y recurrentes, por otro lado, destacan dos trabajos monográficos en torno al método de traducción del poeta que, a pesar de valorarlo como traductor, critican duramente su labor en este poema. En primer lugar, Víctor José Herrero Llorente en «Jáuregui, intérprete de Lucano» (*Helmántica*, XV, Salamanca, 1964, págs. 389-410), censura la versión de Jáuregui por exceso de figuras retóricas, por una acuciante ampulosidad que la convierten en una obra oscura, y duda de que exista

---

12 «Juan de Jáuregui y las versiones poéticas de la *Farsalia* de Lucano», *Glosa: Anuario del departamento de Filología Española y sus Didácticas. Homenaje a la profesora Ana Gil Robles (1945-1988)*, 2, 1991, págs. 255-269.

13 Véanse, entre otros, Marcelino Menéndez Pelayo, *op. cit.*, pág. 259; Lucano, *Farsalia*, ed. de Antonio Holgado Redondo, Gredos, 1984, págs. 58-59; Gilbert Highet, *La tradición clásica*, México, Fondo de Cultura Económica, 1954, vol. 2, pág. 187; Pedro Salvá y Mallén, *Catálogo de la biblioteca de Salvá*, Valencia, Imp. Ferrer de Orga, 1872, vol. I, núm. 753, pág. 268; José Jordán de Urríes, *op. cit.*, págs. 99-101; Lucano., *Farsalia*, edición y traducción de Víctor J. Herrero Llorente (2.ª edición revisada), Madrid, Alma Mater, 1996, pág. LII.

una relación de dependencia entre los dos textos, de modo que se trata de un texto autónomo que poco tiene en común con el del poeta latino:

> *Jáuregui, que es autor de esta mal llamada traducción, no pasa de ser un pésimo intérprete de Lucano. Lo que él hizo de la* Farsalia *no puede llamarse ni traducción ni versión. La traducción, a diferencia de la versión, es más literal y ajustada en las palabras al texto original, mientras que la versión intenta trasladar el pensamiento, la forma e incluso los giros de una lengua a otra sin desfigurar tampoco en demasía el texto original. [...] En suma, no puede decirse que vertiera a Lucano; no pasó de hacer una interpretación parafrástica, y en todo caso se podrá hablar de una* Farsalia *de Jáuregui basada en la* Farsalia *de Lucano[14].*

En segundo lugar, tampoco Miguel Rodríguez Pantoja cree que se trate de una traducción, sino de «una paráfrasis evidente, donde, junto a añadidos y ampliaciones siempre lícitos en una versión poética y más de esa época, hay deliberadas mutaciones de la primera...[15]». Ciertamente, resulta muy contradictorio –una vez más– que un traductor consolidado y de fama reconocida como Jáuregui se aventure a realizar una traducción tan poco fiel al texto base; sin embargo, quizá no extrañaría tanto esta obra si se tratara como un texto autónomo, inspirado en el poema de Lucano, es decir, como un ejercicio poético que en ningún caso intentó trasladar el texto latino al castellano. Más aún si se tiene en cuenta que esta generación poética se desarrolla, como asegura Luis Martínez Merlo en su análisis de la generación de 1610, «en un momento crucial en que el petrarquismo y su lenguaje está llegando a un límite de esterilidad, y en que la influencia de los clásicos latinos, sobre todo el Horacio más convencional del siglo XVI, están llegando a un callejón sin salida del que se busca escapar hacia nuevas fórmulas[16]».

Dejando de lado las cuestiones generacionales o estéticas del momento que pudieran influir en la composición de la obra, si se quiere

---

14 Art. cit., pág. 390.
15 Art. cit., pág. 265.
16 *El grupo poético de 1610. Villamediana y otros autores*, Madrid, Club Internacional del Libro, 1986, pág. 13.

tener una percepción completa de este asunto, resulta necesario acudir a la versión original, es decir, el manuscrito. Todas las opiniones y los escasos estudios que hasta ahora se han llevado a cabo de este texto han pasado casi de puntillas por la versión manuscrita y las noticias que de ella se pueden recoger vienen a ser escuetas y de pasada. El biógrafo José Jordán de Urríes es uno de los primeros que da cuenta de la importancia que tuvo la difusión de esta versión manuscrita:

> *Principió, sin duda, su traducción de* La Farsalia, *a poco de terminar la del* Aminta, *sino que tal vez no le quedara nunca tiempo de corregirla a su gusto, y por eso no la mandó imprimir; pero su manuscrito circularía mucho por Madrid, andaría en vida de D. Juan de mano en mano, y con esto sus amigos lo conocerían seguro*[17].

Y del impacto y el éxito con que se acogió la obra:

> *A su muerte dejó ya terminada y corregida su traducción de la* Farsalia, *en que de mucho tiempo atrás estaba trabajando y que para entonces había sido ya leída y celebrada por varios amigos del autor*[18].

Herrero Llorente, que nunca vio este manuscrito, sí que lo menciona, aunque sin dotarlo de especial importancia, ya que enseguida remite al texto de Jordán de Urríes que acabo de citar:

> *Según parece, Jáuregui dejó a su muerte terminada y corregida la* Farsalia *en la que venía trabajando desde hacía tiempo, pero dicha traducción permaneció inédita hasta que Sebastián Armendáriz decidió darla a la estampa en unión del* Orfeo[19].

Gaetano Chiappini en *Fernando de Herrera y la Escuela Sevillana* (Madrid, Taurus, 1985, pág. 65) lo menciona sin saber muy bien cómo clasificarlo, si dentro del campo de la traducción o de la imitación: «Jáure-

---

17 José Jordán de Urríes, *op. cit.*, págs. 45-46.
18 *Ibíd.*, pág. 55.
19 Víctor J. Herrero Llorente, art. cit., pág. 395.

gui muere el 11 de enero de 1641 en Madrid, dejando el manuscrito preparado de una traducción e interpretación de la *Farsalia* de Lucano (que
salió en 1684)»; tampoco los historiadores de la literatura como Cejador
aportan ninguna noticia o análisis en torno al manuscrito[20].

La mayor carencia con respecto a la falta de estudios de este manuscrito se encuentra en las sucesivas ediciones de la obra. En la edición de
1888 tan sólo se hace mención a la finalización el poema, sin citar siquiera
su versión manuscrita: «residió en Madrid hasta el final de sus días, que
debió ser pasados los años de 1640, pues se sabe que este año ya tenía
concluido su poema *La Farsalia*, impreso en 1684[21]». En la edición que
Federico Sáinz de Robles publica en 1947 no se señala nada al respecto,
ni siquiera en la nota preliminar a modo de introducción que se centra en
la figura de Lucano y en la defensa de su obra[22]. No obstante, sí parece que
conocieran o hubieran manejado de alguna manera la versión manuscrita, pues en estas ediciones se encuentran ultracorrecciones de la príncipe
que retornan el texto a la versión original. En la edición de las *Rimas* a cargo de Juan Matas, por otro lado, sí que se advierte la existencia de la versión manuscrita y hace mención a la diferencia de años entre el manuscrito y el impreso, así como de los consiguientes problemas con que se topó
Armendáriz a la hora de editar el texto:

> *Aunque el manuscrito, con dedicatoria al rey de su puño y letra, tenía firma-*
> *das incluso las aprobaciones con fecha de 4 y 9 de enero de 1640, no se pudo*
> *publicar en vida del poeta, sino que apareció editado, junto con el* Orfeo,
> *en 1684, por Sebastián Armendáriz, quien desde un principio declaró los*
> *problemas que tuvo para recoger los materiales, y reconoció que no empezó*
> *trabajando sobre un manuscrito autógrafo que le llegó más tarde[23].*

---

20 «El manuscrito original de *La Farsalia*, en la Bibl. Nac. (M 239), con las aprobaciones y la dedicatoria al Rey con fecha de 1640» (*Historia de la Lengua y Literarura
Castellana*, Madrid, Gredos, 1935, vols. IV y V, págs. 275-276).
21 *La Farsalia por Marco Anneo Lucano. Versión castellana de D. Juan de Jáuregui.
Precedida de una discurso de Emilio Castelar*, Madrid, Librería de la Viuda de Her-
nando y Cía., 1888, tomo CXIII, 296.
22 *La Farsalia Texto impreso. Versión castellana de Juan de Jáuregui.* Nota preliminar
de F.S.R. [Madrid]: M. Aguilar, E. Sánchez Leal, 1947, págs. 11-15.
23 Juan de Jáuregui, *Rimas*, ed. cit., pág. 36.

En el *Catálogo de manuscritos de la Biblioteca Nacional con poesía en castellano de los siglos XVI-XVII* se añaden nuevos datos: «pese a parecer preparado para la imprenta, no fue este el texto utilizado en la edición príncipe de la obra, cuyas aprobaciones van fechadas en 1684 y firmadas por otras personas[24]». Todas estas diferencias entre la edición impresa y el manuscrito, que tan sólo han sido mencionadas sucintamente, han podido ser, desde mi punto de vista, un impedimento para entender este trabajo de Jáuregui. A pesar de que Urríes ya lo anotó en su biografía (téngase en cuenta de que se trata del año 1899) ningún editor posterior ni estudioso ha reparado prácticamente en ello[25].

Si se coteja la primera edición de la obra con el manuscrito, por tanto, se pueden advertir ciertos rasgos comunes y ciertas diferencias que podrían ser definitivas en una interpretación de la obra. En una primera lectura, parece que Armendáriz respetó la disposición adoptada por Jáuregui en el manuscrito, del que nada más abrirlo se deduce que se trata, efectivamente, de una copia de preparación para la imprenta muy avanzada, dado el ingente número de anotaciones y notas marginales explicativas que acompañan al grueso del texto. La presencia de estos añadidos y correcciones indica que este fue un texto trabajado durante muchos años, que había sido mejorado con el tiempo mediante amplificaciones y nuevas versiones del texto. Parece evidente, por tanto, que existía una intención de publicación y una idea clara de la estética de la obra.

En primer lugar, Jáuregui dispone el texto dividido en tres estrofas enumeradas correlativamente por cada cara del folio y así lo respetan los primeros editores, que encabezan, como ocurre en el manuscrito, las estrofas con el correspondiente número. Esto hace que en un principio coincida la paginación, puesto que, además, el texto impreso respeta incluso la numeración por folios y no por páginas, que sería lo esperado. También ha conservado las tres estrofas por cada cara del folio y su numeración, pues en las ediciones posteriores, los editores prescinden

---

24 Pablo Jauralde (dir.), *op. cit.*, pág. 537.
25 «Cotejado este manuscrito con la edición de *La Farsalia* publicada por Armendáriz, se observan grandes variantes», aunque tampoco profundiza más (José Jordán de Urríes, *op. cit.*, pág. 56).

del número de estrofa y las disponen todas seguidas sin divisiones. Aunque el editor no respeta las cabeceras de los folios, sí que mantiene la disposición de los argumentos de los capítulos, que tanto en el impreso como en el manuscrito se han dispuesto en el vuelto del folio correspondiente. En la edición príncipe, existe además una división que no aparece en el manuscrito; después del canto XV se ha añadido: «Fin de la primera parte de *La Farsalia*». Esta división, que dejaría a la obra segmentada en dos ha sido añadida por Armendáriz y no por Jáuregui. Es posible que el criterio responda al contenido, de modo que se facilitara la lectura, pues el canto XVI es en el que matan a Pompeyo en las costas de Egipto y el momento en que realmente se cierra el episodio de la batalla de *Farsalia*, la derrota total del ejército pompeyano y el comienzo de la hegemonía de César. Algo evidente, en cualquier caso, es que esta división se hizo de manera consciente, pues a partir de aquí comienza una nueva foliación en la edición.

La diferencia quizá más sobresaliente entre manuscrito e impreso se encuentra en los preliminares. El manuscrito tan sólo contiene en los f. 6-7 la aprobación de Agustín de Castro en Madrid, en el f. 8 la de Juan Vélez Zavala y en el f. 11 la dedicatoria de Jáuregui al rey Felipe IV, una suerte de prólogo firmado por el propio poeta. En cambio, en la edición los preliminares presentan mayor complejidad. Comienzan con la dedicatoria al rey a modo de prólogo firmada por Armendáriz, después se añade la dedicatoria al Duque de Medinaceli por Sebastián Armendáriz, seguida de una carta a D. Bernardino de Pardiñas Villar de Francos por Armendáriz y su consiguiente respuesta de D. Bernardino de Pardiñas, ahora el prólogo de Armendáriz, la aprobación del padre Juan Cortés Osorio, la licencia del ordinario, la aprobación de Antonio Solís, la licencia del Consejo, la fe de erratas y, finalmente, la suma de la tasa. La importancia de estos preliminares reside, en primer lugar, en las fechas que aparecen, pues de ellas se deduce la amplia diferencia temporal. Así, en el manuscrito Agustín de Castro firma su aprobación el 4 de enero de 1640 y Juan Vélez Zavala el 9 del mismo mes. En la edición, sin embargo, la dedicatoria de Armendáriz al Duque de Medinaceli está fechada el 1 de enero de 1684, la aprobación de Antonio Solís el 16 de julio de 1684, la aprobación del padre Juan Cortés Osorio el 12 de septiembre de 1684, seguida de la licencia del Consejo el 7 y la licencia del ordinario el 20 y, finalmente, la suma de la tasa el 28 de diciembre del mismo año. Parece claro, por tanto, que la versión manuscrita estaba ya preparada en torno al año 1640 (un año antes de su muerte) y la impresión se cierra 44 años después.

Sin dejar de tener presente en ningún caso esta marcada diferencia temporal, resulta interesante analizar algo más en profundidad la diferencia entre los dos prólogos. El del manuscrito, firmado por la propia mano de Jáuregui, como ya se dijo anteriormente, se trata de una dedicatoria escueta en la que indica brevemente sus intenciones con esta obra. No deja de ser sintomático que desde el comienzo se centre en la importancia de la batalla de Farsalia y no en el texto latino, pues a Lucano no le dedica sino el final del prólogo, donde, desde mi punto de vista, se encuentra la clave para poder interpretar correctamente el grueso del texto. En el f. 11v, segundo folio del prólogo, Jáuregui elogia a Lucano, «a quien sigo en lo más del argumento», y tachado, «i su idea». Es de gran relevancia el hecho de que el autor tachara estas palabras, pues podría ayudar a resolver el enigma sobre la intención del autor. Parece que Jáuregui tenía presente que había partido del texto de Lucano para construir uno nuevo, que tan sólo le interesaba el tema de la batalla de Farsalia, en la que, como él mismo afirma «consiguió César reduzir a un cetro el universo», argumento que le sirve para emparentar la figura de César con la casa de Austria:

> *I nació de aquel fuego, primera Fénix, la dignidad de emperador que después repetida, la inmortalizan tantos antecesores de Vuestra Magestad con el nombre de Césares, siendo única i soberana línea la Casa augustíssima de Austria, por donde sucede el diadema como ereditario*[26].

Más curioso resulta aún que en el impreso Armendáriz no incluyera el texto del prólogo íntegro, sino que utilizara el original para elaborar uno propio, que ni siquiera firmó. Si se cotejan los dos prólogos, el del manuscrito de tan sólo un folio y el de la edición que ocupa tres, se pueden ver párrafos y afirmaciones absolutamente copiadas del manuscrito, pero adornadas con giros retóricos. No obstante, a pesar de no incluirlo, sí que parece que Armendáriz lo tuvo en cuenta, porque en su dedicato-

---

26 Biblioteca Nacional de España, Mss/3707, f. 11.

ria «A los que leyeren», que se encuentra tras la carta de respuesta de D. Bernardino de Pardiñas, encabeza estas líneas haciendo referencia a la diferencia entre el texto de Jáuregui y el de Lucano, así como a las intenciones de su contemporáneo:

> *Este poema (Ingenios Españoles) no se estrecha, ni atiende a lo mismo que refirió Lucano en el suyo, aunque sea igual el nombre de* Farsalia. *Elige, pues, don Juan de Jáuregui el argumento que siguió el latino y válese de lo mejor que discurrió aquel poeta... (f. §).*

Aunque pudiera llamar la atención esta reutilización de los prólogos, no se trata de un caso aislado, pues se vuelve a recurrir a la misma técnica en la siguiente edición del texto. En la edición de 1789 (Madrid: Imp. Real, 1789) se vuelve a incluir un prólogo que no es el de Armendáriz y que va sin firmar. Esta vez se han utilizado prácticamente todos los preliminares de la edición príncipe de 1684 y se ha tomado lo que ha interesado para elaborar una suerte de prólogo-homenaje mediante el cual ensalzar la labor de Jáuregui y la calidad de esta obra[27]. Así, va completando su texto con palabras del Padre Juan Cortés Osorio, D. Antonio de Solís o D. Sebastián Armendáriz. En el caso de este último, copia prácticamente entero el prólogo de la edición de 1684, pues tan sólo omite las primeras líneas del principio y las del final en las que aparece el citado Armendáriz.

Una vez analizados los preliminares, merece la pena detenerse en uno de los elementos que menos modificaciones ha sufrido del manuscrito a la edición, las (abundantes) correcciones al texto. El editor en la mayoría de las ocasiones ha respetado la voluntad de Jáuregui y ha eliminado el texto que el poeta quiso eliminar o cambiar en su momento. Ha mantenido todo tipo de correcciones, incluso en las ocasiones en que se han modificado octavas enteras y los papeles que se han utilizado como parches que tapan grandes tachones y han servido para reescribir el texto, como en la estrofa 3 del Libro III.

---

27 Dado el comienzo del prólogo, se podría entender que ha sido el editor quien lo ha configurado: «Si se lee el prólogo que se halla en las *Rimas* de D. Juan de Jáuregui, que en nuestra colección componen el Tomo VI, se verá que en quanto nos ha sido posible, se ha dicho su mérito en la poesía» (pág. 5).

Los ejemplos con respecto a este asunto son múltiples, pero por citar alguno, véase en el manuscrito el argumento del libro séptimo, donde se lee: «Los contrarios, cesando la tempestad, marchan al río Ebro» había escrito en un principio el autor, pero posteriormente lo ha tachado y lo ha cambiado por «retirándose». Si ahora se coteja con la edición, se comprobará cómo se ha conservado dicha corrección dejando el «retirando» que Jáuregui había cambiado. Sin embargo, en contadas ocasiones no las respeta. Por ejemplo, en la estrofa 51 del Libro II, se puede comprobar cómo el editor ha obviado la corrección de Jáuregui que abarca nada más y nada menos que los versos 1-4 y 6 de la octava. En la estrofa primitiva, que es la que se ha incluido en la edición, se lee:

> *Oh, cómo dispensáis bienes y males,*
> *¡dioses! (Oh, vos) En los humanos pechos*
> *sois fáciles al dar, sois liberales,*
> *y al conservar difíciles, y estrechos.*
> *Dais a Roma diademas imperiales,*
> *dais que no admitan exemplar sus hechos...*

Y en el manuscrito, sin embargo, hay una muy evidente corrección en la que se tachan esos cuatro versos, sustituidos por otros que quedan algo emborronados por tanta tinta y repite al margen:

> *Induzís bienes preparando males*
> *(dioses), pues si la dicha en nuestros hechos*
> *fáciles concedéis i liberales*
> *la conserváis difíciles i estrechos.*
> *Dais a Roma diademas imperiales,*
> *de insuperable esfuerzo armáis sus pechos...*

Lo curioso de este tratamiento del manuscrito reside en que en el verso siguiente sí que admite la corrección de Jáuregui, en el que ha cambiado «era capa» por «es árbitra» y así aparece en el impreso; una prueba más del libre tratamiento por parte de Armendáriz de la versión original.

Las mayores modificaciones de una versión a otra residen en los resúmenes que acompañan a cada libro. En esos pequeños textos Armendáriz ha añadido en ocasiones algunas ideas de su propia mano, ampliaciones que a veces no dejan de ser nimios cambios, como en el resumen del Libro IV en el que tan sólo sustituye la forma verbal «envió» por «envía», o simples inversiones en el orden de las palabras, como en el Libro VIII, en el que se lee «legado también» en lugar de «también legado»; otras veces incorpora nuevos argumentos con el fin de aclarar el texto, como en el Libro V en el que añade detrás de la referencia a Roma «donde admite supremas honras», y otras omite parte del texto original, como en el Libro X, que en «apartándose las dos con lastimosos afectos» decide prescindir de «las dos». Sin embargo, en alguno de estos resúmenes el cambio sí altera profusamente el sentido. Tómese como ejemplo el resumen al Libro XIX del manuscrito en el que se lee: «Apio, su guerrero, va a Delfos a consultar el Oráculo; la sacerdotisa en el templo i cueva da su respuesta i muere» y que se ve transformado en «A Pío, su guerrero, va a Delfos a consultar al Oráculo la sacerdotisa en el templo y cueva dé su respuesta y muere», de modo que la redacción se ve oscurecida –una de las críticas más frecuentes hacia esta obra, por cierto– y el sentido, en cierto modo, poco claro.

Si con las correcciones del manuscrito el editor se mostró bastante respetuoso, no se puede afirmar lo mismo del uso de las notas marginales. En este caso, el tratamiento es más aleatorio: hay ocasiones en las que se mantienen y otras en las que se ven retocadas u omitidas, incluso. Sirva como ejemplo la nota a la segunda estrofa del Libro II: «Razonamiento de César a su exército, exhortándole a ir contra Roma y justificándose», pues desde «exército» no aparece en el impreso; o la de la estrofa 16 del manuscrito, en la que se lee: «Oración de Lelio a César, actando por todos la guerra», cuyo texto a partir de «César» ha sido mutilado en la versión impresa. A veces las omite directamente (f. 16, 3.ª nota; f. 16 v, 3.ª nota; f. 20, nota 3; f. 20 v, nota a la estrofa 33; f. 21 v, 2.ª nota; f. 27, nota a la estrofa 81, entre otras, o las que tan sólo son apreciaciones de Jáuregui y no aportan ningún dato de contenido –f. 18 v, 23–) y a veces las corrige y cambia a placer, como en la nota a la estrofa 31 del manuscrito, donde se lee: «Sintieron que se alimentava del Sol, de las ondas del mar» y que Armendáriz convierte en «Fue opinión que se alimentara el Sol de las aguas del Mar». No obstante, en ocasiones las mejora y completa, como en la segunda nota del f. 30 del Libro II, donde añade la palabra «pronostica» a la «muerte de César en el Senado». Y en otras ocasiones, por cuestiones de espacio, aúna dos notas en una, como en el f. 29 v: en la primera respeta la nota de Jáuregui «Donde después estuvo el cuerpo de Pompeyo. Lib. 16» y le une a esta sólo la referencia al Libro 17 en lugar de incluir la nota del manuscrito «Después de la guerra de Farsalia pasaron los vencidos a África a inventar nueva guerra. Lib. 17».

Los mayores desajustes en el paso del manuscrito a la edición se registran en las estrofas, es decir, en el grueso del texto. Estas diferencias entre las dos versiones, como es de esperar, han sido heredadas, corregidas o ultracorregidas de unas ediciones a otras. Armendáriz, en ocasiones, se aventura a realizar algunos cambios que no deberían afectar al contenido del texto, como en la estrofa 44 del Libro II del manuscrito, en el que se lee: «En ficciones, quimérico el sentido...» a diferencia del impreso: «En efigies del ánimo el sentido...» Existen otros casos de poca relevancia como en el Libro II, estrofa 21, verso 6, donde se encuentra esta versión en el manuscrito «llevas, i al ara, templo, y simulacro», que difiere de la de 1684 mínimamente: «llevas, y al Ara Templo, y simulacro». Probablemente tan sólo se tratara de licencias poéticas que deberían modificar el texto, pero el exceso de personalización de los versos, en ocasiones puede resultar peligroso, pues en otros casos cambia todo el sentido de la traducción, como en la estrofa 45 del mismo Libro II: «Afirman que de Roma el abundante / despojo César al norte ofrece», que evoluciona en la edición de 1684 a «La firma, que de Roma el abundante/ despojo, César al norte ofrece». La diferencia de sentido es evidente. La consecuencia más llamativa de esta equivocación se encuentra en el tratamiento del verso de las posteriores ediciones de 1789, 1888 y 1947, pues hay una ultracorrección del verso y vuelve a editarse como en la versión manuscrita. Cierto es que en otras ocasiones han sido las posteriores ediciones las que han modificado el texto por no haber sido editado con cierto cuidado a partir del manuscrito original. Así, por ejemplo, el verso 1 del la estrofa 91 del Libro XX, donde en el manuscrito se lee el verbo en singular «Velas apresta gúmenas y entenas», se mantiene en la príncipe de 1684, pero se cambia en las siguientes ediciones por el verbo en plural: «Velas aprestan, gúmenas y entenas».

Junto a todas estas diferencias de las que únicamente he aportado una mínima y superficial muestra, destaca el olvido o la omisión intencionada de incluir ciertas estrofas. Así, en el Libro VIII del impreso no se encuentra la numerada en el manuscrito con el número 42: «Tal guerra ocasionaron los dragones...» A esta octava, le acompaña una larga nota al margen sobre el contenido del texto que tampoco aparece en la príncipe. La misma operación se vuelve a registrar en el Libro XI, donde ha prescindido de la 48 del manuscrito: «De las flechas en ámbito arrojadas...» Aunque el mayor descuido de edición de todos se encuentra en el Libro XIX, en el cual faltan las estrofas 3 a 8, el equivalente a un vuelto y un recto.

La mayoría de estas diferencias y fallos de edición se han visto subsanados en mayor o menor medida en las sucesivas ediciones. Cada editor ha ido aportando al texto de Jáuregui nuevas correcciones y las siguientes ediciones han mejorado la príncipe[28]; rastrearlas llevaría a un nuevo trabajo. En cualquier caso, parece claro que las diferencias entre el manuscrito y la primera edición de La *Farsalia* de Jáuregui distaron bastante. El editor, quizá por mejorar el texto, por corregir profusamente la versión de Jáuregui o, simplemente, por descuido, alteró la versión original de la obra, un hecho que, según mi opinión, ha podido influir en las diferentes interpretaciones que se le han dado al texto. Mi intención con este trabajo no ha sido sino dar una pequeña muestra de estas alteraciones y variantes textuales con el fin de esclarecer algo más ese oscuro paso intermedio entre ambos textos, un hecho que hasta el momento la crítica prácticamente ha obviado.

---

28 Así ocurre con la edición de 1789 de la que Menéndez Pelayo afirma que es «más correcta que la primera» (*Op. cit.*, pág. 274).

La prensa literaria andaluza
en la época isabelina (II)

La prensa literaria andaluza en la época isabelina (II)

José Antonio Gijón Núñez

Como continuación del artículo anterior,[1] donde ofrecíamos un breve panorama de la prensa literaria aparecida en los comienzos de la época isabelina, proseguimos con el análisis de revistas aparecidas en las principales ciudades andaluzas. De dicho estudio podría sacarse la conclusión de que entre Sevilla, Granada, Cádiz y Málaga se establecieron unos ciertos vínculos culturales muy similares en su composición peculiar a la hora de dirigirse hacia su "público burgués", principal lector de este tipo de prensa cultural, que sintonizaba con el espíritu de la época y que, junto a la prensa madrileña, constituye uno de los más brillantes ejemplos de difusión cultural en el siglo XIX.

Aunque la mayoría de los escritores pertenecen a la minoría ilustrada de sus respectivas poblaciones, y se deduce en toda la prensa una similar característica de asimilar muy "sui generis" el nuevo espíritu romántico, en todas las colaboraciones podríamos advertir que los nuevos planteamientos románticos habían calado entre los escritores; si bien adoptándolos a una peculiar idiosincrasia, muy en consonancia con el eclecticismo que iba a marcar la década moderada.

---

1 Véase mi trabajo en Gómez Yebra, A. (ed.), *Patrimonio Literario Andaluz II*, Málaga, Fundación Unicaja, 2008, págs. 73-94.

GRANADA. *La Alhambra* (1839-1843)[2]

La Alhambra. Periódico de ciencias, literatura y bellas artes. Comenzó a publicarse en Granada el domingo 21 de abril de 1839. Se conserva microfilmado en la Hemeroteca Municipal de Madrid en cuatro tomos y su último número corresponde al 28 de febrero de 1841. Los ocho números del primer tomo constan de dieciséis páginas, a partir del segundo tomo el número se reduce a doce, y no menciona la fecha de publicación hasta el número 27, donde figura que es el domingo 15 de diciembre de 1839. Su formato es de 24 x 17 cm. No constan ni editor ni redactor, aunque sí el precio de 4 reales. Parece ser que era editado por una asociación de amigos, y a partir del número 12 del tomo segundo la asociación se convierte en Liceo, pasando la revista a ser portavoz del mismo, pues en el número doble 24 y 25 el subtítulo es *que publica el Liceo de Granada.* El tomo segundo posee 42 números, el último correspondiente al 29 de marzo de 1840. El tomo tercero su número 1 es del domingo 5 de abril de 1840 hasta el número 39 del domingo 27 de diciembre de 1840, desde el número 2 sólo aparece con el título de *La Alhambra.* El tomo cuarto sólo posee 9 números que van desde el 3 de enero de 1841 hasta el 28 de febrero de 1841.

Esta revista granadina está concebida, como su antecesora *El Artista*, para difundir entre la burguesía culta e ilustrada de la ciudad el espíritu romántico de la nueva época. Su primer número se abre con un artículo sobre la "Fisonomía histórica de Granada", de José de Castro Orozco; un artículo sin título firmado por Jacinto de Salas y Quiroga; una semblanza biográfica de Camoens, por Luis de Montes; un artículo sobre el "Monumento a Isidoro Maiquez", en el que se reseña la trayectoria e importancia del popular actor, cuyo autor es Francisco Herrasti; un soneto de José Fernández Guerra y la "Revista teatral" debida a Juan Nepomuceno Pérez del Castillo, en la que se trata del estreno en Granada de *"La Clotilde"* por Julián Romea.

Los restantes números de la primera serie serán de similares características, versarán sobre aspectos históricos y artísticos de Granada. A)

---

2 De *La Alhambra* puede consultarse Marín, N., *La Alhambra. Época romántica (1839-1843) Índices*, Granada, Universidad de Granada, 1962.

Artículos que tratan de la historia granadina: "Del reino mahometano de Granada" (Alfonso Escalante) nº 2; "Cristóbal Colón en Granada" (Luis de Montes) nº 3; "Apuntes históricos sobre la Inquisición en Granada" (José de Castro) nº 5; "Los Reyes Católicos y su gobierno" (sin autor) nº 6; "La Alpujarra" (José de Castro) nº 8. B) Artículos sobre la geografía romántica granadina: "Un paseo a la Alhambra" (Agustín Salido) nº 3; "La Aurora de La Alhambra" (José de Lerchandi) nº 4, reflexión romántica sobre el paso del tiempo y la perennidad de los palacios que lo vencen; "La peña de los Enamorados" (M. Z.) nº 5. C) Artículos de divulgación filosófica: "Filosofía de la felicidad (J.E.G.) nº 2; "De la Fortuna, Muerte o destino" (J.M. Ruiz) nº 4; "Opúsculos sobre la filosofía de la especie humana" (sin autor) nº 7. En el nº 6 aparece un homenaje a Mariana Pineda al levantarle el ayuntamiento un monumento, seguido de una extensa poesía elegíaca "Recuerdo a Mariana Pineda", de Vicente Moreno y Bernedo. D) Poesías: "Ella" (Julián Romea) nº 5; "Romance morisco" (F. De P. C. Y O.) nº 2. E) Relatos breves: "Conspiración" (Agustín Salido) nº 2; "El viejo de la Montaña" (J.M. Ruiz) nº 7. En este número aparece un breve artículo sobre modas. Y es interesante la carta que en el nº 5 el actor Julián Romea envía al director recusando al crítico teatral de sus opiniones sobre aspectos técnicos de la obra que representaba. A continuación hay respuesta por parte del crítico.

En el segundo tomo es interesante resaltar la inclusión en el número 3 de un fragmento de *"El estudiante de Salamanca"* de Espronceda, seguido de una poesía de Miguel de los Santos Álvarez; los dos aparecen en la lista de los socios desde este número. En el nº 4, desde Málaga Luís de Olona remite la composición "Mi destino", este escritor también colaborará en *El Guadalhorce*. La instrucción pública es materia de interés con un espíritu moderno, pues se plantea desde una perspectiva globalizadora (nº 3 y nº 34); sin embargo, dentro de la esfera femenina, en el nº 7 en el artículo "Importancia de la Instrucción del Bello Sexo", firmado con las iniciales J.M.R.P. se aboga por un cierto orden, pues: "No es esto decir que se dedique el bello sexo al estudio de aquellas materias científicas que se salen de la esfera de una instrucción elemental porque... se engolfarían en un género de ilustración pedantesco y fastidioso", lo cual muestra la situación femenina de la época. Luis de Montes debió de ser un escritor romántico granadino interesado por las tradiciones de su ciudad ya que en el nº 3 incluye su relato "Julia de Sandoval"; en el nº

5 "La torre de la cautiva"; en el n° 7 "El Sacristán del Albaicín"; en el n° 9 "La torre de los siete suelos"; y en el n° 29 "El alcalde de Otivar. Escenas de la guerra de la Independencia". El famoso escritor norteamericano ashington Irving colabora con unos extensos artículos que narran su viaje al puerto de Palos, (n° 9 y 11), en el n° 20 incluye su relato "Aventura de un estudiante alemán". Hay estudios sobre "Arquitectura de Granada" (Salvador J. Amador) n° 2; "Alonso Cano" (P) n° 2; biografías de "Lamartine" n° 5; "El cardenal Cisneros" n° 7; "Juan Sebastián Elcano" n° 16. Un entusiasta artículo en el n° 10 celebra la apertura del Museo Provincial (J. Nepomuceno Pérez del Castillo), en el n° 13 otro habla de la "Historia y utilidad de los museos numismáticos". Dentro de los estudios históricos, el n° 23 ofrece "Civilización de los árabes andaluces" (M. L. A.), que ofrece la bibliografía de los libros consultados para elaborar el artículo. La utilidad de los tiempos les lleva a incluir en el n° 32 un artículo sobre "La Gimnástica" y en el n° 40 dos sobre los "Seguros contra incendios de casas" y "Origen y utilidad de la taquigrafía". Desde el n° 12, en el que se publican las bases del Liceo y la necesidad de la prensa como vehículo de expresión artística para los socios, comenzarán a aparecer firmas femeninas, que se limitarán al campo de la poesía, en el n° 13 la escritora malagueña, Dolores Gómez de Cádiz de Velasco, casada con el médico y escritor Antonio José Velasco que dirigirá la 2ª serie de *El Guadalhorce*, incluye el cuadro: "A mi virtuosa y desgraciada amiga S.B. Cuadro de una mujer cuyo verdugo es el marido", también en el n° 24-25 su poema dedicado "A los individuos del Liceo artístico y literario de Granada" y en el n° 42 "A la Aurora"; desde el n° 16 aparecen las colaboraciones de Gertrudis Gómez de Avellaneda, la cual bajo el pseudónimo de "La Peregrina" y desde Sevilla mantendrá contacto con las principales revistas románticas provinciales. En "Nota" se dice que esta composición es obra improvisada de una señorita sevillana, el n° 22 incluye su composición "A la luna", el n° 26 "A la felicidad". La escritora malagueña de Ardales, María Mendoza, incluye en el n° 17 "Mis ilusiones" y en el n° 26 una extensa oda "A la noche". María del Carmen Velasco de Bouvier en el n° 20 "A la paz", y el actor Julián Romea su poema "Una noche en la Alhambra. Meditación" en el n° 24-25. Dentro de la vida teatral granadina se destacan en el n° 16 la aclamada representación de "*La conjuración de Venecia*" por Matilde Díez; en el n° 29 el estreno de "*La redoma encantada*", de Hartzenbusch y en el n° 39 la apoteósica puesta en

escena de *"Los amantes de Teruel"* sentida despedida de la señora Díez y el señor Romea de los escenarios granadinos. En el nº 29 se nos da por vez primera la imprenta y el lugar de impresión de la revista, Imprenta y Librería de Sanz. Y en el nº 33 es interesante la nota que se incluye al final: "Suplicamos a los Sres. Redactores de los demás periódicos que cuando copien algún artículo de este, se sirvan poner al pie de la firma o de las iniciales, el título de (*La Alhambra*)", anécdota ilustrativa de cierta práctica periodística de aquella época.

El tomo tercero inserta el relato histórico de Manuel Fernández y González "El doncel de D. Pedro de Castilla. Tradición sevillana" nº 5 y 6. De Alejandro Dumas aparece en el nº 11 su relato "Napoleón y Luciano" y en el nº 27 su artículo "La lectura de un drama". Manuel Bretón de los Herreros tiene un relato humorístico en el nº 25, "Una nariz". Luis de Montes continúa sus colaboraciones granadinas con "El padre Piquiñote. Episodio de la rebelión de los moriscos de Granada" nº 16 y en el nº 17 "Los dos pintores". Manuel Cañete en el nº 4 inserta el artículo "De nuestra literatura dramática", donde elogia el teatro clásico español y las nuevas corrientes románticas. Una biografía de Madame Staël (M. Lafuente Alcántara) y la serie que el ministro y escritor Javier de Burgos va a dedicar a los dramaturgos clásicos: Tirso de Molina, nº 29 y 30; Pedro Calderón de la Barca, nº 31 y 32; Rojas Zorrilla, nº 33; Agustín Moreto y Hurtado de Mendoza, nº 34; Juan Pérez de Montalván, nº 36; Antonio Solís, nº 37; Matías de los Reyes, nº 38 y Agustín de Salazar, nº 39. "La Peregrina" interviene en el nº 4, "El Insomnio", en el nº 35 "El poeta" y en el nº 36 con "A la columna de El Dos de Mayo". En el nº 5 ha aparecido el anuncio de que su novela *Sab* va a aparecer para los que deseen suscribirse. Y en el nº 15 se inserta un anuncio de la publicación de la *Revista Andaluza*.

El último tomo existente, el cuarto, es el menos interesante, en él se sigue la serie de biografías que Javier de Burgos dedica a Francisco Bances Candamo y Antonio Zamora, nº 1; José Cañizares, nº 2 y el Marqués de Villena, nº 9. Un relato de Juan Colom que trata de la figura de Macías, nº 8 es lo único resaltable de esta última serie que termina el 28 de febrero de 1841.

GRANADA. *El Abencerraje. Revista Semanal de Literatura, Artes y Costumbres.* (1844)

La segunda revista granadina consultada en la Hemeroteca Municipal de Madrid, también se encuentra en la Hemeroteca Nacional y en la Hemeroteca Casa de los Tiros de Granada. Se editaron sólo doce números desde el domingo 9 de junio de 1844 hasta el 25 de agosto del mismo año. Costaba 4 reales al mes y su extensión era de doce páginas en un tamaño de 12 x 20 cm. Su director fue Manuel de Góngora, aunque sólo de los tres primeros números. El prospecto dice que aspiran *"ofrecer al público un prontuario de piezas escogidas, que a su amenidad reúna la dosis de instrucción para inspirarnos amor a la virtud y horror al vicio, bajo el carácter de la más sana filosofía, presentar doctrinas siempre útiles a la sociedad".*

El nº 1 se abre con una "Reseña histórica del periodismo en Granada", por José Godoy Alcántara, quien hablando de las revistas literarias antecesoras dice:

> *En 1839 nació La Alhambra con no pequeño alborozo de los literatos granadinos que se esmeraron en adornarla con todas las galas que les sugería su lozana imaginación, exaltada a la vista de los majestuosos restos de la pompa oriental... El Liceo la prohijó para ocupar sus columnas con el relato de las sesiones de competencia... y dando cabida a traducciones, verdadero cáncer que destruye el crédito del más autorizado periódico... La vetusta Alhambra bajó al sepulcro de sus ascendientes después de cinco años de vida; longevidad prodigiosa de que no hay ejemplo en los anales periodísticos de provincia... El Genil, semanario artístico y literario, redactado por estudiosos jóvenes, insertó algunas poesías y artículos de no escaso mérito. (Salió desde el 20 de noviembre de 1842 hasta el 26 de febrero del 43).*

Este periódico venía a ser una continuación de tan loable labor en la difusión cultural en la ciudad. La empresa duraría pocos meses, como otras muchas de similares características en el siglo XIX, pues entre el material publicado no hay grandes proyectos dignos de ser resaltados: A) Relatos breves. "Natalia" (Manuel de Góngora), nº 1; quien también publica "El palco número 11" nº 2; "El pañuelo blanco" (F.J. Orellana) nº 4, 5, 6 y 7; del mismo autor "La Casa real de Granada. Cuento fantástico" n⁰ 12. B) Artículos de divulgación. "Bellas Artes. Distinción entre las escuelas granadina y sevillana" (Antonio Alcántara) n⁰ 3; "Marruecos, geografía, historia, costumbres" (sin autor) n⁰ 5 y 6. En el número 10 encontramos el artículo "Una plaga" de Manuel Fernández y González donde se plantea la pregunta: *"¿son escritores todos los que escriben?"*, habla de *"la plaga que infesta los teatros, los periódicos, las librerías, los álbumes"*, ataca al plagio y a los malos traductores, y censura a los escritores despreocupados de la auténtica creación. C) Poesía. Es de escasa importancia. Sólo es reseñable una imitación de Lamartine, "El cristiano moribundo" (Francisco Orellana) n⁰ 3; y "Romance en antigua fabla castellana" (Ignacio M. Argote) n⁰ 2.

A veces se hacen breves reseñas de modas. En el número 9 se da noticia de la publicación de *El Judío Errante*, de Sue; *Los misterios de Londres* de Sir Francis Trolopp y de una *Vida política y militar de Espartero* (todo por suscripción). También se anuncia *El Tocador. Gacetín del bello sexo*, y de *El Polichinela*. *"Seminario joco-serio de literatura (frase desgastada)"* Para recomendar esta publicación basta leer los nombres de los colaboradores, Hartembusch (sic), Campoamor, Martínez Villergas, Aiguals de Izco. Asimismo en el n⁰ 11 se anuncia las suscripciones a *Los Españoles pintados por sí mismos*. Y una colección de novelas a diez cuartos que incluye obras de Jorge Sand. *Los Tres Mosqueteros* y *Rienzi* de Buler.

En definitiva, *El Abencerraje* constituye una revista literaria cuyas características son similares a las de *La Abeja* malagueña, la empresa de unos cuantos amigos empeñados con escasos medios y una enorme ilusión en animar el panorama de la prensa literaria provincial, aunque esa labor durase escasos meses.

CÁDIZ. *La Aureola. Periódico semanal de Literatura, Ciencias y Artes.* (1839-1840)

Esta publicación se encuentra microfilmada en la Hemeroteca Municipal de Madrid. El primer tomo consta de 22 números de doce páginas a doble columna, que corresponde desde el jueves 1 de agosto de 1839 al 26 de diciembre de 1839. Del segundo tomo faltan los números 3, 5, 8, 9, 10, 11, 16 y 17, llegando hasta el número 18 del 30 de abril de 1840. Del tomo tercero sólo existen los números 2, 3 y 4, el último del 28 de mayo de 1840. A partir de 1840 los editores, contentos de la buena acogida dispensada, deciden aumentar el número de páginas a dos pliegos, destinándolos a copiar los artículos más selectos de los periódicos de esta clase que se publican en el reino.

Sus características son similares a *La Alhambra* y *El Guadalhorce*. Su impresor y editor es F. Álvarez y en la "Introducción" del nº 1 se dice:

> *Al publicar un periódico de literatura y artes..., (no) es nuestro intento hacer alarde de erudición... Al ver nacer continuamente en casi todas las capitales de nuestro país publicaciones de esta especie, no hemos querido que la culta Cádiz... no diese muestras de conservar en su seno hijos que estiman su noble origen, y cifran su orgullo en adelantar en la difícil carrera de las letras, cuya perfección constituye la gloria y verdadera prosperidad de las naciones... En esta época, la más notable de nuestra historia, en la que se ofrece al ingenio el espectáculo de una revolución política, donde luchan las luces contra la ignorancia, la cordura con la demencia, las acciones heroicas con la superstición y el fanatismo... y el de otra literaria, donde disputa la razón su independencia y el genio todo el velo de su fantasía; en esta época pues, la juventud ardiente da por todas partes señales de vida, su alma se vigoriza, su pensamiento se exalta, u ansía saber para hacerse un día útil a sus semejantes.*

Como puede apreciarse los principios de un romanticismo ecléctico, renovador y de aspectos ilustrados es la tónica de este tipo de revistas provinciales. Este periódico ya tenía antecedentes en *La Alhambra*. El diseño compositivo es similar y en él colaborarán escritores sevillanos y malagueños, que junto a los gaditanos muestran afinidad espiritual. Manuel Cañete, José Amador de los Ríos y Francisco Flores Arenas van a ser sus principales colaboradores. De este último en el nº 2 se incluye una carta aceptando la invitación de participar con sus trabajos en el periódico. Las secciones son similares a las de todos los periódicos de semejante calado. A) Trabajos de divulgación científica: "De las Bellas Artes" (M. Cañete) nº 1; "Utilidad del estudio de la historia" (M. Cañete) nº 2; "Bellas Artes. Custodia de Cádiz", nº 4; "Estudio de matemáticas", nº 13 y 14; "La Virtud. Contemplación filosófica" (Ildefonso Marzo) nº 22; B) Estudios de literatura: "Del origen de la poesía" (J. B. y Q.) nº 1; "De los antiguos poetas castellanos" (Francisco Flores Arenas) nº 3; 5, 7, 13,16 y 21; "Historia Literaria" (S. A.) nº 10, 11, 12, 13, 15 y 18; C) Artículos de costumbres: "El hombre de influjo" (El Mirón andaluz) n° 2; "Eduardo. Retrato de un poeta romántico que muere de tisis" (M. Cañete) n° 3; "El cajista" (El Duende) n° 11; D) Relatos y novelas: "Rui-Velázquez" (Luís de Olona) n° 6 y 7; del mismo autor "Vargas" n° 10; "Raimundo" (M. Cañete) n° 11; "No hay plazo que no se cumpla y deuda que no se pague" (M. Cañete) n° 14, 15 y 16; "Elisa Kingston. Novela original por D. José Montadas", n° 18, 19 y 20. E) Se incluyen múltiples poesías de signo romántico. El género que más llama la atención es el de los romances moriscos, como los de Antonio Menéndez que se incluyen en los números 19 y 21. Gertrudis Gómez de Avellaneda, con su seudónimo de "La Peregrina", inserta en el n° 7 "La Fuente. Traducción de Lamartine", fechada en Sevilla en agosto, y en el n° 17 "A mi jilguero". En el n° 9 aparecen sonetos de Antonio Gil y Zárate y dos de José Zorrilla, junto a una letrilla de Bretón de los Herreros, "Viva la Paz", y Manuel Cañete en el n° 12 dedica un poema "Al invicto Espartero". Por su parte Francisco Rodríguez Zapata dedica un soneto "Al señor don Alberto Lista, residente en Cádiz", n° 12, fechado en octubre en Sevilla. F) Respecto al teatro, en el n° 10, el prolífico Cañete incluye un artículo literario donde da noticia de la lucha de los dos bandos literarios del momento, estando a favor de la gloria nacional. Muestra su aprecio por obras dramáticas como *Aben Humeya, La conjuración de Venecia, Macías* y *Los amantes de Teruel*. En el n° 5 se incluye una crítica de la representación de la obra de Dumas *Gabriela de Belle-Isle*, a la cual, frente a las malas traducciones y al teatro pavoroso, califica de extraordinaria. Por último destacar que en el n° 9, de 26 de septiembre, se anuncia la suscripción a *El Guadalhorce*.

En el resto de los números conservados, se sigue la misma línea de colaboradores de los números anteriores. Se incluye una novela histórica de Dumas, "Don Martín de Freytas" n° 6; una biografía de Goya (M. M y Pecheca) n° 2; un artículo sobre el carbonarismo en Francia, (P. de M) n° 1; otro sobre la formación de un Liceo artístico y literario en Cádiz; artículos literarios: "De la declamación" (J. B. y Q.) n° 1; y "Descripción geográfica del reino de la Poesía" (B.) n° 18. Quizá lo más reseñable es la participación del malagueño Luis de Olona con colaboraciones poéticas: "A la memoria del emperador Carlos V", n° 1; relatos: "El conde de Candespina", n° 6, "El israelita", n° 14; o artículos literarios: "Utilidad de la elocuencia", n° 15. Lo que prueba la reiterada colaboración interprovincial en la cultura del siglo XIX.

CÁDIZ. *Revista Gaditana.* (1839)[3]

La *Revista Gaditana* se conserva en la Hemeroteca Municipal de Madrid en un tomo de 585 páginas, que perteneció a D. Ramón Mesonero Romanos. Consta de 37 números, correspondientes el primero al domingo 3 de noviembre de 1839, y el último al domingo 12 de julio de 1840. Su formato es de 14,5 x 21, a doble columna y cada número comprendía 16 páginas.

El prospecto indica con subtítulo: Periódico Popular de comercio, industria, ciencias, literatura, administración, jurisprudencia, viajes, etc. Y es significativo porque nos va a desvelar las características esenciales de otros periódicos provinciales de la época. Comienza hablando de la finalización de la sublevación carlina, para pasar a definir los objetivos e intenciones de la publicación: "Separándonos del camino que siguen de ordinario los periódicos, se diferenciará de ellos la *Revista Gaditana*, en las materias que ha de abrazar, en la manera de tratarla y en el orden y forma de publicación".

A continuación reflejará el sentido e interés de este tipo de prensa:

Un periódico, es por lo general, el eco de las pasiones de quienes lo escriben y bajo pretesto[sic] de sostener opiniones, suelen defender los intereses de un bando, sus extravíos y flaquezas. Desterrando las polémicas políticas de nuestras columnas, daremos en ellas acogida a todas las ideas nuevas, a todos los proyectos útiles y a todos los pensamientos fecundos. Un periódico político tiene siempre amigos y enemigos, parciales y adversarios: nosotros hemos buscado indistintamente nuestros colaboradores entre las personas ilustradas de todas las opiniones. De ninguno hemos averiguado cuál es su parecer sobre materias de política, Nos basta con que sean partidarios de la difusión de las luces, de las mejoras morales y materiales, y de los adelantos de las ciencias, del tráfico y de la industria... la Revista es un periódico PO-PULAR: un periódico cuyas doctrinas y cuyos artículos estarán al alcance de todos los talentos y de todas las clases de la Sociedad.

---

3 La revista ha sido estudiada por ATERO BURGOS, V, "La *Revista Gaditana* (1839.1840). Estudio de una revista andaluza", en *Gades*, Cádiz, 1980, n° 6, pp. 5-28; n° 12, 1984, pp. 29-76.

El hecho de que todo este tipo de prensa posea una periodicidad semanal es porque: "Un diario es periódico escrito y leído con precipitación mientras que los redactores de un periódico semanal pueden reflexionar y realizar un examen detenido y prudente".

También se aduce lo poco común de los periódicos semanales españoles frente a lo que ocurre en Inglaterra y en los Estados Unidos. Asimismo les mueve el deseo de escribir un periódico para la Provincia entera.

Por lo que respecta al aspecto literario distingue dos especies diversas de literatura: la de los Liceos y Academias y la literatura del pueblo:

> *Lo que son en el día de hoy las NOVELAS... Para describir la sociedad presente con todos sus innumerables matrices, con el carácter que la distingue, con las clases que la componen, con los intereses que la dividen... es necesaria la novela con la variedad infinita de formas y con la libertad que le permite al autor aprovechar todos los argumentos, pintar todos los caracteres y usar indistintamente de los estilos y recursos de las diversas composiciones literarias...*

Por tanto, insertarán novelas originales españolas y ante las disputas de clásicos y románticos optarán por un eclecticismo teatral, admirarán y aplaudirán a Schiller y a Calderón de mejor gana que a Voltaire y a Moratín y en cuanto a los partidarios de Víctor Hugo les pide no dejen de leer la revista si hay algún elogio a Corneille o alguna censura de *Ruy Blas* o de *Ángelo*.

Efectivamente, en el número 1 se incluye una novela de José Bermúdez de Castro, "Una hechicera", en el nº 4 "La Alameda del Perejil, novela gaditana por D. Francisco Flores Arenas", en el nº 10, "Una boda en Madrid, novela original de costumbres de El Estudiante"; en los nº 15 y 16 se traducirá "Miserias de la vida conyugal", de Balzac; y en el número 36, "Napoleón y Luciano", de Alejandro Dumas, que un mes antes había aparecido también en *La Alhambra*. Y en los números 25 y 26, una novela de costumbres, "Manuel el Rayo", sin autor. En el nº 11 una nota anticipa artículos sobre literatura inglesa y francesa actual. Se traducirán fragmentos de las principales novelas de Soulié, Balzac, Jorge Sand, Sue, del capitán Marriat, etc. Incluyendo un fragmento de "Un candidato de conciencia. Costumbres inglesas", de Buler por primera vez traducido al español.

En el número 12 se publica un artículo de Tomás García Luna, titulado "Poesía de las costumbres de la Edad Media. Romanticismo", donde se opina:

> *Los románticos guiados por una especie de instinto, descubrieron que en los sucesos de los siglos medios había encerrada mucha poesía... En sus imitadores se echa de ver lo hueco y vano de sus cerebros... la falta de moralidad que se advierte en muchas de sus obras, porque describiendo vicios y pasiones odiosas, ha habido autores que han formado cuadros bellos, infieren que es lícito sacrificar el gusto pasajero que se recibe leyéndolos, el decoro y la decencia.*

Dicha oposición hacia el romanticismo es más debido a los malos imitadores que a los presupuestos del espíritu romántico en sí. En la revista se incluyen cuadros costumbristas plenamente románticos, como "Una cacería en el coto de Oñana", de Rafael Sánchez, nº 13; "La feria de Almagro", de C. Díaz, nº 36.

La crítica teatral presenta eruditos trabajos donde se efectúa un detenido análisis crítico de las obras representadas en el teatro gaditano de le época. En el nº 11, igual que había sucedido en *La Aureola*, una extensa crítica positiva elogia el estreno en el Teatro Principal de *Gabriela De Belle-Isle*, de Dumas. En el nº 12, el público gaditano desaprobó la obra *Rosmunda* de Antonio Gil y Zárate. En el nº 14, se alaba *Los amantes de Teruel*. En el nº 18 *Cada cual con su razón*, de José Zorrilla es aplaudida con entusiasmo por el público. Autor que también recibe aquiescencia en el nº 29, con el estreno de *El Zapatero y el Rey*. En el nº 22 es Bretón de los Herreros, del que se da un apunte biográfico, el que ve positivamente alabada su comedia *Un día de campo*.

Como le sucede a otras revistas similares, en ésta se incluyen trabajos variados, como una "Historia de la Química, (sin autor), nº 13; "Utilidad de la biografía" (Tomás García Luna), nº 12; "Abelardo y Eloísa. Ensayo histórico", (M. Guizot), nº 20; "Reflexiones sobre las doctrinas frenológicas del Dr. Gall" (Sin autor), nº 29.

En el número 26, en la sección "Boletín", aparece una curiosa anécdota periodística, que nos expone una práctica extendida en el periodismo de entonces: el plagio. El periódico literario *El Entreacto* de Madrid se queja, tras el pseudónimo *Mascaraque,* de haber incluido la *Revista*

Gaditana artículos suyos sin citar expresamente su nombre. Desde la revista gaditana se expone la divertida acusación de que otro periódico de las provincias lo había copiado, como copiaban artículos del propio periódico otros sin citarlos:

> *El Sr. Mascaraque no debiera quejarse de que hayamos seguido la general costumbre: y mejor le estaría reconocer la modestia de que damos la más evidente prueba en algunas ocasiones, cuando preferimos a nuestros propios y humildes trabajos, las producciones de nuestros cofrades.*

Otra curiosidad literaria es la sección de "Bibliografía" donde se anuncian suscripciones o publicaciones novedosas. En el nº 29 se publicita el tomo de Poesía del *Solitario*, dadas a la luz por D. Serafín Estébanez Calderón, y la librería donde se vende. Incluso en la propia redacción venden libros a precios inferiores de obras de Meléndez Valdés, alter Scott, Lessage, Chateaubriand, como sucede en el nº 33. En este mismo número se anuncia que desde principios del mes siguiente la Revista se seguirá publicando con el nombre de *Revista Andaluza*. En la que también colaborarán otros literatos de nombradía.

SEVILLA. *Revista Andaluza.* (1841-1842)

La *Revista Andaluza* se conserva en cuatro tomos en la Hemeroteca Municipal de Madrid y en la Hemeroteca Nacional. Su formato es de 13,5 x 21 y su primer tomo consta de 492 páginas. Contiene el prospecto, que está fechado en 1840, en él se comienza tomando conciencia de la novedad de estas revistas literarias:

> *Cuando todos los ramos del saber experimentan considerables adelantos... Nada es más conveniente que esta especie de publicaciones periódicas, que destinadas a seguir paso los progresos de todos los ramos del saber, pueden darles cuenta, sin necesidad de un muy largo y detenido estudio, de la marcha de la reforma y del espíritu civilizador... Las REVISTAS están llamadas a desempeñar un importante papel en la historia de nuestra civilización".*

Frente a los periódicos políticos y ante las circunstancias políticas del momento:

> *Las REVISTAS tienen otra misión, mucho más grave y de una trascendencia infinitamente mayor... son los anales de la civilización... hoy que nuestra sociedad ha tomado un rumbo nuevo... puede ser más conveniente que nunca una publicación, como la que ahora ofrecemos al público... Nuestra sociedad, conmovida hasta en sus cimientos por las dos causas que ya hemos indicado (guerra civil y revolución), próxima a una reorganización fundada en los últimos adelantos de la ciencia y los progresos más recientes de la época, necesita conocer estos progresos y aquellos adelantos..."*

El sentido divulgativo está claro en sus intenciones:

> *Dadles sí, compendios, resúmenes desprovistos de toda fórmula y escritos de manera que estén al alcance de todos, y entonces los comprenderá, y si bien no logrará alcanzar por ellos una instrucción profunda, le enseñaréis lo bastante al menos, para que pueda llamarse civilizada...*

Asimismo, como ha sucedido con las anteriores revistas, tienen muy claro su objeto y finalidad, así como la novedad que representan estas publicaciones, amén de proclamar la unión de la región andaluza:

> *Tener al corriente a nuestros lectores de los progresos que hacen las ciencias en Europa, hacer aplicación de esto progresos a la promoción y fomento de los intereses positivos y materiales de las provincias de Andalucía... No se conocían en Andalucía las publicaciones de esta clase hasta que hace algunos meses, se dio a luz la REVISTA GADITANA... La REVISTA ANDALUZA promoverá desde luego, los de todas las provincias de Andalucía... cuyos intereses, unidos por estrechos vínculos, hacen de sus habitantes un solo pueblo y proponer y discutir los medios que para satisfacerlas, creamos convenientes y oportunos...*

No obstante dichas intenciones, en todos los números que hemos manejado las únicas provincias que son objeto de análisis son las de Cádiz y Sevilla. Al igual que en el resto de la prensa literaria, esta publicación será apolítica, "nuestra voz no será nunca el eco de ningún partido". Cada colaborador tendrá sus propios ideales, pero reconocen que es superior a todos ellos los progresos de la ciencia y los intereses materiales y positivos de su país.

A continuación se hace un análisis de las materias que van a componer el contenido de la revista: Ciencias políticas y sociales. Historia. Literatura, donde se nos dice que se insertarán análisis críticos de las obras más notables y una novela o parte de ella. Ciencias políticas y Variedades. Como redactores aparecen Juan Donoso Cortés, Joaquín Francisco Pacheco, José de la Revilla y Mariano Roca de Togores. La periodicidad será quincenal, desde el mes de julio y su coste era de 8 reales para Sevilla y Cádiz, y 10 reales para el resto. También se citan los lugares de suscripción de la revista; en Málaga, en la redacción de *El Guadalhorce*; en Granada, en la de *La Alhambra*; en Huelva, la librería de Galves, pero ni Jaén, ni Córdoba, ni Almería, se citan.

El tomo primero, donde no aparecen los números de la revista, se abre con un artículo sobre la "Literatura griega", enviado desde Madrid por J. Morales Santisteban (pp. 17-21); Tomás García Luna, que como vimos era colaborador de la *Revista Gaditana*, analiza las "Leyendas españolas de José de Mora" (pp. 22-25); del mismo autor hay un interesante artículo titulado "Reflexiones acerca del carácter de la critica literaria en el siglo XIX", donde aduce que frente a la crítica antigua dominada por el buen gusto, en la época presente el estado social en que se encontró el autor sometido a juicio es lo esencial. Habla de un curso de literatura de La Harpe, cita a Blair y Batteux y a los españoles, Luzán, Capmay y Hermosilla como eminentes críticos. Recuerda que Madame de Staël tituló una obra donde la literatura estaba considerada en sus relaciones con las instituciones sociales. Su pensamiento de romántico conservador queda claro al exponer el efecto del cristianismo en la poesía, por influencia de Chateaubriand. En Sevilla Miguel Tenorio analizará exhaustivamente los "Romances históricos" de Ángel Saavedra (pp. 472-482); Francisco Cárdenas firma su trabajo "Instrucción pública en la Edad Media" (pp. 26-34); y se traduce "Guillermo el del gorro encantado. Memorias de la revolución", donde no se cita su autor, si bien su traductor aparece con las iniciales A. M. De O. (pp. 35-42); el mismo traductor sevillano citará el periódico *Le Siecle*, y el autor, Leon Gorlan, al incluir "Rosemary o La hija del mendigo" como folletín (pp., 78-89; 115-125; 156-164), al igual que hará con la novela "Luisa", de Augusto Arnould (pp. 199-205; 234-243; 276-287 y 317-324).

La sección de crítica literaria (pp. 126-129) ofrece las novedades de Francia e Italia en breve síntesis, así, al tratar de *"Los Estuardos"*, por Alejandro Dumas en dos volúmenes se escribe:

> *Dumas nos hace derramar lágrimas sobre esta familia... Demasiado conocida es ya la magia de este estilo tan elegante, tan rápido y tan dramático. Dumas escribe la historia con la misma rapidez que una novela, y así no hay que buscar en él la erudición que instruye, sino la fábula que seduce, el drama que conmueve.*

En la sección de "Variedades" se dan noticias de los estrenos teatrales de Sevilla, Cádiz, Madrid, Londres y París, que programaban sobre todo obras de Scribe y Dumas. Con respecto a las traducciones se opina que:

> *Siguen ejerciendo un dominio completo en nuestra escena, dominio del cual ninguna nombradía reporta la literatura, antes por el contrario presenta un estado triste de ella, cuando es la que manifiesta poderosamente los adelantos y la ilustración de un país.*

La poesía no va a tener gran trascendencia, tan sólo aparecen dos muestras en este tomo. Pero la novela que va a darse completa va a ser *Colomba*, de Próspero Merimeé. Se continuará su publicación en el tomo segundo. También la figura eminentemente romántica del trovador Macías será tratada en un escrito de Juan Colom, en el que analiza su vida y la trascendencia literaria, aludiendo al drama de Larra, no a la novela, aunque no nombra su autor.

Son interesantes los fragmentos de J. F. Pacheco, "De la Introducción a la Historia de la Regencia de la Reina Cristina" (pp. 333-343 y 373-385), y desde París, Patricio de la Escosura remite su trabajo "Observaciones sobre la Literatura Dramática en España" (pp. 453-461), en el que parte de la pregunta de si tenemos hoy verdadera literatura dramática en España. Hay autores y dramas buenos pero muchos más malos. La literatura dramática original pereció con Lope y Calderón, desde entonces hemos sido esclavos de lo extranjero en materia de ingenio. Ataca el valor del dinero y del materialismo social y concluye: "He aquí porqué la comedia propiamente dicha no es de nuestra época, he aquí porqué ha nacido el romanticismo".

El tomo segundo cambia el subtítulo por el de *Revista Andaluza y periódico del Liceo de Sevilla*. Consta de 10 números, y en el 8 se advierte que desde este número se separa del Liceo sevillano. En la primera entrega en una advertencia se nos informa de que deseando el Liceo de Sevilla tener un periódico en que dar cuenta al público de sus tareas literarias y artísticas, concierta con la *Revista Andaluza* parte de su publicación. La revista será más compacta, los colaboradores y redactores de la anterior seguirán, y los socios la recibirán gratis. En realidad poco cambia en la *Revista*, a no ser que en ocasiones informe de las actividades del Liceo, y que el número de páginas sea mucho más extenso. En el primer número se recoge un discurso pronunciado en el Liceo de Granada por el Excmo. Sr. D. Javier de Burgos sobre la libertad del comercio. Del mismo se incluirán "Ideas de Administración", nº 2 y 5. Prosigue la publicación de la novela "Colomba", hasta el número 4. Hay artículos de costumbres: "La Semana Santa. Las Máscaras" (El Hablador), n º 1; cuentos: "Conversación de sobremesa", por José Bermúdez de Castro, nº 5 y 6. Poesías: del duque de Rivas, "La Cancela, romance", nº 1; del Curioso Parlante: "Una beldad parisien", n º 2; de Lamartine. Poesía elegíaca dedicada a la muerte de su hija Julia, nº 10, Se continúa la crítica literaria, con el análisis de las "Coplas de Mingo Revulgo" de Juan Colom, nº 4; la edición de las "Poesías andaluzas", del malagueño Tomás Rodríguez Rubí es acogida con una crítica elogiosa, incluso se reproduce su poema "La venta del Jaco".

La regionalidad de la revista sólo queda de manifiesto en el número 4 donde se incluye el trabajo de Francisco Cárdenas: "Intereses materiales de las Provincias de Andalucía". Sacado de la *Revista de los dos mundos,* se ofrece un extenso trabajo de Mercedes de Santa Cruz, condesa de Merlín, "Los esclavos en las colonias españolas", nº 6 y 7. Lo más interesante lo constituye un artículo inserto en el número 3, sin autor, titulado "Teatro", donde se queja del mal gusto del teatro actual debido a las pésimas traducciones de melodramas extranjeros llenos de: "venenos, traidores, venganzas, padres crueles, encantos... y otra multitud de niñerías que hacen bostezar al público sensato y admira la multitud ignorante". El lenguaje es "grosero y chabacano por personas que no conocen la índole de nuestra lengua, y aun ignoran la gramática castellana". Las llama "obras monstruosas, en las que se confunde lo patético con lo ridículo, lo sublime con lo trivial y de mal gusto y la verdadera gracia con la insulsa chocarrería". A propósito de "La hija del Espagnoleto" deplora: "Lástima es que la correcta pluma de D. Ventura de la Vega se haya mojado para la traducción de este mamarracho".

El espíritu del enfrentamiento entre clásicos y románticos tiene cabida en el extenso artículo que desde Madrid firma José Morales Santisteban, titulado "De la literatura en la Sociedad Moderna", inserto en el nº 9. El punto de partida es la presuposición de que el clasicismo estaba fundado en el materialismo, y el romanticismo en el espiritualismo. El autor sustenta la tesis de que el espíritu romántico es inarmónico con la sociedad actual:

> *Las clasificaciones sociales, el espíritu caballeresco, el fanatismo religioso, la credulidad propia de una época tan poco adelantada forman el carácter distintivo de la edad media, y las pasiones que da ocasión este carácter, son las que constituyen el romanticismo, todas completamente estrañas[sic] al siglo en que vivimos... Resulta, pues, que el romanticismo fue un sistema adoptado a priori, no exigido por la sociedad, que no es la verdadera expresión de esta, sino solo de las opiniones de algunos literatos, y que ha dado origen a una poesía académica, la cual ha gozado de una vida efímera y pasajera. Desde que empezó a desacreditarse, empezó también la anarquía literaria en que viven los escritores actuales.*

La oposición explícita hacia el romanticismo está sustentada por el carácter de moda pasajera que el autor hace revestir a dicho movimiento cultural: "...quien se sienta inspirado por el verdadero jenio, y quiera escribir para la posteridad, no ha de consultar los caprichos de una jeneración, que por momentos está cambiando... El arte debe hacer al hombre social, engrandecer su alma, y hacerle a la vez amante y digno de amor de sus semejantes".

El tomo tercero, correspondiente a 1841, consta de once números, pero no están fechados. Se abre con una advertencia de que la revista es un periódico que no ha perdonado medio ni fatiga para hacerse con el título de que se envanece. Ha obtenido crédito en toda la nación y en el extranjero y es el periódico más barato en su género que se publica en España. Lo que contiene de cierto interés es una novela original de José Somoza: "El Bautismo de Mudarra, sobrino del rey moro de Córdoba, según nuestras crónicas", nº 1 y 2. El nº 3 contiene un fragmento de la biografía de Agustín Argüelles, de Antonio Alcalá Galiano; el relato "Un episodio de la guerra de Santo Domingo", que se concluirá en el n° 4 y se anotará que es traducido de la *Revista Británica* y un artículo de crítica literaria, debido a Juan Colom que trata sobre la poesía dramática de Gil Vicente. De Washington Irving se incluye el relato "El Juramento del Bajá", n° 5. Un relato sobre "Un viaje a Tánger", del que no consta autor, en el n° 7. En el n° 8 José Somoza traduce íntegra la obra de Terencio, "La Hecyra" y comienza la novela de Balzac, "La condesa con dos maridos", que llegará hasta el último número e incluso los dos primeros del siguiente tomo. Una interesante "Biografía inédita de Fernando de Herrera", por Francisco Pacheco, n° 9, es lo más destacable del tomo.

El tomo cuarto es el último de la *Revista Andaluza*, contiene 21 números, finalizando el 15 de julio de 1842, pues se anuncia en él la suspensión de la publicación. Los colaboradores siguen siendo los habituales y la orientación de la revista obedece al mismo criterio. El folletín ofrece otra novela de Balzac, "La cita o soltera, casada y madre" que saldrá desde el n° 13 hasta el doble 17-18; desde el 19 otra novela del mismo autor, "Julia D'Aiglemont" aparecerá hasta el final. En el n° 14, Pedro Madrazo, "Fragmento de una filosofía de la Historia Artística". Unas lecciones de filosofía, debidas al prolífico Tomás García Luna se encuentran en el n° 2, del cual también aparecerá en el n° 15, "De la Filosofía de la Historia". El malagueño Serafín Estébanez Calderón participa en el n° 14 con su "Pulpete y Balbeja, historia contemporánea de la plazuela de Santa Ana", uno de los cuadros costumbristas más celebrados de su autor. La poesía se halla mejor representada en este tomo, con poesías de varios autores: Francisco Rodríguez Zapata, sonetos de Arguijo, J. Bouligny, que también colaborará en *El Guadalhorce*, Félix José Reinoso, etc. La crítica y el ensayo literario siguen presentes con los trabajos de Ramón Cabrera: "Sobre la prohibición de los libros", n° 16; "Varios artículos de Literatura", n° 21. El sevillano Juan Colom diserta sobre la "Influencia de la Inquisición en el teatro antiguo español", n° 17-18; y en el n° 19 incluye una biografía amplia sobre "El marqués de Villena". El duque de Rivas ejerce de crítico literario en el n° 17-18 (dicho número aparece doble, pues se publica íntegra la comedia: "El baile de máscaras", de Francisco Javier Burgos.), al tratar una comedia de José Amador de los Ríos, "Empeños de amor y honra". En el número 20, las fábulas de Ramón de Campoamor, son analizadas por Fernando Álvarez, e incluso se incluyen fragmentos de algunas de ellas. Por último, en el nº 21, José Amador de los Ríos, devuelve la deferencia de la crítica al duque de Rivas, al analizarle favorablemente su comedia *El Crisol de la Lealtad*.

En definitiva, la *Revista Andaluza* trató más bien de forma tangencial los problemas que afectaban a la región. Incluyó artículos que trataban aspectos agrarios e incluso industriales de las provincias a las iba dirigido: Cádiz y Sevilla. En lo demás, poco se diferencia de la temática desarrollada por las revistas de otras provincias hermanas.

SEVILLA. *La Floresta Andaluza. Diario de Literatura y Artes.* (1843)[4]

De este periódico se conservan en la Hemeroteca Municipal de Madrid tan sólo cinco ejemplares, que están microfilmados. La característica de esta publicación estriba en que fue el primer intento de editar un periódico diario literario; aunque la experiencia tan sólo duró un mes, pues en el nº 31, que aparece fechado por errata el viernes 12 de abril de 1843, en realidad su fecha exacta es la del 12 de mayo.

El primer número conservado es el nº 14, y consta de 4 páginas. A partir del citado nº 31 el subtítulo hace explícito la periodicidad semanal, la extensión pasará a 16 páginas al precio de 8 reales mensuales y de 10 para provincias. También se nos indica que puede suscribirse en Sevilla, Madrid, Cádiz, Granada, Málaga, Medina, Sanlúcar, Jerez y Medina Sidonia. La Introducción expone que tras la suspensión, la revista, aparte de su periodicidad nueva, publicará las mejores plumas y los artículos más interesantes, insistiendo en que la publicación será ajena a los intereses políticos y a las pasiones del momento, que no responderá a polémicas ni provocaciones y sólo se atendrá a su objetivo, común a todas estas publicaciones, que es la difusión cultural.

Los números que se conservan contienen un "Estudio del Cardenal Cisneros" (E. M. C.); relatos, "Un gran rey", sacado de la *Revista de Edimburgo*; un estudio de los poetas sevillanos, por J. M. Fernández.

---

4 De la revista puede consultarse de LÓPEZ BUENO, B., *"La Floresta Andaluza"*. *Estudio e índice de una revista sevillana (1843-1844)*, Sevilla, Diputación Provincial de Sevilla, 1972.

Una conferencia sobre la "Civilización española del siglo XIV", dada en la Academia Sevillana de Buenas Letras por J. Bautista Novuillac. "Viaje artístico a Florencia, y Palermo", serie sin autor; José Amador de los Ríos ofrece un estudio histórico sobre El Cid, y unos poemas. Francisco Rodríguez Zapata colabora con una poesía, y el malagueño Luis de Olona un romance morisco. Lo que demuestra la interrelación colaboradora y cultural mencionada.

ALMERÍA. *El Deseo. Periódico científico, literario y mercantil.* (1844)

El primer periódico literario almeriense del siglo XIX se halla representado en la Hemeroteca Municipal de Madrid por catorce ejemplares de ocho páginas que están microfilmados. El primer ejemplar corresponde al 28 de mayo de 1844, su precio era de cuatro reales, a doble columna, no consta el nombre del editor, tan sólo la Imprenta y Librería de Vergara y Cía., Plaza de Marín, 13, donde se editaba. Los números 8, 9, 10, 12, 13, 14, 16, 17, 18, 20, 21, 24, 25 y 26 dan una muestra del que quizá sea el periódico más discreto de todos los analizados y demuestra la posición geográfica, histórica y social de la realidad andaluza del siglo XIX.

Un análisis del contenido existente muestra la total ausencia de colaboradores presentes en otras publicaciones de la época. La nómina de los que aparecen corresponde quizá a un grupo selecto de personalidades almerienses que, movidos por su interés cultural, intentan una empresa que permanece encerrada en sus límites provincianos. F. M. De Molina, S. Rubio, J. M. E. y Cárdenas son los colaboradores que más asiduamente aparecen. Las secciones siguen las líneas generales de este tipo de prensa: artículos de divulgación, poemas, relatos, noticias varias e incluso los precios del mercado. Así, en el nº 8 aparece una biografía de Don Nicasio Cienfuegos, de S. Rubio; y en el mismo número F. M. de Molina diserta sobre las "Nobles Artes". Hay artículos sobre la "Educación" (P. C. M. Aguado); "Estado de la poesía en el siglo XII" (S. Rubio), nº 10; de "Economía política. La máquina" (S. A), nº 14, pero el contenido es bastante mediocre.

En el nº 13 se insertan versos en latín remitidos por un lector; otro envía problemas matemáticos a resolver; se insertan noticias de libros que pueden adquirirse en la librería del periódico: *Escenas Matritenses,*

El Eusebio, novelas de Pablo de Kock, *La vida del Lazarillo*, por Diego Hurtado de Mendoza, obras de Balzac y *El Judío Errante*, de Sue. En el número 12 se inserta un anuncio a los suscriptores adelantando mejoras, noticias de interés, una sección de "Modas", mejorando el papel y los tipos de imprenta. En el nº 16 aparecen dos comunicados de lectores, uno a favor, otro en contra de un artículo aparecido en el nº 14. En este periódico también la redacción se opone a lo que trate de política, religión u otros asuntos prohibidos por las leyes: el moderantismo comenzaba a imperar en la prensa de la época.

Es interesante una nota aparecida en el ejemplar nº 22, donde se declara que el periódico no nació con afán pecuniario, sino como cauce de ilustración. La redacción se queja de que en seis meses que cuenta el periódico, ha debido sufragar innumerables gastos, y anuncia que van a dar los beneficios a las religiosas enclaustradas y a los fondos de beneficencia de la provincia. Lo que por un lado demuestra los avatares de este tipo de empresas, y por otro lo que podía ser una cuidada operación de carácter comercial para elevar la cuota de suscriptores.

JAÉN. *Revista Literaria de El Avisador de Jaén.* (1848)

La última revista provincial consultada en la Hemeroteca Municipal de Madrid, corresponde al tipo de coleccionable o suplemento literario. Se conserva en dos tomos de 305 y 263 páginas, en formato de 18 x 12 cm.

Contiene novelas clásicas moriscas: "*Historia del Abencerraje y la hermosa Jarifa*"; picarescas: "*El siglo pitagórico y la Vida de D. Gregorio Guadaña*", de Antonio Henríquez Gómez.; contemporáneas traducidas: "*Judit o el palco en la ópera*", de Scribe, "*Las dos rosas*", de Soulié, "*Mi amigo Wolf*", de Sue; "*Gelsomina*", relato breve de Alejandro Dumas sacado de *El Pensamiento* de Madrid.

El apartado de la poesía ofrece sólo ejemplos clásicos: soneto inédito a la ciudad de Córdoba, de Quevedo; una anacreóntica de Nicolás Moratín; romances de su hijo Leandro; poesías de Jovellanos; de la poesía contemporánea sólo se ofrece una poesía de Carolina Coronado, "A mis amigos de Madrid" y el poema "Despedida" de Gabriel Estrella en contestación. De Jovellanos se ofrece una biografía y sus artículo "Pan y toros"; y finalmente una biografía de El Gran Capitán.

La divulgación cultural se extiende hacia otros campos, como la naturaleza: "Singularidades de algunos animales", "El diamante"; las religiones: "El Mahometismo"; o la provincia: "Parte monumental (carta relativa a Jaén sacada del viaje de España de Antonio Ponz)". Una "Genealogía de los Napoleón" cierra el último tomo, al que le faltan desde la página 252 a la 259.

MÁLAGA. *La abeja.* (1842)

El segundo periódico literario malagueño del siglo XIX tiene corta existencia, tan sólo nueve números ven la luz entre el 1 de agosto de 1842 y el 26 de septiembre de ese mismo año. En el último número la redacción aduce que sólo cuenta con 39 suscriptores y tal escasez hace imposible la continuación de la publicación. Salía todos los lunes, costaba 6 reales al mes, y 8 fuera de Málaga. Se editaba en la imprenta del Comercio, calle de Santa María 15; aparecía en 16 páginas en formato de 19,5 x 11,5 cm. Los fondos consultados se encuentran en el Archivo Municipal de Málaga, en la Hemeroteca Nacional, y en la Hemeroteca Municipal de Madrid.

Se desconoce el nombre del director, quizá sea el que aparece bajo las iniciales S. C.[5], también utiliza el seudónimo de *El Fisgón*, pues escribe el artículo introductorio de la revista con el título de "Universidad", donde se expone la necesidad que tiene la ciudad de contar con un centro universitario. A tal fin podrían reunirse las ocho cátedras diseminadas por la ciudad, podría crearse una cátedra de idiomas, dada la índole comercial de la población y aboga por la necesidad que tienen los jóvenes de la instrucción pública y la utilidad y futuro que todo ello reportaría.

El Fisgón es también escritor costumbrista, en el mismo número publica "La hora del rancho", pp. 7-9. un animado cuadro de la plaza de la Merced. En los nº 1 y 2 finaliza una novela, "Fisiología del viudo", que había ido apareciendo en el periódico *La Crónica*, dicho periódico que empezó a publicarse en 1839 había finalizado en julio de 1842, y el autor podría haber sido colaborador o redactor de dicho periódico. Qui-

---

5 Posiblemente pueda tratarse del escritor Santiago Casilari

zá también sean suyas una serie de "Fisiologías" que en el nº 5, en la sección de "Bibliografía", pág. 80, aparecen a la venta y no se cita al autor, son las del enamorado, la del médico y la del solterón y la solterona. Otra novela suya "El casamiento imprevisto" aparecerá en los números 5, 6 y 8. Suyos son también los escritos que tratan de los "Liceos en España", nº 3, pp. 33-37; "La Moda", nº 4, pp. 58-61.

La Abeja siguiendo las pautas de las revistas de entonces publica artículos diversos. De carácter científico son los que aparecen bajo el título de "Aerolitos", debidos a Salvador de La Chica, nº 2, pp. 17-19; nº 4, pp. 49-51; nº 8, pp. 113-116.; y José de Torres en "Historia natural. Consideraciones generales sobre la naturaleza de los minerales", nº 9, pp. 129-133.

Se incluyen biografías como la de Manuel Fernández Borea, médico sevillano del siglo XVIII que ejerció la medicina en Málaga, donde publicó libros médicos, nº 1, pág. 4. Una extensa biografía de Rossini traducida aparece en los números 5, 6, 7, 8 y 9.

Artículos costumbristas aparecen en el nº 3: "El individualismo" (S. A.), pp. 40-41; y "El maestro de baile" (Quasimodo), pp. 42-45.

La parte histórica la cubre el trabajo sacado de una "Historia de Antequera", publicada por el presbítero Cristóbal Fernández, que ya en el nº 1 había aparecido la noticia de su suscripción: "La Peña de los Enamorados", nº 4, pp. 51-54. Dicha obra merece un juicio crítico en el nº 6, pp. 81-83, firmado con las iniciales de B. G. A.

Un discurso pronunciado por Francisco Martínez de la Rosa, "¿Cuál es la influencia del espíritu del siglo actual sobre la literatura?" se recoge en el nº 7, pp. 97-107, discurso que lógicamente muestra el espíritu conservador de su autor.

Las "Variedades" ocupan varios números, en ella se nos informa de noticias relacionadas con el arte, las curiosidades o la música. Igual se da la noticia de la representación en Viena de la ópera de Donizzeti, Linda Chainonnix; que se habla de la fábrica de loza de la Cartuja de don Carlos Pickman, o se anuncia que en Jaén desde el 7 de agosto aparece un nuevo periódico literario y artístico titulado El Crepúsculo.

La poesía también tiene su representación en todos los números, en el nº 1 y en el nº 4 aparecen sonetos de Juan Valera; otros poemas de Juan Florán, José María González Zorrilla, Francisco Lumbreras y Ramón Franquelo, cubrirán el espacio lírico del periódico. Pero el autor más prolífico es Juan Bautista Sandoval. Aunque los poemas aparecidos en estas revistas no aporten grandes novedades a la lírica de principios de siglo, algunas figuras poéticas pueden ser dignas de estudiarse, y quizá Sandoval sea una de ellas. Su nombre nos es conocido en las páginas de *El Guadalhorce*, donde había publicado 6 poemas, uno de ellos con música. Ahora incluirá 8 composiciones poéticas. En el número 1 incluye un "Himno a la luna", pp. 4-6, de claros componentes románticos. La luna metafóricamente es "Pálida antorcha de la noche umbría". Los misterios de la noche le despiertan: "vagos sentimientos ocultos en el alma". Como buen romántico se encuentra. "débil juguete yo de las pasiones/ en las horas de fiebres y de prisiones". El espíritu del amor hace que sienta. "ardiendo el alma en entusiasmo y gloria/ puras, lozanas brillarán las flores". La vaguedad, el enfrentamiento entre sueño y realidad adquieren tintes prebecquerianos: "No en vanos sueños gozará mi muerte/ fantasmas que al despertar por el espacio vagan/ de la desnuda realidad perdidos".

En un artículo suyo aparecido en el número 2, pp. 17-19, "Apuntes sobre la poesía lírica", expone sus ideas al respecto: "Si es la poesía la expresión de los sentimientos del alma, matizada, por decirlo así, con las galas de la imaginación, si es el rayo de luz que inflama la fantasía, y la equilibra y la pone en armonía perfecta con los ardientes impulso, con las vivas sensaciones del corazón no debemos considerarla como un superficial adorno..."

La posición social, existencial del poeta tiene una importancia decisiva: "...El poeta ocupa una posición harto embarazosa en la sociedad; sus creencias son las mismas, sus quejidos diferentes: la sociedad encubre siempre bajo una máscara engañosa sus convicciones y sus sentimientos, el poeta se la arranca...".

Como buen romántico, Sandoval antepone la libertad imaginativa, la pura inspiración a toda normativa académica:

> Los que no sientan ese agente interior, ese móvil seguro pero indefinible que llamamos inspiración, nunca podrán elevar su vuelo a las regiones del idealismo y de la poesía... La poesía nació con el hombre, sencilla y desnuda de atavíos en los primeros tiempos... Vano será el estudio de las reglas, si el corazón y la cabeza vacíos de impresiones no sienten dentro de sí el germen fecundo de la inspiración.

Habría que estudiar si Sandoval conoció a Espronceda, lo que sí es seguro es que es uno de sus autores leídos. En el número 5, pág. 72, se incluyen dos sonetos, uno de ellos que exalta la hermosura de la amada es un reflejo del "Canto a Teresa" y de la poesía de Espronceda:

> *¿Vistes en el pensil fresca y lozana*
> *Mecida por el aura vagorosa*
> *Abrir su cáliz la naciente rosa*
> *Al nacarado albor de la mañana?*

No sólo el léxico, sino los grupos oracionales rememoran la influencia del mejor poeta del primer romanticismo: "dulce aroma", "en pos de la ventura", "vaga en torno de mí tu imagen pura", "La tierna flor de su ilusión perdida".

A pesar de esta marcada influencia es la poesía de Sandoval la que mejor muestra el espíritu del romanticismo en la revista. La poca brillantez del resto y las adversas circunstancias, parecidas a las demás provincias en similares casos, hicieron que este nuevo intento de crear una prensa literaria durase poco tiempo.

La religiosidad en la poesía
de Salvador Rueda

La religiosidad en la poesía de Salvador Rueda

Francisco José Ramos Molina

> *Las de la lira; y sus bordes,*
> *también la lira semejan.*
> *Pues como ves ese asombro*
> *Detrás de la lira griega,*
> *¡al través de la Poesía*
> *hay que ver la vida entera!*[1]
> Gracia, personaje de *Vaso de Rocío.*

Podemos afirmar sin ambages que la poesía de Salvador Rueda no se puede entender en toda su plenitud sin la consideración del tema religioso como fundamental. Y, más en concreto, sin la presencia de la religiosidad católica. Manuel Prados, que lo trató en vida, afirma: "Salvador Rueda fue profundamente religioso:...".[2] Y Salvador Rueda escribe para corroborarlo:

> *Como rimaron, alegres,*
> *con las costumbres paganas*
> *músicas de monocordios,*

---

1 Salvador Rueda: *Vaso de Rocío*, Madrid, Imprenta de José Rueda, 1908, pp. 66-7.
2 Manuel Prados López: *El poeta de la raza Salvador Rueda. Renovador de la métrica*, Málaga, Excma. Diputación Provincial de Málaga, 1967, p. 123.

de liras, sistros y flautas,
rima, en concepto sublime,
con nuestra Iglesia cristiana, el órgano polifónico
con sus cien trompas sagradas.
Ecléctico en religiones,
el arte, en todas, me agrada;
mas prefiero la de Cristo,
pues son mi palio sus alas. ("Mi religión", p. 135, I)[3]

Muy alejada de la interpretación que vamos a ofrecer aquí quedan las palabras de Miguel D'Ors[4], así como las de don Rafael Espejo-Saavedra[5]. No obstante, opinamos que cualquier posible polémica queda dilucida-da por esta consideración de Salvador Rueda:

---

3 Las citas de los poemas de Salvador Rueda siguen la edición de don Cristóbal Cuevas: Salvador Rueda: *Gran Antología*, Málaga, Arguval, 1989. Cuando no cite-mos por esta antología lo indicaremos en nota al pie.

4 Miguel D'Ors en *La Sinfonía del año de Salvador Rueda*, Pamplona, Ediciones Universidad de Navarra, 1973, p. 50: "El poeta, que ni siquiera se interesa por su propia persona, está radicalmente satisfecho con la realidad que le colma los sen-tidos y no echa nada de menos en el mundo." Y en nota a pie de página completa: "Un tópico más (...) es éste del paganismo, el culto a la vida, etc." D'Ors parece interpretar el vitalismo y sensorialismo de la poesía de Rueda, el gusto por el dis-frute de la vida como algo alejado de lo religioso y no tiene en cuenta que nuestro poeta reclama esta visión más alegre y desenfadada de la religión en algunos de sus poemas, como veremos más adelante.

5 Rafael Espejo-Saavedra: *Nuevo acercamiento a la poesía de Salvador Rueda*, Se-villa, Servicio de Publicaciones de la Universidad de Sevilla, 1986, p. 128: "De los dos ingredientes que forman el mundo espiritual del Occidente, el griego y el cristiano, el segundo aparece casi invariablemente en Rueda representado en términos negativos, la negación de la carne representada en los agónicos Cristos andaluces, la abnegación, el ascetismo, formas todas del cristianismo hispánico, se oponen directamente a la concepción hedonista de la existencia –glorificación del instante- que constituye la esencia de su poesía." El señor don Rafael Espejo-Saavedra y yo hemos leído diferentes poemas de Salvador Rueda, pues considero que el de Benaque sabe adaptar el catolicismo a su concepción vitalista, sensorial del mundo y de la Naturaleza y es por ello que nos enseña un catolicismo esplen-doroso, optimista, alegre.

Somos esclavos del plano en que vivimos: él forma nuestra inclinación, modela nuestro temperamento, cuaja de un modo determinado nuestro carácter: y acaso, a haber sido mi cabeza, de recienacido (sic), bautizada por la luz del sol a gran altura y teniendo por pila bautismal el cielo, se deba el amplio fondo religioso de mis poesías cuando cantan a la Naturaleza y a las maravillas del Universo.[6]

Para Salvador Rueda la naturaleza[7] es la manifestación de la presencia divina en la tierra, hasta el punto de que cualquier ser de la naturaleza es necesario, puesto que es creación de Dios. De ahí que los insectos o las culebras sean dignas de canto.

Al tiempo que Dios es el Creador Supremo de la naturaleza, el vate es el creador del ritmo, del canto a los seres de la Creación que es la poesía. Anotamos varios poemas en los que Salvador Rueda asemeja la creación poética a la creación divina:

Quiero cortar mi pluma del palmeral sagrado
que está por Dios ungido, por Dios santificado,
para trazar mis himnos cual páginas de amor. (p. 6, I)

Estamos ante una cita del poema "La palma". Obsérvese que habla de música, de ritmo ("himnos"), y que entiende a Dios como amor. Así lo recrea "El poema a la mujer", lo católico aparece en forma de metáfora a través del amor, pues el poemario responde al ciclo completo del amor humano, desde el enamoramiento en "Cadena de rimas" (p. 29, I), hasta la unión carnal en "Cópula eterna" (p. 30, I), pasando por el nacimiento ("Nacimiento" p. 31, I), el matrimonio ("Lo que es casarse", p. 63, I),

---

6 Salvador Rueda: "Epístola íntima", *Renacimiento*, Madrid, n° V, julio 1907, p. 492, citado por Augusto Matínez Olmedilla: *Salvador Rueda. Su significación, su vida y sus obras*, Madrid, Gregorio Pueyo, 1908, p. 4.
7 Para una interpretación del tema de la Naturaleza en Salvador Rueda desde un punto de vista diferente al que exponemos aquí se puede consultar: Bienvenido de la Fuente: *El modernismo en la poesía de Salvador Rueda*, Frankfurt, Peter Lang, 1976, especialmente las páginas 47-51. Insectos, ornitología, flora son analizados por su relación con el modernismo y su influencia posterior. En ningún momento se alude al sentido religioso de estos elementos que mantenemos aquí.

o "Fiestas nupciales" (p. 98, I), y, cómo no, la muerte ("Lejano amor", p. 31, I).

"El revivir de las colmenas" (p. 93-5, I) es el revivir de la creación natural, humana, poética. Hay un paralelismo entre la mujer, tejedora de telas; las abejas, creadoras de miel, y el poeta, creador del ritmo poético. "La colmena" (p. 154-6, I) relaciona la vida monacal con las abejas:

> *En su claustro obscuro,*
>
> *poblado de celdas,*
>
> *igual que las monjas*
>
> *reviven las abejas. (p. 154, I)*

El faro concreto de Tabarca, en "El faro de Tabarca" (p. 114-7, I) cobra una dimensión trascendental cuando es: "¡faro, que eres palabra de los mares, / y luz de Dios, entre la noche oscura!"[8] (p. 114, I)

Aparece también la imagen de Dios asociada a Lázaro como símbolo de renacimiento. La Naturaleza re-nace en cada primavera, cual Lázaro. Efectivamente, el momento culminante de la Creación es la primavera y a ella, como estamos viendo, dedica Salvador Rueda muchos poemas. Así ocurre en "Galop":

> *Generador de vidas, Mayo brillante,*
>
> *que el gran crisol materno, Naturaleza,*
>
> *de sus varias semillas saca triunfante,*
>
> *y de las sabias leyes de su belleza. (p. 288, II)*

---

8 No podemos dejar de hacer referencia a San Juan de la Cruz y sus "Canciones de el alma...", en *Poesías. Llama de amor viva*, Madrid, Taurus, 1993, ed. Cristóbal Cuevas, p. 115.

> "En una noche obscura,
> con ansias, en amores inflamada,
> ¡oh dichosa ventura!
> salí sin ser notada,
> estando ya mi casa sosegada."

El agua, elemento iniciático de la vida católica, es también considerada fuente de vida. El poema "La música de Granada" (p. 286, II) no canta otra cosa sino el sonido de su agua.

En "Fantasía" (fragmento de un poema) (pp. 244-5, I) el vate imagina el nacimiento del idioma español a partir de las manos de Dios que lo sembró en Castilla y, como espigas de trigo, creció. Se une aquí lo religioso con lo nacionalista.

Es el poeta quien aprende de la Naturaleza en "Los panales" (pp. 256-7, II). Las abejas hacen poesía con sus ritmos sonoros:

> Y, al ver las santas tablas, de miel y ley repletas,
>
> que fingen los panales dorados por el día,
>
> avergonzados bajan la frente los poetas,
>
> y aprenden de un insecto dulzura y armonía. *(p. 257, II)*

Asemeja el panal al logaritmo matemático y al misterio filosófico, pero no elude la referencia católica como superior a estos. El panal es el vate creador, pero también las santas tablas, superiores al poeta. "El ave lira" (p. 258, II): "En su plumaje, que hacia Dios levanta, / la inspiración divina se refleja." (p. 258, II).

Prácticamente todos los animales que aparecen en la poesía de Salvador Rueda tienen una referencia religiosa divina. El poemario *La procesión de la Naturaleza* es una manifestación clara de lo que decimos.

Los camellos, que llevaron a los Reyes Magos ante Jesús, los insectos, el avestruz. El cóndor, el pavo real, el cisne, el ibis, las arañas o los gusanos de seda, el león, el caballo, el elefante —torre bíblica—, la cigarra, los árboles, las palomas, los reptiles, porque:

> En el fondo de las víboras Dios sembró chispas de gracia,
>
> Dios sembró lo noble en todo lo feroz que el orbe encierra,
>
> y el que tiene de la lira milagrosa la eficacia,
>
> de amor hace que palpiten los venenos de la tierra. *(p. 275, II)*

Este es una de las claves del pensamiento católico de Salvador Rueda. El amor como fuerza que combate el veneno-mal de la tierra. Cristo es el pastor que inunda de amor el mundo. De ahí que Salvador Rueda guste de cantar a los seres más ínfimos, mal vistos socialmente, a los pobres y dañinos porque son criaturas divinas que el amor vence y, porque, no en vano, es lo que hizo el hijo de Dios. Cámbiese el apellido de Lorca por el de Rueda y parecerá que don Cristóbal Cuevas está hablando sobre el de Benaque:

> *Lorca está dispuesto a ver a Dios pequeño y en lo pequeño. Cuando acepta lo religioso en uno de los momentos a que antes aludíamos lo hace siempre dentro de esta intimidad. En los años en que renace el arco de triunfo, labra Alonso Cano sus virgencitas, preciosos ejemplares de virtud e intimidad. (...) Es fray Luis quien, en la 'Introducción al símbolo de la fe', habla de cómo resplandece más la sabiduría y providencia de Dios en las cosas más peque-ñas que en las grandes. Humilde y preciosista, hombre de rincón y maestro de miradas, como todos los buenos granadinos.*[9]

Como corroboración de lo que decimos sobre la concepción del amor católica de Salvador Rueda el poeta de Benaque compone *El poema del beso* (pp. 949-978, III); cincuenta sonetos dedicados a la realización del amor divino en la tierra: el beso, como expone en "El beso de Dios" (p. 978, III):

> *Fue el ósculo de Dios fiat que, vehementemente,*
> *incendió los sistemas planetarios,*
> *que arderán en los tiempos milenarios,*
> *pues su beso es la vida permanente. (p. 978, III)*

Es el beso de Dios, su *fiat*, su "hágase" inciático que dará la vida eter-na: el amor. Con él Dios:

---

9 Cristóbal Cuevas García: *Lorca y su relativismo estético religioso*, Madrid, Gráf. Rolando, col. "Renard", 1971, p. 8. La cita de fray Luis que hace Lorca es de la obra del granadino: "Granada" en *Obras completas*, Madrid, Aguilar, 1957, p. 4. Y Manuel Prados López, *op. cit.*, p. 221 abunda al respecto: "ya viejo y achacoso requería a su sobrina para que corriese a anotar las ideas que lo asaltaban: 'Ven, Ana María, corre... Coge el lápiz y las cuartillas..., ve escribiendo cuanto te diga antes de que estas imágenes huyan de mi cerebro... Aún me queda por escribir el último poema, el verso definitivo de mi terrenal misión de poeta: el poema del amor entre los hombres'."

"Fundó el amor, ungió los corazones;
y, girando a más altas creaciones,
el beso se deslía, se deslía..." (p. 978, III)

Que Rueda quiso escribir y divulgar el "poema del amor entre los hombres', como código poético, es indiscutible.[10]

Quizá sea, precisamente, en el amor donde se igualan las religiones, como ocurre con la doctrina musulmana, a la que dedica un soneto —"El surtidor de perlas" (p. 954, III)— y en la que destaca la asociación amorbeso (cfr., 954, III).

Dentro de esta concepción divina de la poesía —y de la vida— el poeta es un instrumento de Dios y está obligado a cantar la Creación[11]. Así lo leemos en:

Y si, teniendo un arpa sublime y soberana,
no cantan de los hombres la lucha sempiterna,
baje sobre tu pecho la execración humana;
caiga sobre tu frente la maldición eterna. (p. 279, II)

La estrofa del poema es "donde Dios se eleva trocado en poesía":

Es un ara pura cada flor o estrofa
donde Dios se eleva trocado en poesía,
y quien hace, innoble, del acento mofa,
a Dios no comulga, que es pan y armonía. (p. 437, II)

"Modo de ver a Dios" (p. 384, II) es definitorio y definitivo sobre este tema. Dios es lo más cercano al vate:

---

10 Prados López, Manuel, *op. cit.*, p. 222.
11 Seleccionamos algunos ejemplos al respecto. En "Lo religioso eterno" (pp. 298-300, II):
"VII
Está todo nimbado por una melodía
Que no es luz, ni es sonido, ni es tinta: es mucho más;
Es el Supremo Espíritu que tiembla en cuanto vive,
Y en cuantas cosas vemos 'de manifiesto' está" (p. 299, II)

Dios vive en todo, pero está en la frente
más que en la piedra; y más intensamente
que en pájaro feliz, vibra en el verso.

Es Dios, en la unidad de cuanto expresa,
El pasador que todo atraviesa,
Y redondo abanico del Universo. (p. 384, II)

Tal es la importancia de la poesía relacionada con lo divino que:

Si en gruta sombría que el sol no hermosea
de Cristo encerraran la efigie y la idea,
y el arte no diese su luz a los dos,
el alma del hombre volviérase atea,
pues sin arte excelso, tal vez no hay quien crea
ni en aras, ni en cielos, ni en Cristo, ni en Dios. (p. 549, II)

La relación del poeta con la divinidad es manifiesta en estos versos, donde Salvador Rueda queda situado junto a la espiga divina, Espíritu Santo:

Está ritmificado del vate ser divino
por músicas cuadrículas de origen peregrino;
desde el Misterio viene timbrado en formas mil;
mi espíritu es la espiga que viene acordonada,
como una flauta de oro simétrica y bordada,
que tocan los dos labios del céfiro sutil. (p. 606, II)

Pues bien, estamos plenamente convencidos de lo que acabamos de afirmar y corroborar con múltiples ejemplos, botones de muestra que podrían ser aumentados en cantidad, pero también tenemos que decir:

—Yo he mirado a la tierra, al mar, al cielo,
como me dice la escritura santa,
y no he visto a ese Dios grande y sublime
que los martirios calma.

Devorando en silencio mis dolores
he vertido al llamarle tristes lágrimas,
y abrazado a la cruz, le he suplicado
sin que escuche mis ánsias (sic).

—Ni abrazado a la cruz a Dios se implora
sin vivir de la fé bajo las alas,
ni los ojos del hombre verlo pueden
del mundo en la morada.

Para invocar a Dios y bendecirle,
para escuchar su angélica palabra,
para verle ¡insensato! hay que buscarlo
con los ojos del alma!![12]

Este poema, de sus primeros tiempos, no ofrece duda: se ve a Dios con los ojos del alma, en nuestro interior reside Dios, no lo podemos tocar. El poeta de los sentidos afirma que Dios no se percibe por los sentidos que nos relacionan con el mundo exterior, sino con el alma, con el espíritu. Y esto no es más que la demostración del profundo sentido religioso de Salvador Rueda, que hará extensivo a la Naturaleza, como venimos diciendo.

Amparo Quiles[13] afirma:

Su madre es la referencia obligada, la ligazón a la tierra y a la naturaleza y
el motivo de sus viajes anuales a Benaque. Por ella sentía el poeta una pro-
funda y casi religiosa veneración, idolatrándola hasta un grado sumo."
Esta "casi religiosa veneración" que Amparo Quiles observa en las cartas
personales de Salvador Rueda se hace patente y obvia en su poesía, donde
con toda claridad encumbra a su madre al estadio de divinidad femenina,
Diosa. En el mismo sentido se expresa don Manuel Prados, quien afirma que
"Rueda veía a su madre como a una Virgen, como a un modelo de belleza,

---

12 Salvador Rueda: *Renglones cortos*, Málaga, tipog. de El Mediodía, 1880, p. 56. El poema se titula "Dudas".
13 Amparo Quiles Faz,: *Epistolario de Salvador Rueda*, Málaga, Arguval, 1996, p. 14.

> *como a un arquetipo maternal. (...) no era ya amor, sino adoración, lo que*
> *a Rueda inspiraba su madre.*[14]

El poemario "El libro de mi madre" (pp. 341-379, II) ensalza la figura materna desde su enfermedad hasta el ascenso a divinidad. El poeta iguala su madre a María, madre de Dios. Diviniza sus manos en cuanto que hacedoras de vida:

> *Esas manos divinas, de Dios hechura,*
> *cuatro veces bañólas luz soberana;*
> *¡manos de casta virgen, de madre pura,*
> *de viuda doliente y excelsa anciana! (p. 343, II)*

Su madre vale "Más que todo" (p. 348-9, II), como titula uno de sus poemas, pues es la única que se iguala a Dios, a través del amor que simboliza el beso de una madre, guía del amor divino:

> *—Un beso de mi madre vale más glorias;*
> *los imperios se forman de luto y lágrimas,*
> *y a Dios encierra un beso cuando lo brindan*
> *las bocas maternales de risas santas. (p. 349, II)*

Ante el advenimiento de la muerte de su madre en *"Mater purissima"* (pp. 349-354, II) el poeta idealiza a su madre hasta lo sumo en "Cómo quisiera que fueses" (pp. 355-7, II):

> *Y esa esencia inmarchita que te mantiene*
> *no es que yo en mi arrebato me la imagino;*
> *como un prodigio humano, tu cuerpo tiene*
> *algo eterno, impregnado de algo divino. (p. 355)*

Y lo hace de modo consciente, conocedor de la eternidad de la palabra poética:

---

14 Manuel Prados López, *op. cit.*, p. 98.

No has de morir; tus líneas idolatradas
yo encerraré en estrofas de urdimbre fuerte;
con versos más pujantes que las espadas
disputaré tu imagen hasta a la muerte. (p. 356, I)

La madre de Salvador Rueda muere el 27 de septiembre de 1906, así titula su canto VIII. Tras "El Domingo de Ramos" (pp. 364-7, II) esplendoroso con su madre y triste por su ausencia, y "Brindis sagrado" (pp. 367-370, II), donde siente la pérdida irrevocable, la presencia de la muerte; Salvador Rueda le rinde tributo a su madre con "Las andas de mi madre" (pp. 371-4, II) e "Himno de Gloria" (pp. 374-6, II), y termina con la universalización de su madre en todas "Las madres" (pp. 376-9, II). Ya en 1880 escribía Rueda:

Ojalá que al rendirse nuestras almas
cansadas de sufrir,
como se abrazan al chocar las palmas
nos juntemos los dos para morir.[15]

"Para el 'poeta de la naturaleza' —que no 'naturalista'— el hombre constituye un elemento más del 'Gran Todo', y, cuando aparece, lo hace, no en su dimensión biográfica, sino en su aspecto biológico (recuérdese el poema 'La herrada', cuyo tema reelabora Rueda varias veces). De ahí que el tiempo humano

---

15 Estos versos son del poema "A mi madre", que se puede leer en *Renglones cortos*, Málaga, tipog. de El Mediodía, 1880, p. 10, que como curiosidad, contiene un "Preludio" muy objetivo y premonitorio de Juan J. Relosillas (pp. I-VII). Por ampliar más la visión de la mujer que nos ofrece el poeta de Benaque en su poesía, apuntamos que en la serie de sonetos alejandrinos "Himnos a la mujer (pp. 997-999, III) compuestos por "'Mater admirabilis'" (p. 997, III), "'Mater creatix'" (p. 998, III), "'Mater veneranda'" (p. 998, III) y "'Mater Mundi'" (p. 999, III) vuelve a resaltar la importancia de lo femenino como fuente creadora:
"Es la mujer sublime la fuerza soberana
del río de los hombres, que de su fuente mana,
como del sol el río de fuego rubicundo.
De ella las razas todas son étnicos pedazos.
Alzar a la divina mujer entre los brazos
Es como alzar en peso la redondez del mundo" (p. 999, III)

—*tiempo determinado por la conciencia de la muerte*— *apenas aparezca en su poesía: lo único e irreversible no tiene cabida en su cosmovisión.*[16]

Vamos a ofrecer múltiples ejemplos de que esto no es así. Lo que ocurre es que don Rafael Espejo no contempla la importancia de lo religioso en la obra de Salvador Rueda dentro de la dimensión adecuada. La muerte, el tiempo, está interpretado desde lo religioso. El poema dedicado a su madre, donde aparece la muerte en sentido católico es un buen ejemplo de ello.

La religiosidad de Salvador Rueda a través de sus poemas contempla la muerte como un paso inevitable de la vida. La muerte se relaciona con la reencarnación o resurrección que se observa en varios poemas, *verbi gratia*, en "Escalas interiores" (pp. 238-240, I).

"La fiesta triste" (pp. 241-2, I) y "La muerte de un ángel"[17] tratan el tema de la muerte de un pequeño ser.

Los poemas que se agrupan bajo el epígrafe de "En el hospital" (pp. 308-319, II) desarrollan el tema de la enfermedad y la muerte incierta.

"El enigma" (pp. 442-4, II) plantea la duda de qué hay tras la muerte. Salvador Rueda expresa su deseo de una nueva vida.

En "El andar de la materia" (pp. 526-8, II) el poeta desarrolla su concepción de la reencarnación, el renacimiento de la materia:

> *Desde el principio obscuro de las edades, viene,*
> *quizás, el hombre en varia, perenne mutación,*
> *igual que una película de líneas, y pasando*
> *de mariposa frágil hasta elefante atroz. (p. 527, II)*

En cualquier caso la muerte también forma parte del mundo religioso de Salvador Rueda, pues es un medio para alcanzar la vida eterna, así se

---

16 Rafael Espejo-Saavedra: *Nuevo acercamiento a la poesía de Salvador Rueda*, Sevilla, Servicio de Publicaciones de la Universidad de Sevilla, 1986, p. 154.
17 *Renglones cortos*, p. 65.

puede leer en "La dignidad de la muerte" (p. 989, III), en "Desaliento"[18], o en:

> *Dichoso el que a la muerte se abraza con empeño*
> *y al mundo y a la vida si adios (sic) postrero dá;*
> *felices los que gozan del mas (sic) sabroso sueño;*
> *dichosos los que mueren, feliz el que se vá!!*[19]

Es más, Salvador Rueda se manifiesta contra la pena de muerte desde la esencia católica:

> *Quien, por decreto, róbale la vida*
> *un ser que Dios creó, lleva el pecado*
> *de dejar con su pluma desangrado*
> *el orbe entero, por la roja herida.*
> *Dejar a un ser el alma suprimida*
> *Por horrible dogal sobre un tablado,*
> *O darle muerte, ciego y maniatado,*
> *Es el crimen total de un homicida. (p. 984, III)*

No obstante, Salvador Rueda, poeta de los sentidos, de una religiosidad mediterránea, aboga por un catolicismo alegre, casi festivo y huye, por tanto, del Cristo clavado en la cruz que sufre. Ejemplos de ello los podemos leer en "La risa de Grecia" (pp.- 480-4, II). Esto se hace más patente, si cabe, en "La fiesta de las Palmas" (pp. 496-9, II), donde hace un alegato por un catolicismo alegre, festivo, muy propio del mediterráneo:

> *¿Por qué adornar los templos de efigies doloridas,*
> *de muecas espantables, de llagas encendidas,*
> *de duras contorsiones y lágrimas de hiel,*

---

18 *Renglones cortos*, p. 58:
        "Que mientras vaya á la materia unida
        el alma virgen donde el bien reposa,
        cada paso que damos en la vida,
        es un techo salvado hácia la fosa."
19 *Renglones cortos*, p. 41.

> *y no mostrar de Cristo la cándida ternura,*
> *y el habla que es un rico panal de luz y miel? (pp. 497-8, II)*
> *(...)*
> *En vez de ornar sus ojos de lágrimas crueles,*
> *trazad, nobles artistas, a golpes de cinceles,*
> *su vida hecha de risas y luces del edén,*
> *su esencia milagrosa de niño y de profeta,*
> *de rey de la palabra y angélico poeta,*
> *a quien de Dios la mano doró la augusta sien. (p. 498, II)*

El poema de las rosas (pp. 829-839, III) viene encabezado por una cita bíblica adaptada, por no decir tergiversada.

La cita de Salvador Rueda es "Florete quasi lilium. (Frase de Jesús)" (p. 829, III), que aparece en el *Eclesiástico*, 39, 19, del Antiguo Testamento, y dice exactamente, en latín:

> *Florete flores quasi lilium.*
> *Date vocem et collandate canticum*
> *Et benedicte Dominum in omnibus operibus suis.*

En la versión española, esta misma cita, *Eclesiástico*, 39, 19 se traduce: "Las obras de todo ser viviente están ante Él y nada puede ocultarse a sus ojos."

Las rosas son la máxima manifestación de la alegría divina:

> *Sois la gran negación de la tristeza,*
> *¡Oh rosas, en los tallos replegadas!;*
> *al capullo magnífico asomadas,*
> *sois la risa del sol que a abrirse empieza. (p. 829, III)*

Y es que *El poema de las rosas* es otro poemario que merecería un análisis más pormenorizado por su significación en la concepción católica de la poesía de Salvador Rueda y que aquí tan sólo apuntamos su importancia por la idealización de la Naturaleza, en cuanto que expresión de la voluntad de Dios, que supone la rosa, manifestación de la concepción alegre de la religiosidad de Salvador Rueda. Este poemario, en definitiva, explicaría o sería la base para explicar la constante presencia de la rosa en la poesía de Salvador Rueda.

Varios son los poemarios de Salvador Rueda dedicados íntegramente a lo religioso, además de muchísimos poemas individuales en los que trata objetos de la liturgia católica o pasajes bíblicos. La Nochebuena, en "La cena aristocrática" (pp. 243-4, I) donde se cita lo malagueño y andaluz y en "La Noche-Buena"[20], sirvan de botones de muestra.

Salvador Rueda ve peligro en la sociedad de su época, por ello invoca a Jesús para que se deifique y expulse a los mercaderes del templo de nuevo en "Los mercaderes del templo" (p. 383-4, II). "El Jueves Santo" (pp. 530-2, II), con "El lavatorio.- La jura del misal" (pp. 530-2), sobre el episodio del Triduo Pascual, día en que la Iglesia Católica conmemora la institución de la Eucaristía en la Última Cena de Jesús. Y "Resurrección" (pp. 532-4, II) son otros ejemplos de la presencia de episodios bíblicos en la obra de Rueda, quien demuestra profundo conocimiento del catolicismo en "Mujeres de nardos" (pp. 72-3, I), donde hace alusión al *Cantar de los cantares* y a todas las que adoran los nardos[21].

Entre los poemarios dedicados al tema religioso nos encontramos con "Lira religiosa", donde nos habla de las monjas y la oración, de la Cuaresma, la Pasión y Resurrección de Jesús, de la liturgia, de León XIII, en diez poemas perfectamente estructurados.

Igualmente organizado encontramos el poemario *Sierra Nevada*, que tiene un discurso completo y unívoco. Es un ascenso a la cima de lo católico. El poeta parte desde la impureza de lo terrenal: "Rendido llego a ti, Sierra Nevada, / llena de lodo el alma que fue pura" (p. 617, II).

Rechaza lo terrenal representado por los libros ("La tristeza de los libros"), las pasiones humanas ("El dolor de la lucha"), el juego y el dinero ("El juego"), las mujeres como salvación ("Las mujeres"), "El arte", "Los viajes", la mentira, en "La eterna mentira".

Ante tal abandono de lo terrenal, el vate, en *"Miserere mei"* clama a la naturaleza para que lo socorra y lo rehaga:

---

20 *Renglones cortos*, Málaga, pp. 44-8. ¡Qué interesante sería una comparación detenida de ambos poemas!
21 Cfr. *Cant* 1,12: Mientras el rey está en su diván, mi nardo exhala su perfume.

Deshazme, y otra vez déjame unido,
como vaso en mil chispas que, fundido,
sale otra vez más claro y transparente. (p. 622, II)

Es el poeta purificado por la Madre divina en, precisamente, el número diez de los sonetos, titulado "Purifícame".

Si los nueve anteriores los ha dedicado a la huida de lo terrenal, los nueve siguientes (del XI al XIX) son los poemas del nuevo ser purificado en común-unión con la naturaleza, a través del baño, el agua purificadora, los pájaros, las flores, el picacho del Veleta y el Mulhacén, en un claro ascenso desde lo terrenal a lo más cercano al cielo.

Termina *Sierra Nevada* con "La suprema sabiduría", el poema número XXI, que es el supremo renacimiento, la nueva vida renacida:

Bebí todas tus íntimas esencias,
infiltré en mi virtud todas tus ciencias,
me hice hombre nuevo al sol de tus montañas.

Y siento, en lo profundo de mí mismo,
Su estrépito de aguas de bautismo
Que otra vez siembra a Dios en mis entrañas. (p. 629, II)

Culmina así el ascenso a lo divino en una estructura de 9+1+9+1 donde el uno es la purificación, en cuanto que culminación de deshacimiento humano, y en cuanto que fin de la inmersión en la naturaleza y la comunión con Dios.

Son varios los elementos comunes relacionados con lo religioso que observamos en la poesía de Salvador Rueda, algunos han quedado siquiera apuntados. No quisiéramos dejar de señalar dos sustancias que consideramos fundamentales: el pan (cereales) y el vino. Efectivamente, la poesía de Rueda está envuelta de cereales (trigo, especialmente, espigas...) y de vino (uva), que a nuestro modesto entender no son ni más ni menos que el cuerpo (pan) y la sangre (vino) de Cristo, símbolos eucarísticos esenciales de la liturgia católica. Rueda logra desarrollar este paralelismo simbólico de modo consciente a lo largo de sus composiciones poéticas partiendo de elementos del cultivo andaluz para trascenderlos a universales dentro de su concepción católica del universo.

A este respecto, Bienvenido de la Fuente analiza el poema "El pan", contenido en *Lenguas de Fuego*[22]. El carácter divino del pan que nosotros fundamentamos dentro de la concepción católica de Rueda, Bienvenido lo interpreta en la línea de hacer bello lo cotidiano, de idealización del objeto hasta tal punto que se le otorga un carácter religioso: "En los doce cuartetos dodecasílabos aconsonantados pone Rueda toda su alma y toda su fantasía en aras de ensalzar y glorificar el pan, alimento cotidiano."[23]

Bienvenido explica la relación de este poema concreto, "El pan", con lo religioso; pero en ningún momento interpreta la religiosidad como característica general relacionada con la visión de la naturaleza de Salvador Rueda. La religiosidad es un mecanismo o estrategia de elevación de lo cotidiano a poético[24]. Tal es la interpretación de este crítico que afirma que Rueda llega a "... caer en un abierto panteísmo ...", pues identifica el pan con Dios. Efectivamente, pero si consideramos la poesía de Rueda en su extensión, no solamente este poema, veremos que en otras ocasiones, como ya hemos señalado el vino también está asociado a Dios, lo que nos remite a la simbología católica del pan y el vino como cuerpo y sangre de Cristo, respectivamente.

"Como elemento de gran importancia en las impresiones visuales de la poesía de Rueda se halla la luz. Toda su obra está presentada en un ambiente iluminado. Luz fuerte, lo más intensa posible, que ponga de relieve el exterior de las cosas que quiere describir."[25] Luz intensa, tan intensa como la iluminación de Dios que reciben todas las cosas. Es una luz divina cuyos haces Dios expande para que su creación sea resplandeciente y bella. Armónica en su expresión poética. Música celestial iluminada.

---

22 Salvador Rueda: *Lenguas de fuego*, Madrid, 1908, Imprenta de José Rueda., pp.9 y ss.
23 Bienvenido de la Fuente: *El modernismo en la poesía de Salvador Rueda*, Frankfurt, Peter Lang, 1976, p.98.
24 Cfr., *Ibídem*, p.100: "Los medios aquí empleados en la glorificación del pan nos son ya bien conocidos de la primera parte de este capítulo. El ropaje de religiosidad y suntuosidad de que es envuelto apareció en la mayor parte de las poesías que allí analizamos. Con símiles y metáforas tomados del ámbito sacro quedaron elevados el cisne, el escarabajo, la mujer, la imprenta, siendo éste un medio principalísimo de elevación en la gran parte de las poesías de Rueda."
25 Bienvenido de la Fuente, *op. cit.*, p.126.

Augusto Martínez Olmedilla ya intuía, allá por 1928, la importancia de lo religioso en Salvador cuando hablaba de un "misticismo panteísta" en *La musa*[26] y afirmaba:

> *Dios, el Hombre, la Naturaleza: he aquí la gran trilogía que parece compendiar toda la producción del poeta y a la cual han ido siempre dirigidas sus estrofas. Rueda es un místico, pero con misticismo amplio y profundo, que abarca la totalidad de las grandes abstracciones: la Divinidad que crea y preside, la Humanidad que lucha y padece, el Cosmos que envuelve y sojuzga.*[27]

En el lado contrario se sitúa alguien que conoció directamente al poeta, don Manuel Prados. Respecto a este panteísmo que algunos defienden en la poesía de Rueda, Manuel Prados clarifica con las siguientes palabras que nosotros corroboramos:

> *Rueda fue un hombre puro y sencillo, un cristiano a ultranza, pese a su lirismo que algunos creyeron panteísta y que no fue sino católico, en el sentido de universalidad de la palabra. Todo otro sentido de la misma es insidioso. Rueda no adoraba las cosas, sino a Dios en las cosas. Mejor dicho, relacionaba de continuo la belleza con la divinidad.*[28]

---

26 Salvador Rueda: *La musa. idilio en tres actos y en prosa*, Madrid, Edit. Sociedad de Autores Españoles, 1903.
27 Augusto Martínez Olmedilla, *op. cit.*, p. 6.
28 Manuel Prados López, *op. cit.*, p. 124.

De cordobés a cordobés:
Antonio Porras escribe a
Bernabé Fernández-Canivell

De cordobés a cordobés: Antonio Porras escribe a Bernabé Fernández-Canivell

María José Jiménez Tomé

Venimos de la noche tremenda.
Venimos cansados y maltrechos
porque hubimos de cantar toda la noche.

LOS PASOS DE UN PEREGRINO
ANTONIO PORRAS

Pocas son las referencias con que contamos para *adornar* la vida y la obra de este cordobés de Pozoblanco. Sin embargo, podemos ofrecer algunas noticias sobre estos ineludibles aspectos gracias al afán de rescate y salvación que cunde desde hace tiempo por parte de los investigadores deseosos de restaurar una imposible línea de continuidad generacional y creativa entre los que se quedaron, los que se fueron y los que continuaron. De nada sirve haber obtenido —salvo para el prestigio personal y el reconocimiento de un reducido núcleo de escritores— el Premio Nacional, el Fastenraht de Novela o el mismísimo Premio Pulitzer si los años han cavado en torno a un autor y su obra un profundo y oscuro cenagal de silencio.

Y esto es lo que ha ocurrido con la vida y la obra de Antonio Porras, aunque debamos significar que las instituciones de su patria chica le están echando últimamente un pulso al tiempo de la nada que lo inundó, y su obra va saliendo a flote con dificultades puesto que hoy nos encontramos con un intelectual absolutamente desconocido. A pesar de todos los infortunios, y fruto de esta valerosa empresa de recuperación y reconsideración de algunos autores que en su día fueron muy reveladores, actualmente contamos, en primer lugar, con la primera reedición de su novela *El centro de las almas*, que fue —según reza en su portada— "Premio Fastenraht de Novela correspondiente al quinquenio de 1922-1927"[1], que se presenta como el inicio del serio propósito de acometer la edición de sus *Obras Completas*, tarea que se lleva a cabo por el Ayuntamiento de Pozoblanco y la Diputación Provincial de Córdoba[2].

Ante este panorama, el hecho es que Antonio Porras existió en el mundo de las letras y desarrolló su vida literaria en distintos campos en los que fue muy respetado: la narrativa, la poesía y el ensayo que colmaban sus afanes como intelectual.

Este autor que verdaderamente se correspondería con el paradigma del *ilustre desconocido*, nació en Pozoblanco (Córdoba) el 17 de junio de 1886. Finalizado su bachillerato en Córdoba y decidido a internarse en el mundo de las Humanidades inicia la carrera de Derecho. Aunque hubiera preferido trasladarse a Madrid para iniciar la vida universitaria, finalmente lo hace en la Facultad de Derecho de Sevilla debido a la proximidad de esta universidad a la casa familiar[3]. Cursó su carrera con brillantez, y posteriormente se trasladó a Madrid en 1908 para acometer sus estudios de Doctorado. Realizó su tesis doctoral sobre Derecho Consuetudinario y Economía Popular. Su tesis llevaba por título *Prácticas de Derecho y de Economía Popular observadas en la villa de Añora*, y resultó

---

1 A. Porras, *El centro de las almas*, Premio Fastenraht de Novela Correspondiente al Quinquenio 1922-1927, 2ª edición, Diputación de Córdoba y Excmo. Ayuntamiento de Pozoblanco, 1999. Introducción y estudio preliminar de Blas Sánchez Dueñas.
2 Hasta el momento, de toda su producción literaria, tan solo se han editado las novelas *Santa mujer nueva* en 2002, y en 2004 *Lourdes y el aduanero*.
3 Los datos relativos a su formación y sus inicios en la vida cultural los tomo de la introducción y estudio del Profesor Blas Sánchez Dueñas, especialista en la vida y obra de este cordobés. Se ha encargado muy satisfactoriamente de la edición del volumen *El centro de las almas* antes mencionado. Lo cierto es que hay escasa información escrita o en Internet sobre este autor, pero la que hay no lleva a la confusión dada la variedad de fechas e informaciones que nos presentan.

premiada con Accésit por la Real Academia de Ciencias Morales y Políticas en el año 1914.

Una vez superada esta etapa, cumple sus prácticas en el prestigioso bufete madrileño de los Barroso y García Prieto, a los que le unió una profunda amistad. Se establece en la capital del reino, y, en 1910 contrae matrimonio con Victoriana Caballero García. Se convierte en Doctor en derecho y, simultáneamente, inaugura su carrera literaria sin decantarse aún por el cultivo específico de un género.

Sus primeras obras literarias son dos libros de poemas, *País de ensueño*[4] (1911) y *El libro sin título* (1912); ambos son la consecuencia de su toma de contacto y amistad con los protagonistas del pujante mundo cultural madrileño del primer tercio del siglo XX. Mientras que algunas de sus obras ven la luz, en 1919, profesionalmente gana su plaza por oposición en el Ministerio de Fomento como Oficial de 3ª de Administración Civil con destino a la Comisaría Regia del canal de Isabel II donde, tras cambios de gobierno y de régimen, acabará en enero de 1935 como Jefe de negociado de Primera clase del cuerpo técnico-administrativo del que en ese período sería el denominado Ministerio de Trabajo, Sanidad y Previsión.

Por otro lado, sus comienzos como escritor lo hacen partícipe de la vida cultural de Madrid, ciudad en la que florecían distintas tertulias literarias, que, al igual que los salones del siglo XVIII, sirven como foco de la cultura y como centro de intercambio de ideas. De la importancia que va cobrando la figura de Antonio Porras nos da idea el hecho de que su segundo poemario *Libro sin título*[5] fuera presentado en el Ateneo de Madrid. En su preliminar «exalta los encinares de su tierra natal, las labores pastoriles y ganaderas de sus gentes y en el que hace un recorrido metafórico por lo que puede haber sido la vida de un muchacho en pleno contacto con la naturaleza y el paisaje andaluz»[6]. No podemos olvidar que era hijo de padres propietarios de tierras de labranza, dedicados a estas tareas y que posteriormente él ejerció como admi-

---

4 A. Porras, *País de ensueño*,Madrid, Gregorio Pueyo, 1911.
5 A. Porras, *Libro sin título*, Madrid, Imprenta de Juan Pueyo, 1912.
6 Véase "Introducción y Estudio preliminar " de Blas Sánchez Dueñas a Antonio Porras, *El centro de las almas*, ed. cit., p. 27.

nistrador y supervisor de sus explotaciones agrícolas y ganaderas de la "Jara" (Córdoba).

Hacia 1920 Antonio Porras destaca con luz propia en su labor literaria. En primer lugar, obtiene el premio "Juana y Rosa Quintiana" por unas breves narraciones infantiles recogidas en su libro *Curra*[7]. En 1923 publica el libro de relatos *El misterioso asesino de Potestad*[8]. Obtuvo el Premio Fastenrath correspondiente al quinquenio 1922-1927 con su novela *El centro de las almas* (1924)[9], que le abrirá definitivamente las puertas del *tout Madrid* de la literatura. Aunque en estos tiempos, se ve compensado con honores por su labor y calidad literaria, Antonio Porras no permaneció ajeno a la dura vida de los trabajadores del campo, aspecto que él conocía muy de cerca. Sus preocupaciones y desvelos por las clases sociales más desfavorecidas, además de su excelente formación y sus conocimientos de las lenguas francesa e inglesa, motivaron su nombramiento como representante de España en la Sociedad de Naciones, en la IV Conferencia Internacional del Trabajo de Ginebra.

No fueron pocas sus incursiones en la narrativa y en la crítica literaria —muy atinadas, por cierto. Así aparecerán las novelas *Santa mujer nueva* (1925)[10] y *Lourdes y el aduanero* (1928)[11]. También llevará a cabo un estudio monográfico y una biografía sobre el insigne Quevedo titulada *Quevedo. Hombre noble* (1930), y una compilación de textos de Donoso Cortés titulada *Ideario de Donoso Cortés* (1934)[12]. Asimismo fue un asiduo colaborador en *Revista de Occidente*, *Revista Hispánica Moderna*, *Síntesis*, *Alfar* y, entre otros, colaboró en los diarios *El Sol*, *El heraldo de Madrid* y *La Vanguardia*.

En 1931, internándose plenamente en el ensayo político, y advirtiéndose en él tintes premonitorios —pues sería el resultado de lo que

---

7 A. Porras, *Curra*, Madrid, Biblioteca Patria, 1922.

8 A. Porras, *El misterioso asesino de Potestad*, Madrid, 1923.

9 A. Porras, *El centro de las almas*, Madrid, Renacimiento, 1924.

10 A. Porras, *Santa mujer nueva*, Madrid, Editorial Caro Raggio, 1925.

11 A. Porras, *Lourdes y el aduanero*, Madrid, C.I.A.P., 1928.

12 A. Porras, *Ideario de Donoso Cortés*, Madrid, Imprenta del Reformatorio de Menores de Madrid, 1934.

observaba— publica *El logro de nuestro tiempo. ¿Revolución?*[13]. El interés
social de la colección *Cuadernos de Cultura* y de las obras que en ella
se incluyen nos da idea de la preocupación de Porras por la formación
de sus congéneres. Según indica la propia colección, estos textos se dirigen principalmente:

> *Al autodidacto: al hombre que quiere formarse una cultura por su propio*
> *esfuerzo; al hombre que no dispone de tiempo ni medios adecuados para el*
> *cultivo metódico de su inteligencia, y para el cual la vida es un panorama*
> *lleno de interrogantes; al hombre que desee penetrar en el conocimiento del*
> *mundo y del pensamiento humano y quiera formar su educación basándose,*
> *exclusivamente, en la lectura.*

Es evidente, por tanto, que no se mantuvo ajeno a los hechos de su
tiempo y participó activamente en política tras la proclamación de la
República. De ello dio muestras presentándose a las elecciones cordobe-
sas como candidato independiente, pero no sólo: estaba integrado en la

---

13 A. Porras, *El logro de nuestro tiempo. ¿Revolución?*, Valencia, Tipografía P. Quiles,
1931. Es el nº 29 de la colección *Cuadernos de Cultura*, que se publicaba en Valencia
y Madrid entre 1930 y 1933, dirigido por el anarquista Marín Civera Martínez, que
alcanzó una amplia difusión e influencia entre estudiantes, trabajadores y jóvenes
politizados en los meses previos a la proclamación de la Segunda República española y durante los primeros años de esta. La mayor parte de los autores eran españoles, y además muy jóvenes; sólo en pocas ocasiones se recurrió a la traducción
de textos de autores extranjeros. Se definía como «publicación quincenal», que
aparecía los días 15 y 30 de cada mes. Con un formato de 120x167 mm, la mayor
parte de los números ocupan en torno a las 48 páginas. Se ofrecía la suscripción
por «6 meses (12 números), empezando en el que se desee: 6,60 pesetas. Contra
reembolso se carga 0,50 pesetas más. Pago anticipado.» En las cubiertas se hace fi-
gurar como precio 60 céntimos (de peseta) como precio de los ejemplares sueltos.
La mayor parte de las cubiertas fueron realizadas por los jóvenes artistas Manuel
Monleón (1904-1976) y José Renau (1907-1982). La «redacción y administración»
estaba inicialmente en la calle Embajador Vich 15, de Valencia. A finales de 1931
figura como domicilio la calle Luis Morote 44, de Valencia, sede de Ediciones
Orto, que publicaba *Orto, revista de documentación social*. A mediados de 1933 figura como domicilio de la redacción y administración el «Apartado 454. Madrid»
(aunque la impresión seguía realizándose en Valencia).

Agrupación al Servicio de la República y como representante del Partido Republicano Federal de Manuel Hilario Ayuso y Diego López Cubero. La Segunda República trajo consigo considerables cambios, y algunos de ellos afectaron muy directamente al comportamiento y dedicación de los representantes de la cultura; entre estos cambios debemos subrayar la orientación de muchos intelectuales hacia el mundo de los discursos, de los panfletos, de los manifiestos. Esto es, dadas las dificultades y asedios de esta época de miedos, temblores e incertidumbres y, sobre todo, estando motivado todo ello por la fragilidad del sistema republicano, muchos intelectuales se vieron abocados a situarse en primera fila, en primera línea de fuego. Y la firma de Antonio Porras, como la de tantos otros, aparecerá en algunos de estos manifiestos, como en el Manifiesto Fundacional de la Alianza en julio de 1936. Se adhiere a la Alianza de Intelectuales Antifascistas, sección de la Asociación Internacional de Escritores en Defensa de la Cultura. Así, el 25 de abril, en representación de Madrid, acude a un encuentro de intelectuales[14].

Tras algunas serias vicisitudes, como funcionario que era es trasladado a Valencia a la par que la República, y allí prepara la edición *Obras festivas de Quevedo* por encargo del Centro de Estudios Históricos. Para Antonio Porras, Quevedo no era un autor desconocido pues con anterioridad ya había realizado una magnífica edición[15].

Emerge en la ciudad de Valencia *Hora de España* y en ella encontramos el buen hacer de Manuel Altolaguirre y la colaboración de escritores como Antonio Porras. Participa en el número III, en la Sección Testimonios con su relato "Calles de Madrid"[16]. Se convierte en un observador meticuloso de la realidad que nos describe la soledad de una gran ciudad vacía, en ruinas, en silencio. Esta soledad es asimismo la que simboliza la soledad del hombre. En el número IV y en la misma Sección Testimonios escribe "Tierras del Sur"[17], artículo en el que arremete contra los arquetipos imperecederos de Andalucía: propietarios de fincas, los

---

14 Véase el volumen preparado por Manuel Aznar Soler, *II Congreso Internacional de Escritores para la defensa de la Cultura (1937), Literatura española y Antifascismo*, Valencia, Generalitat valenciana, Conselleria de Cultura, Educació i Ciencia, 1987, p. 125.

15 A. Porras, *Quevedo, hombre noble*, Madrid, Editorial Plutarco, 1930.

16 Véase *Hora de España*, Valencia, Marzo, 1937,número III, pp. 42 – 44.

17 *Ibídem*, Valencia, Abril, 1937, número IV, pp. 41-43.

caciques y *señoritos* andaluces. Se trata de un artículo demasiado propagandístico a mi juicio; porque si en el primer artículo es un testigo, y se comporta como un fotógrafo de su entorno, en el segundo, en cambio, se excede en el tono melodramático y generaliza exageradamente; se desliza hacia una descripción superficial de un contexto del que él mismo era parte como propietario de fincas. Pero como afirma Rosa María Grillo en su artículo "De *Hora de España* a *Romance:* historia de un desengaño"[18]:

> *Las antinomias entre libertad de creación y necesidad de servir a la patria,*
> *también con sus propias elaboraciones artísticas, es decir entre arte culto y*
> *arte popular, arte sin adjetivos y arte dirigido, parecen resolverse en la prác*
> *tica gracias a la identificación del artista con el pueblo y con el combatiente.*

En el número IX participa en la Sección Testimonios con el texto "Noche de bombardeos"[19]. La dificultad para entender, para explicarse qué está pasando, cómo puede llevar a cabo este tipo de acciones el hombre —uno cualquiera, por otra parte— lo lleva a la desesperación. No se puede comprender: quizás sus contemporáneos abrieran demasiadas brechas al mismo tiempo. La guerra, la revolución, la admiración hacia la *madre Rusia* fueron sin duda elementos decisivos que propiciaron la negativa de otros países e instituciones a ayudar. El gobierno de la Segunda República prosigue su huída y Antonio Porras, como tantos otros, persigue el mismo camino que emprendió la República. Ahora se ha instalado en Barcelona. Todo ya se da por perdido. Así, en el número XVI de esta *Hora de España* trasladada sincrónicamente a Barcelona está presente con el extenso artículo "Nuestra razón de hoy"[20] escrito según consta en marzo. A medida que transcurre el tiempo, los artículos de Antonio Porras son más ensimismados, ya no son los chispazos de la realidad los que le inspiran sino un profundo sentimiento que lo ahoga y que debe expresar con penetrantes reflexiones. Y está siempre el hombre al fondo y desde el principio. Acude en su auxilio el hombre más mítico,

---

18 Véase este interesante artículo en la página virtual del Instituto Cervantes.
19 *Ibídem*, Valencia, Septiembre, 1937, número IX pp. 54 – 58.
20 *Ibídem*, Barcelona, abril, 1938, pp. 57- 65.

Don Juan, su Don Juan de *El Burlador de Sevilla* de Tirso de Molina. Don Juan, el hombre muerte. *Caminar a la muerte es el vivir*. Argumentará:

> *Si don Juan viene al mundo [...] con la misión principal y única en mi concepto, de que el hombre, que entonces vive al servicio de una idea pura con la rigidez y tristeza propias de todo racionalismo a ultranza, se dé cuenta de que él, en cuanto ser que vive, vale más, y ya desde ahí pueda proclamar el principio de las ideas en función de la vida, valorando esta superlativamente aun dentro de lo efímero, y precisamente por eso mismo, alzando un monumento a la espontaneidad vital, sin que ello, como está bien claro, sea renegar las ideas, sino todo lo opuesto, ya que al hacerlas útiles para el vivir las vivifica, lo que trae como consecuencia una más grande adhesión a ellas y que tiene ahora visos completos de verdad [...].*[21]

El hombre vale más que la idea. ¡Qué idealismo y qué desgraciado desconocimiento de lo que supuso Rusia y el comunismo. La idea allí estaba por encima del hombre, superpuesta al hombre y pobre del que la desdijera. ¡Cuántos aprendieron esto! La realidad es que el pueblo —cualquier pueblo— con su *sabiduría* nos lleva en ocasiones a situaciones indeseables. Antonio Porras se sumergió en el personaje de Tirso de Molina. Este Don Juan es un estudio analítico del don Juan de Tirso de Molina bajo el título de *El burlador de Sevilla (Invención de la vera vida)* (1937)[22]. Su acercamiento al personaje fue muy ensalzado por sus contemporáneos. Manuel Altolaguirre, gran admirador de los clásicos, comentó en las páginas de *Hora de España* la acertada exposición del personaje en la sección de Notas bajo el título de "Antonio Porras: *El burlador de Sevilla*" concluyendo que: "Es un libro de pensamiento, de poesía, [sic] y en él la erudición y la gracia se dan por añadidura".[23].

En el número XIX de *Hora de España* vuelve a acudir a la literatura y presenta "Introducción a un Apocalipsis de Cervantes. Entendimiento:

---

21 *Ibídem*, p. 57.
22 A. Porras, *El burlador de Sevilla. (Inventor de la vera vida)*, Madrid-Valencia, Ediciones Españolas, 1937.
23 M. Altolaguirre, art. cit., *Hora de España*, Valencia, noviembre, 1937, número XI, p. 79.

Maestro de Victorias"[24]. Nos muestra minuciosamente a estos dos solita-
rios y extraños caminantes por aquellos campos *anchurosos*. Es un canto
sereno de admiración a la inteligencia del creador de estos dos personajes universales. Antonio Porras los observa concienzudamente y parece
aprender de ellos la lección olvidada...

Y, nuevamente, al igual que el Gobierno de la República se encamina a traspasar la frontera junto a su familia. Naturalmente, cada uno
con sus medios. Antonio Porras tras la guerra civil se exilió a Francia. El
especialista y rescatador de la figura y de la obra de Antonio Porras es
Blas Sánchez Dueñas, Profesor de Literatura de la Facultad de Filosofía y
Letras de Córdoba y, justamente, es el que se acerca a distintos aspectos
de su vida y obra a los que específicamente no me voy a dedicar. Blas
Sánchez Dueñas nos relata en su artículo "Antonio Porras: un intelectual
en el exilio"[25] los numerosos avatares de la vida del escritor. Pero vamos
a detenernos en cómo se produjo su salida de España:

> En coche, la familia Porras alcanzaría Figueras en medio del horror y el
> miedo a la muerte, lugar en el que contactaron con Negrín y el gobierno
> republicano que rápidamente les proporcionaría pasaportes con los que po-
> der abandonar España. [...] Antonio Porras dejaría definitivamente el país
> hacia territorio francés por el paso de La Junquera. Al llegar a la frontera la
> fortuna se aliaría con él, ya que, al llevar pasaporte diplomático, la guardia
> francesa le concedió un trato de favor y, además de invitarle a dormir cerca
> de Perpiñán, le aconsejó que al día siguiente a primera hora de la mañana
> tomaran un tren para París, porque era tal la cantidad de emigrados que
> entraban procedentes de España, que el gobierno francés tenía previstos los
> campos de concentración donde se hacinarían todos los exiliados.

Es evidente que Antonio Porras y su familia tuvieron mucha suerte al
evitar el intento de supervivencia en Argelès-sur-Mer, en Saint- Cyprien,

---

24 *Ibídem*, Barcelona, julio, 1938, número XIX, pp. 21 – 30.
25 B. Sánchez Dueñas, "Antonio Porras: un intelectual en el exilio", *Sesenta años des-*
pués. Cultura, Historia y Literatura del exilio republicano español de 1939, Actas, Jaén,
1999, pp. 265 – 271. Sobre su salida de España, véase especialmente la página 268.

o en Le Barcarés.[26] Sin duda, época difícil para todos. Desde el punto de vista de la especialista de Historia Contemporánea Geneviève Dreyfus-Armand:

> *Pour l'exil républicain de France, devenu très rapidement le centre de l'activité politique de l'exil, "son cœur", la culture a joué un rôle déterminant. On peut affirmer que l'une des tâches importantes que se sont immédiatement assignée les émigrés de 1939 en France a été la sauvegarde de l'héritage culturel de la Seconde République; c'est probablement d'ailleurs celle dans laquelle ils ont le plus admirablement réussi, si tant est que l'on puisse tirer un "bilan" de plus de trente ans de l'exil. La caractéristique essentielle des cultures de l'exil espagnol en France réside dans cette volonté de sauvegarder l'identité culturelle hispanique; cet effort constant de maintien d'une cohésion identitaire s'accompagne cependant d'une ouverture et d'une rencontre avec d'autres cultures européennes –tout particulièrement la française.[27]*

No obstante, por su gran capacidad y magnífica preparación pudo consagrase a la literatura, participando muy activamente en el círculo cultural, artístico e intelectual de los refugiados españoles. Considerando desde el fondo cómo fue esa cultura que los exiliados españoles desarrollaban en Francia habremos de atender de nuevo a las explicaciones que nos proporciona el ensayo de la profesora Dreyfus-Armand, quien nos dice que:

> *Pour tenter de cerner ces cultures, l'on peut faire ressortir quatre ensembles significatifs qui s'expriment au travers d'autant de types de publications: les intellectuels dans les revues culturelles, la mouvance républicaine au sens large du terme dans les publications plus ou moins unitaires de l'exil, le*

---

26 Para el mejor conocimiento de los españoles exiliados en Francia, existe una amplia bibliografía. Para empezar se puede consultar el volumen de Geneviève Dreyfus-Armand, *El exilio de los republicanos españoles en Francia*, Barcelona, Crítica, 2000 y Marie-Claude Rafaneau-Boj, *Los campos de concentración de los refugiados españoles en Francia (1939-1945)*, Barcelona, Omega, 1995.

27 G. Dreyfus-Armand, "Les cultures de l'exil espagnol en France, 1939-1975", en A. Alted Vigil – M. Aznar Soler (Eds.), *Literatura y cultura del exilio español de 1939 en Francia*, Salamanca, 1998, p. 38.

*courant libertaire dans les périodiques anarchistes et les minorités régionales
—basque et catalane— dans les journaux nationalistes.*[28]

Del tipo de intelectuales definidos nos interesa el primero en el que incluiríamos sin duda a Antonio Porras: *los intelectuales en las revistas culturales*. Dreyfus-Armand describirá, entre otras, una de estas revistas: la que se publica bajo el nombre de *Boletín de la Unión de Intelectuales Españoles* y le atribuirá las cualidades de centrarse en artículos sobre la enseñanza, temas de la historia literaria española, artículos sobre pintura y poesía de los distintos colaboradores de la revista. El profesor Serge Salaün nos aporta todavía más en su artículo "El exilio literario en Francia: el Boletín de UIE" por los matices tan valiosos sobre las características del exilio español en Francia frente al mejicano. Comenta:

> *Es innegable el esfuerzo del México de Cárdenas para acoger a los españoles, porque fue además el único realmente organizado, solidario y masivo. En el imaginario del exilio, México ocupa enseguida, durante la guerra incluso, un espacio entre mítico y concreto, que oculta, entre otras cosas, que son pocos los países americanos que siguieron el ejemplo [...]. No cabe duda tampoco de que una idéntica lengua entre españoles y latinoamericanos facilitaba enormemente la adaptación, pero de repente se ha olvidado que, en otros tiempos, para los "ilustrados", los liberales y los revolucionarios de todo tipo, el destino "natural" del exilio, por razones ideológicas y sobre todo culturales, fue principalmente Francia, y entonces la diferencia lingüística no parecía tan decisiva. [...] La comparación entre el exilio americano y el francés no se puede limitar a la cuestión cultural o mítica que tanto se ha glosado. Es también un problema social y político. [...] No cabe duda de que la mayor parte de los que pudieron salir de Europa pertenecían a la burguesía pequeña y media y que los intelectuales más prestigiosos son los que más se beneficiaron de los circuitos de solidaridad privados u oficiales. La población española exiliada en Francia es de índole netamente más "popular", con un alto porcentaje de obreros, empleados, ex soldados profesionales de todo tipo que no se aprovecharon de los circuitos de emigración hacia América, donde eran mucho menos integrables y tampoco muy "de-*

---

28 *Ibídem*, p. 46.

seables", *incluso en México. Estos profesionales sí que pudieron integrarse en Francia [...].*

También hay que matizar la idea de una representación menor de los intelectuales en Francia. El estatuto "intelectual" no se puede limitar a unos centenares de escritores, poetas, catedráticos de alto nivel. [...] Siempre se podrá oponer la fama de muchos intelectuales en América y la modestia del destierro intelectual francés: es verdad que la vitrina española en América es más aparatosa, pero en Francia quedaban, en principio, desde la Liberación, núcleos nutridos [...] y, además, gente joven que podía haber medrado.

[...] La composición social del exilio español en Francia tiene otro rasgo que lo diferencia drásticamente del exilio americano. Pese a la derrota, el exiliado "francés" está mucho más politizado. [...] Frente a este panorama [...], el exilio americano opta esencialmente por una posición neutral, no política, sobre todo no militante.[29]

En este ambiente más politizado, que, en cierto modo, repetía esquemas equívocos del pasado, nace el *Boletín de la Unión de Intelectuales Españoles*, modesta publicación que irrumpió el 1 de noviembre de 1944, aunque en diciembre apareció otro número uno, y finalmente la revista desapareció por falta de medios económicos en octubre de 1948. Salaün nos detalla que fueron "un total de 29 entregas, contando con los números dobles o triples y con un número de páginas que pasó de 7 a 12 (excepcionalmente 16)"[30]. La revista presenta tres secciones —artes, letras y ciencias— que posteriormente se amplían a cinco al añadirse pedagogía y ciencias jurídicas y sociales. En su número 1 expresaba sus objetivos:

La UNIÓN DE INTELECTUALES ESPAÑOLES ha surgido del calor de ese fervor patriótico que es hoy la bandera que une a todos los españoles decentes. [...] La libertad y la cultura de España entran en juego. [...] Nuestra labor, pues, comprende dos partes: una de acción [...] otra de organización y preparación de cara al mañana. Entrambas constituyen el deber primordial

29 S. Salaün, "El exilio literario en Francia: el Boletín de la UIE", en *El exilio literario español de 1939*, Actas del Primer Congreso Internacional (Bellaterra, 27 de noviembre – 1 de diciembre de 1995), Vol. I, Edición de Manuel Aznar Soler, Barcelona, 1998, pp. 192 – 196.
30 S. Salaün, art. cit., p. 197.

e ineludible de los intelectuales españoles en estos momentos decisivos de nuestra historia[31].

La revista recoge trabajos muy heterogéneos que versan sobre distintos aspectos de la cultura española, y entre éstos están los artículos, la crítica literaria y los poemas de Antonio Porras. No debemos olvidar que los exiliados españoles en Francia tuvieron que esperar el fin de la Segunda Guerra Mundial para reintroducirse en el mercado literario, pues entretanto tendrían otras preocupaciones más significativas como por ejemplo sobrevivir. Y así advertimos la presencia no muy frecuente de Antonio Porras en el *Boletín de la Unión de Intelectuales españoles* con su poema "Elegía íntima"[32], poema de su dolor y de *tantos otros*. El segundo artículo es un texto en prosa con el título de "La guerra ha terminado" en el que reflexiona sobre la postura del exiliado. Posteriormente reaparece con "Destierro"[33], donde analiza la experiencia a través de otros personajes desterrados a lo largo de la historia. Después un extenso poema "Del dolor y la esperanza" con el subtítulo revelador de "Cuatro canciones de lucha, con introducción y final"[34]. Su siguiente intervención será "Reconquista de la inteligencia"[35], cuestión que había servido como debate y motivo de la intervención de otros intelectuales como Quiroga Pla, Semprún y Gurrea, Chicharro de León y Corpus Barga. Finalmente participa en uno de los últimos números de la revista con otro extenso poema que tituló "Esta es la cantata que introduce a 'Los pasos de un peregrino' (I)"[36], en el que vuelve a remitirnos al mundo del exilio y al peregrinaje de los exiliados. Siempre les parecía a los exilia-

---

31 *Boletín de la Unión de Intelectuales Españoles*, Editorial, n° 1, París, diciembre, 1944, en *Biblioteca del Exilio, Biblioteca virtual Miguel de Cervantes*. Sobre esta revista también puede consultarse el capítulo "Las revistas culturales y literarias de los exiliados españoles en Francia", de Antonio Risco, perteneciente al volumen de VVAA, *El exilio español de 1939*, Madrid, Taurus, 1976, Vol. 3, pp. 95-150.

32 *Ibídem*, Año II, n° 4, marzo, 1945, p. 7. Este poema bien podría referir la noticia de la pérdida de uno de sus hijos, fusilado en 1943.

33 *Ibídem*, Año III, n° 16, marzo, 1946, p. 1.

34 *Ibídem*, Año III, n° 19, junio, 1946, p. 4.

35 *Ibídem*, Año III, n° 22, septiembre, 1946, pp. 1-3.

36 *Ibídem*, Año V, n° s 42-43-44, mayo, junio, julio, 1948, pp. 8-9.

dos que con las armas poéticas podían transmitir mejor la esperanza del retorno.

Lo cierto es que aparte de la *cordobesía* —uno era de Pozoblanco y el otro procedía de Montilla—, y del ideal republicano, fue la poesía la que —como en otras ocasiones en el caso de Bernabé Fernández-Canivell— forjó la amistad y facilitó el acontecimiento de poder tratarse. La guerra —paradójicamente— hizo buenos amigos. En el círculo de las amistades de ambos se encontraban personas clave en la vida de cada uno de ellos: Manuel Altolaguirre, Emilio Prados, Luis Cernuda.

Ambos coincidieron en sus caminos hacia la salida de España, aunque en el caso de Bernabé Fernández-Canivell el recorrido fue más largo y tortuoso[37]. Dado este breve estudio sobre Antonio Porras, de ningún modo puedo desaprovechar la ocasión para presentar la correspondencia que hubo entre ambos. El epistolario no es extenso, pero hemos de tener en cuenta que nos movemos en un mundo de palabras con intensos y largos silencios.

Por otra parte, podríamos preguntarnos cómo se retoma esta relación después del transcurso de tanto tiempo, unos veinte años. Pues, la respuesta a esta pregunta está en las redes que teje la amistad. Entiendo que no se debe olvidar que algunos de los poetas exiliados en Francia[38]

---

37 En Barcelona, se aloja en el *Hotel Majestic*, junto a los Altolaguirre, Bergamín, Waldo Frank, Corpus Barga y don Antonio Machado y su familia, y allí conocerá a André Malraux con ocasión de las visitas que éste hace a don Antonio. Hasta que el frente catalán se derrumba. Bernabé, junto a Ramón Cabanillas, pasa la frontera de Francia para su internamiento en el campo de concentración de Saint Cyprien. Se reunirá allí con Juan Gil-Albert, Herrera Petere, Manuel Ángeles Ortiz, Sánchez Barbudo, Lorenzo Varela, Arturo Cuadrado... Y allí llega, llevada por Jean Cassou, la noticia de la muerte de Machado en Collioure. Meses después, y merced al interés del Comité Británico de Ayuda a España por los Intelectuales de ese campo, saldrán hacia Perpignan y Toulouse: es la libertad, y, para Bernabé, la vuelta deseada a Tánger.

38 Entre otros, algunos de esos poetas exiliados en el país vecino y conocidos de Antonio Porras eran por ejemplo José Herrera Petere, o Jacinto-Luis Guereña.

eran amigos de Bernabé y publicaban en *Caracola*[39], la revista malagueña de poesía que dirigió Bernabé desde el número 1 al 106; esto es,
desde 1952 hasta 1961. La correspondencia de Antonio Porras y Bernabé
Fernández-Canivell se inicia en el año 1959 y acaba en 1962. Incluyo dos
cartas del año 1965 escritas por su hija Carmen, pues se inscribe en lo
que yo denominaría la *amistad heredada*.

La característica de esta correspondencia, como en el caso de cualquier otra, es proporcionar noticias, contar cómo te ha ido la vida, cuando nada has sabido en veinte años. Pero, a pesar de la distancia, es indu-
dable que el autor conserva un suave matiz andaluz en sus expresiones y
un manifiesto sentido del humor, lo que le honra.

París, 10 febrero 59[40]

Querido Bernabé:

Qué alegrón al encontrarme con un número de "Caracola"[41] *y ver que sigues*
fiel a la tradición de nuestra Andalucía que quiso, en todo tiempo, cultivar
sus poetas.

---

39 Si bien, como explicaré a continuación, José Luis estrada y Segalerva simplemente figuraba como Director de la revista, mientras que Bernabé la confeccionaba,
en cambio el nombre de *Caracola* - según me informó el poeta malagueño Rafael
León -, se debe a la esposa de José Luis Estrada; pues *Caracola*, lejos del mundo
marino, nos remite en este caso a una planta muy conocida y usual en la ciudad de
Córdoba. *Phaseolus caracalla* (Caracola) es su nombre científico y se conoce también
como jazmín de Paraguay. Es trepadora y de flores muy perfumadas.
40 Carta autógrafa.
41 Seguramente se encontraría con el número 75 de "Caracola" dedicado a la Na-
vidad y publicado en enero de 1959.

Me gustó mucho el número que vi: limpio y cuidado, como tus manos. ¡Bravo Bernabé! Y aunque no tengo el gusto de conocerlo, felicita al Director[42] por la simpática "Caracola".

Yo, aquí toreando el marrajillo que es la vida tantas veces, y siempre al hilo de las letras, y, sobre todo, del gran burladero de la poesía. Pues si a más viejo más pellejo, mi pellejo me pide el agüita fresca de la poesía, sobre todo española que cuando lo es ¡es el alma!

Me ocupo hace años de hacer las Notas de libros para la <u>Radiodiffusion Française</u>.[43] Mándame los libritos que publiquéis, pues, ¿de qué haría yo propaganda con mas gusto? Nos escuchan bastantes miles de españoles y americanos del sur.

Algún día te enviaré unas canciones mías —por si te gustan para "Caracola"— pues he trabajado mucho, ya que la mejor manera de rabiar, es rabiar poéticamente ¿no te parece?

---

42 *Caracola* nace a primeros de noviembre de 1952. Aparece subtitulada como "Revista malagueña de poesía", por entregas mensuales, <u>nominalmente</u> bajo la dirección de José Luis Estrada, y un Consejo de redacción seguidamente modificado y finalmente disuelto. Estrada contó desde el principio con Fernández-Canivell quien aceptó por mero compromiso. Fernández-Canivell había acudido a José Luis Estrada, entonces alcalde de la ciudad, cargo que desempeñó desde el 31 de enero de 1947 al 20 de enero de 1952, con el fin de solicitarle ayuda económica para la primera de las colecciones poéticas de las que se fue haciendo cargo: *El Arroyo de los Ángeles*. Sabedor Estrada de los extraordinarios conocimientos y méritos de Fernández-Canivell, acabó confiándole la creación tipográfica de la revista. Así las cosas, podríamos decir que mientras José Luis Estrada, persona muy apegada al franquismo, daba a la revista su organización, su respaldo, y la inmunidad política, Bernabé Fernández-Canivell aportaba su exigencia tipográfica, su sensibilidad y su apertura poética. Esto es evidente porque si José Luis Estrada buscaba para *Caracola* las colaboraciones de José Antonio Girón de Velasco, José Luis de Arrese, Camilo Alonso Vega, José Utrera Molina, etc., Fernández-Canivell conseguía atraerse del exilio las voces de Juan Ramón Jiménez, Jorge Guillén, Luis Cernuda, José Moreno Villa, Emilio Prados o Manuel Altolaguirre. Por tanto fácil es determinar que si la revista hubiese proseguido la "vía político-poética" de Estrada, no hubiera alcanzado jamás la categoría y el prestigio que obtuvo. Otra prueba más de esto, puede verificarse en la trayectoria y orientación de la revista cuando Fernández-Canivell abandona después de unas declaraciones de Estrada con motivo de los denominados "XXV años de paz".

43 El subrayado es de Antonio Porras.

Mi mujer y mi hija a quienes di noticia de mi encuentro con "Caracola", te
envían sus saludos.

Y yo un gran abrazo.

Tuyo

Antonio

Escríbeme y cuéntame.

Antonio Porras

9 rue Vavin

París (VI⁰)

Este trabajo de Antonio Porras —tenía más de uno— le proporciona-
ba grandes satisfacciones, pues la popularmente conocida como Radio
París era escuchada en muchas partes del mundo y, por tanto, su tarea
de difusión de la cultura española e hispanoamericana se cumplía con
creces. Francisco Moreno Sáenz nos cuenta que:

> *En las emisiones de Radio París, nombre con el que se popularizaron las*
> *emisiones en lengua española de la ORTF, participó una notable nómina*
> *de periodistas, colaboradores y locutores, entre los que podemos citar a*
> *Francisco Díaz Roncero, Salvador Bacarisse, Ignacio Barrado, Eugenio Do-*
> *mingo, Luis López Álvarez, Antonio Porras o Ezequiel Endériz —además*
> *de Mario Benedetti, Severo Sarduy o Mario Vargas Llosa, en las emisiones*
> *para Hispanoamérica.*[44]

Era, evidentemente, una emisora joven que nace al hilo de las circunstancias. Tras la Segunda Guerra Mundial y la guerra de las ondas que

---

44 Texto de Francisco Moreno Sáenz en Biblioteca virtual Miguel de Cervantes:
«*En el desolador panorama que prensa y radio ofrecían en España durante los años*
cuarenta y cincuenta, cuando la libertad de expresión era una quimera, como las demás
libertades y derechos, la escucha de los programas informativos y culturales que emitían
la BBC o la ORTF en sus emisiones en lengua española, o la constante crítica a la dicta-
dura franquista que nos llegaba a través de Radio España Independiente, eran una boca-
nada de aire fresco. En esas emisoras, los defensores del gobierno legítimo de la República
-socialistas, comunistas, anarquistas, republicanos- pudieron, con muchos problemas por
la actividad diplomática franquista, decir su verdad y en cierta medida, hacer retornar a
España la palabra democrática que había desaparecido con la derrota de 1939».

se libró entre la BBC y Radio París, el Estado francés toma en sus manos la reorganización y desarrollo de la radio y de la televisión en Francia. De hecho, el 23 de marzo de 1945, se promulga una ordenanza que pone fin a la emisión de las estaciones privadas que son nacionalizadas el 29 de marzo, y se crea un establecimiento público, la Radiodiffusion Française (RDF), para asegurarse el monopolio absoluto sobre radio y televisión. En un folleto de Radio París se daba publicidad del contenido de los programas de la emisora:

> *Nuestras emisiones transmiten diariamente un «Boletín de información», en el que se da cuenta de todos los acontecimientos de Francia y del mundo entero. Por las emisiones artísticas, nuestros oyentes están en todo momento al corriente de las novedades más salientes del mundo en este aspecto.*
>
> *En nuestros estudios actúan con gran frecuencia los grandes artistas españoles de la música y de la canción. Son los «embajadores» del arte español.*
>
> *Colaboran en esta emisión de habla española figuras tan eminentes como Salvador de Madariaga, con su «Crónica política», el sacerdote, doctor Olaso en su «Crónica religiosa», la «Actualidad musical», de Salvador Bacarisse, la «Crónica literaria», de Antonio Porras y otros ilustres colaboradores. El teatro francés y español cuenta con un «cuadro artístico» en nuestra emisora, para dar a conocer lo más selecto del arte escénico, tanto de género clásico, como moderno de ambos países. En estas emisiones tiene un lugar preferente la actualidad mundial y francesa por medio del «Micrófono ambulante», «La rebotica» y «Reflejos de París». Estas secciones hacen visitar a nuestros oyentes los sitios más interesantes o pintorescos. La sección española de la Radiodifusión-Televisión Francesa, está siempre dispuesta a recibir cuantas sugerencias e iniciativas se le hagan, y por este medio, dar a conocer a sus oyentes cuanto les pueda interesar en cualquier aspecto de la vida, sea científica, artística, intelectual, etc., etc.[45]*

A partir de este momento Antonio Porras se convierte en fiel lector y propagandista de la revista malagueña de poesía. Unos tres meses después le escribe de nuevo a Bernabé:

---

45 Texto extraído de un folleto de Radio París, 1955, en "Radio París", en Biblioteca virtual Miguel de Cervantes.

París, 20 mayo 59[46]

Querido Bernabé: Gracias por los tres preciosos números últimos de "Caracola".[47]

El dos de este mes se dio por la radio la Nota que adjunta te envío. No sé si es buena. Sé que me divirtió hacerla. Lo diré más claro: el hacerla me apartó del dolor llevándome a mis tierras andaluzas y entre sus claras gentes. Cualquiera pone freno a la imaginación! Y en el caso que hube de ponerlo para poder decir algo que pudiera entender la gente a la que pretendía hacer un signo diciéndolos ¡que la poesía anda por ahí! ¡caracoles! Claro que el caracoles o el c... se quedó en la raíz, en el arriate, empujando, hacia la antena, a la graciosa caracola malagueña. En fin que me divertí y lo hice con placer.

Algún día diremos algo de los poetas que ahí florean.

A seguir cuidando esa Caracola. Yo te felicito por ello. Saluda con afecto al grupo que la anima.

Que todos conservéis el buen ánimo.

Un abrazo

> *Antonio Porras*
> *9 rue Vavin*
> *París (VI°)*

En el mes de julio vuelve a escribir a Bernabé —a quien no le gustaba nada escribir cartas— dando respuesta a su carta y múltiples agradecimientos:

París 1 Julio 59[48]

Querido Bernabé:

A tu muy grata del 24 pasado: Lo primero felicitarte porque te veo rodeado de tus hijos, unos colocados y otros aprovechando en sus estudios.

---

46 Carta autógrafa.

47 Les serían enviados los números 76 - 77 y 78 de la revista "Caracola" correspondientes a los meses de febrero, marzo y abril de 1959.

48 Carta autógrafa.

Mi mujer, que va y viene a España, está aquí ahora, y tanto con ella como con Carmen charlo —y charlamos— de Bernabé, desde el buen día en que vino a mi mano la graciosa primera "Caracola".

Estás autorizado ¡no faltaba más! para dar como te plazca la Nota que salió por la Radio. Pero como una cosa es lanzar la palabra al aire y contando exactamente los minutos, y otra imprimir <u>en pliego aparte</u>. Recibirás la dicha Nota, tal como debió radiarse, y también lo que he hecho para el número dedicado a Machado. Tanto me calentaste con tu invitación a colaborar en el número, y tanta la devoción por nuestro "Don Antonio", que me puse a ello. ¿Salió? Ya, la Revista, la veréis y diréis y haréis con arreglo a vuestro buen criterio.

Y ya irán caminando más cosas al oreo de la poesía de Caracola en cuyo camino nos volvimos a encontrar ¡qué suerte, de encuentro y de camino! Como tú dices.

*Desde que salí de nuestra tierra no he publicado —libro, ni aun sueltos pliegos— nada. Aquí la lengua lo dificulta: lo impide. Y en América... más vale no hablar de ello, dada la psicología o más bien <u>sicología</u> (que al quitarle la **p**, como ahora hizo la Academia quiere decir: tratado de los higos) de los que capitanean las ediciones por allá —salvo las raras, rarísimas excepciones. Por aquí no hay radicado ningún poeta español.*

Yo circulo poco. Estoy muy metido en casa, trabajando. Es lo mejor; es la manera de aprovechar el tiempo y no faltar a la caridad viendo de prójimos que <u>posan</u> de delfines marinos, cuando son nadadores con cinturón de calabazas.

Mi mujer y mi hija te abrazan.

Y yo muy fuerte.

Ya lo sabes: mañana o pasado salen: la <u>Nota sobre la Revista</u> y <u>lo de Antonio Machado</u> [1]

Recibo Normalmente la Revista: El último nº fue el 79.

(1) ojo = pude

En esta carta, como él mismo indica, inserta el resplandeciente texto tan entretejido entre plantas y mares y que fue radiado en honor de la revista malagueña de poesía[49].

Caracola[50]

por Antonio Porras

En el arriate del patio encalado crecen las caracolas. Se sembraron en un cuarto creciente de la luna. Al cabo de los días, la tierra se abombó un poquito, se resquebrajó, y surgió el verde y vivaz berrinche del tallo, que se hizo grande y ya está en flor. La flor es pequeña y de ágiles curvas, varia de matices, frágil y fina y distinguida y elegante al par que popular, pues supo adornarse, graciosamente, con un no sé qué de pilluelo y de pobre.

¿Y por qué se le llama caracola? Pues si es verdad que su forma puede aludir a los caprichos del caracol marino y con sus colores a la resonancia, también es cierto que parece algo mariposa, nombre que no le pusieron, sino el de caracola. ¿Será que al bautizarla quisieron decir no solo morad, sino también oíd?. Evidentemente el nombre es popular, como el de sus parientes las caracolitas marinas. Además es nombre que se presta al juego y... a dar el batacazo, si al jugar falta agilidad y gracia.

Al juego. Se presta —y no se da— al juego. El hombre es quien juega. La vida como juego. El hombre que vive de veras, se la juega viviendo. Y quien no se la juega es que la tenía perdida de antemano. Los japoneses finos dan el pésame diciendo: "Sé que su señor padre ha jugado su muerte: pues la desgracia más grande sería que le trajesen a uno su muerte hecha del almacén, como las ropas de hoy."

Y CARACOLA es el nombre de una Revista malagueña de poesía.

Revista de poesía. O sea de un ver y rever la poesía. La poesía y no las poesías, pues la poesía es una, de Norte a Sur y de Este a Oeste, aunque no —claro— de este al otro y viceversa.

---

49 *Caracola*, Revista malagueña de poesía, nº 81, Notas. En la página se indica: Nota radiada en mayo, por la Sección «España», de la «Radiodiffusion Télévision Française». París, 1959.
50 Texto mecanoscrito.

El verso no es viceversa. No tiene reverso. Porque si lo es de veras, es divino, y diverso, por humano; y detrás no hay sombra. Su sombra es la buena, que no es sombra, si, luz, y gracia, que no chiste. No tiene detrás. No es cara o cruz. Es CARACRUZ a un tiempo y de una pieza, para no dar lugar a que tras de la cruz esté el diablo, que es lo que estamos viendo ocurre... tantas veces.

Ver y rever la poesía quiere decir ponerla ahí delante —lo mismo que yo tengo ahora estos tres números de CARACOLA— o sea: evidenciar la poesía; inventarla o descubrirla para que habite la tierra, como la caracola flor habita el patio; pues la poesía es PRESENCIA.

Más la invención, que no lo es sino de mundo y hombre, requiere un caminar. Es decir: que la poesía será una forma excelsa de conocimiento que ocasiona la presencia al dar cuenta poética de la experiencia vivida por el buscador caminante: el poeta.

Una revista de poesía será, pues, a modo de libro registro de esos caminares. Quien camina de veras, sabe que las leyes de este caminar no fueron dadas de una vez para siempre. Queremos decir: las leyes del ritmo y de la rima. Por tanto, el paso libre —el verso— es legítimo, difícil y poético cuando lo es de poeta, y el medido y rimado y fruncido, no es nada si no consigue construir la tierra. Construir dice aquí como habitar el mundo y deshabituar a la gente; misión principal de la poesía.

Esto es algo de lo que nos sugiere esta CARACOLA malagueña, Revista de poesía. Revista "compuesta a mano", rasgo que implica afán de pulcritud, decencia y responsabilidad laudables siempre, y más en una circunstancia donde pudiera imperar el barullo irresponsable y maculado.

Damos las gracias a la dirección de CARACOLA por el envío.

Además de este texto apreciamos en esta carta la crítica que se dirige al exilio español en América. Sin duda, fueron los exiliados más afortunados. Antonio Porras se percata enseguida de esta situación y añade a todas las dificultades la de la lengua. ¿Cómo iban a publicar en lengua francesa? ¿Cómo les iban a publicar en lengua francesa? ¿Quién los iba a leer? De hecho, el análisis que lleva a cabo Serge Salaün sobre el exilio en Francia pone los dedos en la llaga. Dice:

No cabe duda de que los españoles exiliados en Francia han acumulado TODOS los exilios; pese a su proximidad geográfica con España, Francia significa la pérdida de las raíces, de la tierra y de las ilusiones republicanas (lo que todos tienen en común), la pérdida de sus códigos de referencia culturales y la dificultad o la incapacidad de "reaculturarse" (Francia es "diferente"); significa un exilio lingüístico drástico, con las consecuencias que tiene sobre la difusión y la mera comunicación. De algún modo, escogieron también una especie de exilio político e ideológico que mantenía la ilusión de una comunidad intelectual con la diáspora americana pero que, en Francia, implicaba una postura menos realista, tanto hacia la historia francesa y los franceses como hacia las masas exiliadas, todavía muy politizadas. La suma de todos estos "des-tierros" provocó un último exilio, mucho más grave para el porvenir de la expresión individual y colectiva: un exilio estético, ya que les hizo perder los vínculos con la historia literaria española más moderna y más prometedora.[51]

Efectivamente muchos se marcharon al país vecino, y aunque separados tan solo por los Pirineos, eran demasiadas las montañas y las alturas que debían superar. Porque es evidente que Hispanoamérica tenía el mayor tesoro para aquellos que fueron a exiliarse a esas tierras: no había problemas de comunicación, ni dificultades para publicar. Salían adelante. Pero en Francia... el resultado era el aislamiento. Antonio Porras lo corrobora: "Desde que salí de nuestra tierra no he publicado —libro, ni aun sueltos pliegos— nada. Aquí la lengua lo dificulta: lo impide. [...] Yo circulo poco".

A pesar de esa tristeza honda, se animó a colaborar con un poema en el homenaje que la revista *Caracola*[52] rindió a Antonio Machado, tras cumplirse veinte años de su muerte.

REALIDAD Y PRESENCIA DE ANTONIO MACHADO

Los ángeles cabalgan delfines
por la noche
y vienen a la tierra dormida
por la noche

---

51 Léase S. Salaün, art. cit., p. 207.
52 Véase *Caracola*. Revista malagueña de poesía, n° s 84-85-86-87, octubre, noviembre , diciembre 1959, enero, 1960, s.n.p.

para anunciar el surco
Tiembla
el claro vientre crespo ya de auroras

El hombre con su arado
por el día
soñando realidades
de la noche
se ve tirando surcos
por el día
de la fuente escondida
inefable rumor versificando
surcos que verso a verso ayunta el hombre
pues nunca es sementera un surco aislado

Bajan gotas de cielo
a rebullir graciosas
por entre las motitas de la tierra
Suena el Tiempo
hiriendo al paso el lomo de los versos
v arpa son los barbechos que la semilla esperan
Semilla voleada
en nuestra tierra por ti abierta
—Antonio y verdadero Don Antonio—
el poeta andaluz y de Castilla
el abre-España

Y un pájaro que viene
a ese puente rubio y cálido del grano
con el que simas salvas tú
pontífice

Alas sonoras buídas tan largas ...
Mano que palma crece
El fino junco
y el perejil que más que el roble y el laurel es gloria
Alas espadas silbadoras

a lomos de brillantes negros duros raros delfines
en la noche
Que traspasan el día para que venga herido
hacia la dulce noche
que noche nos parece desde el día
y es puerta ya de la fuente del Día
que se abre de par en par a esa luz
aún por la noche

Silencio de la noche donde suena
el rumor luminoso de tu Fuente
manadero que hace hervir las arenas.

Como he mencionado anteriormente la correspondencia es exigua en un período de aproximadamente cuatro años. Pero nadie le exigía nada a nadie. Recibía con gran cariño e interés cada uno de las exquisitas ediciones que hacía Bernabé y daba cuenta de ellas a través de las ondas.

París 29 diciembre 59[53]

Querido Bernabé:

Unas líneas para decirte: Felices Pascuas y un buen año nuevo, con los tuyos.
¿Recibiste lo que hice sobre el libro de Emilio? Estos días he dejado, para que la den, otra Nota sobre el de Cernuda "Poemas para un cuerpo", que me gustó mucho.
¿Sigue en el telar aun, el nº de Machado?
En fin: muchas felicidades; que Caracola siga luciendo sus bellos colores y tu cuidándolos pulcramente, como merece la Poesía Nuestra Señora.
Un cordial abrazo.

Antonio

La siguiente carta debía ser muy importante para Antonio Porras, pues le enviaba a Bernabé, a través de su esposa, un conjunto de poemas mecanoscritos en ciento tres cuartillas, que seguramente podrían constituir un libro que él había titulado *Decires a la rosa*. Ignoro si el previsi-

---

53 Carta autógrafa.

ble volumen de poesía va a ser editado por las instituciones que se afanan y cuidan de la hechura de las *Obras Completas* de Antonio Porras. Supongo que el autor, siendo tan metódico como era, conservaría otro ejemplar de sus *Decires a la rosa*[54].

París 8 Marzo 1960[55]

Querido Bernabé:

Mi mujer que suele ir todos los años a pasar temporada en España, sale de aquí mañana, y aprovecho para darle unas cuartillas originales, que ella te mandará desde Madrid.

Estoy, al fin, ordenando poco a poco mis trabajos, y a medida de ello envío un ejemplar al amigo que considero más en circunstancias para cada uno. Y esto con doble finalidad: una, que lo guarde y sea depositario perpetuo de él; otra, que lo lea cuando tenga tiempo y lo critique sin piedad, pues se escribe para ser leído; de donde sale que el lector tiene —para mí— tanta importancia como el autor, más aún si se trata de Poesía, ya que, a mi juicio, un poema no se acaba si no en el espíritu e inteligencia del lector.

Lo que ahora elegí para enviarte es lo último que hice en busca de la Poesía. Creo que el conjunto, aunque diverso a primera vista, forma una unidad cerrada. Fíjate si está o no conseguido ese objeto. He dado un orden a los poemas que es el que se indica en las cuartillas con número rojo.

¿A quién había de enviar esto mejor que a ti que andas siempre metido en estos tajos y adoras a nuestra Señora la Poesía?.

¡Ea! lee cuando tengas vagas y ganas y dime luego, sin tener reparo en ponerme tachas, pues con la Poesía hay que ser leales hasta el límite y decir a uno "aquí la traicionaste" es enderezarlo al buen camino.

Sé que esto que hago (digo esta distribución de trabajos —ya un amigo de Madrid tiene una novela— es quizá, cosa singular; pero, ¿qué quieres? Soy un tío raro. Dios me hizo así: Gracias a Dios.

Perdona la escritura hecha a máquina hecha con vista de ahorrarte fatiga.

Con un gran abrazo

Antonio Porras

---

54 Omito el expresar una opinión sobre dicho poemario pues entiendo que éste no es el lugar ni el momento oportunos para hacerlo.

55 Carta mecanoscrita con las anotaciones de su esposa a bolígrafo.

Un cordial saludo de tu antigua amiga
Victoriana C. de Porras.

Estoy en Hotel (ininteligible) Valverde 7. Madrid

No hace mención alguna en la correspondencia a la muerte en Burgos, el 26 de julio de 1959 del poeta malagueño Manuel Altolaguirre, y en cambio sí consta que participó por partida doble en su Homenaje. Su aportación consistió en la publicación en la revista *Caracola* del texto que había leído para la Emisora de Radiodiffusion Française en agosto de 1959[56], en el que expresó con elegancia su conocimiento de la poesía y su sensibilidad hacia la pérdida del poeta.

IN MEMORIAN

Manolito Altolaguirre ha muerto —¿por qué no decirlo para entonar con su manera alegre? — sin pensarlo. Altolaguirre, que siempre fue para nosotros todos Manolito, vivía una realísima abstracción lírica en virtud de la cual sus pasos por la tierra conjugaban, con finura malagueña, la enajenación poética y el sentido de la realidad. Aquella su simpática manera de enajenado de la realidad, como él era grandón le hacía aparecer un poco destartalado y flotante de gestos, a la sombra de los cuales él se cobijaba achicándose, haciéndose tierno como perrillo extraviado que busca acogimiento. Y era entonces cuando aparecía claro el gran sentido poético, ese aire que tiene el humilde jaramago: ramillas sueltas y como desvalidas, en cuyas puntas se enciende una flor dorada.

Lo vemos, durante la guerra, en Madrid, Valencia, Barcelona. Cuando sufría, sonreía y se hacía más jaramago. Y sorprendía con una salida de aquellas que sabíamos propias a Manolito.

Vedlo aquí esta noche —última nuestra de aquel febrero de Figueras bajo las bombas— entrar en una muy provisional y pobre habitación. Venía sudoroso, cansado de la larga marcha. Traía una mantuja enrollada y puesta en bandolera. Rio. Y como era la hora de cenar y había en una mesa un plato de judías blancas y él había de acercarse a compartirlas, al momento de hacerlo, para dar un bisel limpio al tenebroso espejo,

---

56 Léase en *Caracola*, Revista malagueña de poesía, Homenaje a Manuel Altolaguirre, n° s 90-91-92-93-94, abril-agosto de 1960.

sacó del bolsillo un tomate verde que alzó en oferta, como si fuese una maravillosa flor. Y yo afirmo que sí, que la pobre hortaliza se convirtió en auténtica rosa. Y la cena fue animada, si alegre no, porque no podía serlo.

Ya pisa en el horizonte
la caracola del día

había cantado hacía tiempo Emilio Prados. Y era en los rizos de esa caracola donde parecía vivir Altolaguirre.

Pero no creáis: si Prados, a orillas del mar, decía

Capitán,
se me ha perdido
mi único anillo
de plata,

y se quedaba sin él, Manolito se lanzaba al agua en caso parecido y lo rescataba de seguro. Porque ese enajenado de la realidad se anclaba en ella en virtud de un no sé qué de pilluelo de playa malagueña, rasgo que acentuaba su simpatía. Él era quien nos daba salidas. Salidas de niño: el niño grande que era él.

De ahí —de ese arraigo en la realidad— viene a su poesía una multitud de precisas sensaciones oculares, transmutadas:

Como un ala negra de aire
desprendida de hombro alto...

Pero seguidamente, la imagen traída por los ojos se ahínca en un interior poético para traducirse en acción, cosa o poema, acto incluso agonista (lucha) como aquí:

Tan sólo sé que en mi sangre
hay mil mundos que se mueven
ansiosos de desangrarse.

Ese poner el pie en la realidad externa para luego abstraerla sin anulada y venir al adentro de donde ha de surgir el poema, está patente en:

Mi corazón dio golpes en la oscura
puerta interior y se me fue la vida
hacia adentro ...,

como en este romance:

Mis ojos grandes, pegados
al aire son los del cielo.
Me están mirando, me miran,

Me están mirando por dentro...
El mirar por dentro y el mirarse por dentro, fases de la procesión tan
por dentro, propia a lo andaluz, que es uno de los núcleos de la poesía
de Altolaguirre.

Y ahora el niño grande, el angelote que para alcanzar la luz tenía que
«usar las piernas»; él, que renunciaba a muchas cosas con gran facili-
dad y, por tanto, sabía despedirse:

> Bajo tu cielo lucha
> el hombre con el hombre
> para poder vivir.
>
> Quédate, mundo; adiós,

Pero que no obstante entendía y sabía la belleza del mundo y la bondad
de todas las cosas, pues sabía combatir contra el funesto olvido:

> Me veo pasar decrépito y cansado
> entre flores que fueron y aún no han sido,

(soy yo quien subraya)

> por un jardín de amores que el olvido
> para mi bien o mal ha respetado,

cuarteto en el que yo (perdón por la primera persona), otro andaluz
lejos de Andalucía, veo al poeta pisando al fin la tierra de su España a
la que veía cuando cantó: «Sin ti mis horas son largas...» (¿Hay presen-
timientos? Porque antes, Altolaguirre había escrito:

> Desperté y ahora quiero
> encontrar la escalera
> para subir sin alas
> poco a poco a mi muerte).

Trágico itinerario. Viendo sangre en el suelo salió, en febrero del 39, de aquel
Figueras fronterizo. Y con sangre, la suya, dio noticia de su vuelta.

La caracola aquella de Emilio Prados, hacia la que iba Manolito, no había
de verse rizada por sus entrañables gestos.

Emilio, Bernabé, aquellos otros también que éramos: ¡Qué gozo si hu-
biésemos podido reunirnos con él, abiertos como siempre de corazón a
toda España, en esas orillas del Mar Nuestro! Pero el imaginado gozo
se ha cambiado en tristeza y oración.

Su siguiente aportación a la revista de poesía *Caracola* es una traducción de un poema de Paul Valet[57] titulado "Amos". La elección de este poeta dice mucho de la evolución del pensamiento de Antonio Porras pues tradujo a un poeta especialísimo que dedicó su vida a los demás y rechazó la sumisión del pensamiento a cualquier ideología.

Su última colaboración para *Caracola* fue un angustioso poema titulado "A la escucha" que reproduzco a continuación[58].

A LA ESCUCHA

Este Midas de la razón
todo me lo vuelve razones.
Y mi hambre crece.
Y estoy en extrema indigencia.

El espíritu de tu carne
flotaba sobre tu cuerpo.
Quise entrar abrazándote,
y vi que abrazaba nuestras ropas de adolescentes
y tu mortaja y la mía.
En medio, ansias.

¡Más claro! ¡Más claro!
¿No oyes mi grito de angustia?
¡¡Más claro!!
-¿Aún más claro?

EO TEMPORE

---

57 Su verdadero nombre era Georges Schwartz, nacido en Moscú en 1905 y miembro de una familia acomodada y culta. Asistió a la Revolución de 1917 y junto a su familia emprendieron la huída primero a Polonia y después a Francia, donde se instala en 1924. Renunció a la vida de músico y se hizo médico. Perdió a sus padres y hermana en Auschwitz. Dejó el ejercicio de la medicina en 1970 por problemas neurológicos graves, pero volvió a tocar el piano, siendo sus autores favoritos Albeniz y Scriabine. Léase el poema en *Caracola*, Revista malagueña de poesía, n° 95, septiembre 1960, p. 22.

58 Véase en *Caracola*, revista malagueña de poesía, n° 105, julio 1961, pp. 12-13.

Ecce Homo;
he ahí al que se da
hasta en espectáculo.
Ranas: devolvedme mi silencio.
Procesión: devuélveme mi soledad.
Y, oh gloria: devuélveme mi infierno.

El paracaídas ideal
es el que no se abre.

Qué lejos da este haber llegado
al pie del muro.

ET NUNC

- ¡Dejadme solo!
-¿No ves que lo estás?

Cantar por cantar, ¡no!
Cantar por no gritar.
Cantar por preguntar.
Cantar para que el verso se haga cuenta.
Cantar por responder a tu llamada.
Cantar para mirarme en tu respuesta,
juicio, sentado al lado de la muerte.

Cuando, al fin, deja caer su cabeza
sobre su cola y el anillo suena,
la poesía aparece.

Y no obstante
el mundo es obra tuya, razón:
esfera transparente.
Revelación, espejo, fuente.

Su última carta es de junio de 1962 y está plagada de homenajes. Por un lado, Bernabé había abandonado *Caracola* en agosto de 1961 y María Victoria Atencia y Rafael León se aprestaban a organizarle un homenaje por su labor en pro de la poesía. Este homenaje secreto no lo era tanto, pues ya se puede advertir cuando se lee detenidamente esta misiva que Antonio Porras lo sabe. Es, por otra parte, una carta llena de buenos propósitos, sobre todo cuando se recuerda al poeta fallecido Emilio Prados. A su vez, Bernabé se disponía a emprender la edición de un gran homenaje para su gran amigo Emilio y recababa en aquellos días las direcciones del paradero de otros tantos exiliados en Francia para solicitar de ellos su colaboración.

París 12 junio 62[59]

Muy querido Bernabé:

Recibí tu carta, reconocí tu letra, y me dio tal gozo que, a pesar de estar en cama con un arrechucho de mi circulación, quise contestarla sobre la marcha. Pero el gozo se convirtió en tristeza al leer la noticia de la muerte de Emilio. Dilaté el escribirte. Yo quería hacerlo con temple animoso, pero los días pasan y no lo consigo, pues yo quería muchísimo a Emilio y su recuerdo no se me va, y hasta lo cultivo pues creo que así lo abrazo.

Descanse en paz el gran amigo y gran poeta.

En cuanto a la recomendación de tu amiga Josefa Cano Sempere, nada pude hacer, pues tu carta la recibí ya bien entrado este mes, o sea fuera de plazo del concurso.

Para el número de Litoral en memoria de Prados: las señas de Peinado son 199 Boulevard Auguste Blanqui Paris XIIIᵉ, las de Manolo Ángeles Ortiz, 15 Rue de Londres, Paris IXᵉ. Las de Bores no las sé: su pintura se estancó en lo que hacía hace 30 años y el manierismo no me interesa. Creo que Ángeles Ortiz está ahora en Madrid haciendo una exposición en el Museo de Arte Moderno.

Hace unos meses, hice un truco, con música y varias voces, sobre la Ofelia que disteis en Caracola. Claro que dando ese texto, citando a la revista, al autor, y añadiendo algo, como es normal.

Me dices que Dª. Mª. Victoria Atencia te dijo haber yo enviado algo para tu homenaje[60]. ¡Pero cómo! ¿Es que no te ha dado a ver mi envío? Deduzco no

---

59 Carta autógrafa.
60 Para el homenaje a Bernabé envió un extenso poema titulado "Viendo el día crecer el desierto...".

*te ha dado tampoco lo que me permití sugerir, a saber: que quizá merezca
la pena pensar en dar más extensión al homenaje, haciendo con lo enviado
un nº de Caracola, dirigido, como siempre, por ti mismo, pues eso iría a
todos y a bibliotecas, y Caracola y tú, su instrumentador, quedarías en el
lugar debido, pues yo no conozco de parte alguna, una revista de poesía ni
parecida a la que tú haces. Habría pues que dejar modestias aparte, pues se
trata de Historia en su sentido noble.*

*En cuanto a mi envío, puede que pudiera alguien arrugar la nariz, dado
que yo quizá hacer poema de <u>plena circunstancia</u>, y perdón si me amparo
en quien debía saber algo de esto: la poesía es siempre de circunstancias,
dijo Goethe. Pero además la circunstancia de los vuelos a que aludías en el
prólogo, al ser vuelos en el espacio, enlazaba a maravilla con tu labor que
creo consiste en situar cada poema en un espacio para que viva y vuele en él,
coca de amor, buen gusto y archidifícil: Bernabé = poeta del espacio.*

*Cuando tenga tiempo sacaré copias de unas coplas y te las enviaré a fin de
intentar algo, pues creo —dadas las indicaciones que de ahí recibí— que
<u>debo</u> comenzar a publicar. Ya veremos.*

*Sacude la pereza por cariño al viejo amigo, que está triste y se alegra viendo
tus cartas. Escribe.*

Te quiere siempre

Antonio.

Nos quedan dos cartas de su hija Carmen que escribe a Bernabé por
recomendación de su padre para pedirle consejo sobre sus vacaciones
en la Costa del Sol y en Marbella.

París 11 de Mayo de 1965

Querido Bernabé:

No sé si te acordarás de mí, Carmen, la hija de Antonio Porras.

*Este verano vamos a Pozoblanco y yo quiero ir del 8 al 14 a Marbella o Málaga
y si me gusta dejar algo visto para alquilar el año próximo. Me dice mi padre
que te escriba para ver si me puedes reservar una habitación en un Hotel para
esta fecha y que esté cerca del mar.*

*Me alegrará mucho verte después de tantos años y de tantísimas cosas que
han pasado.*

Contéstame lo antes que puedas y me dices el precio para que te mande el dinero que tenga que dar para la reserva del hotel.

Con un abrazo de mi padre y mío

Carmen

P./G. Mi dirección es: 8 bis Rue de la Terrasse, Paris (XVIIeme) Carmen Porras Pienso que sería más cómodo para ti reservarme en Málaga, y yo iré desde ahí hasta Marbella, que no está tan lejos. Tú verás.

París 24 de Mayo de 1965[61]

Querido Bernabé:

Yo también he tenido una gran alegría de recibir noticias tuyas, y aún más cuando me dices que eres tan mal corresponsal. Yo también, un poco. Leí tu carta a mi padre que se puso contentísimo. A pesar de los muchos años que pasaran, muchas veces charlamos de la época en que estábamos todos juntos. ¡Y cuántos han muerto ya Bernabé!

Yo me casé con un francés. Después de diez años de casados tuve una hija muy guapa e inteligente, pero muy traviesa (señal de buena salud). Luego divorcié cuando la niña tenía seis meses. Líos de familias: mi hermano enfadado con el marido, se mezcló todo el mundo, y yo en medio de todos.

Mis padres no querían que viera a los suegros, los suegros que no viera a mis padres, etc. y en buena andaluza, prefiriendo la tranquilidad, me divorcié porque no me dejaban vivir. Trabajo aquí. Soy Profesora de Geografía e Historia de España, Geografía, Economía para la Cámara de Comercio Española; debemos de enseñar el español. Los veranos, pasamos siempre el mes de Julio en Biarritz, y Agosto, unas veces vamos a Benidorm, y otras a nuestro pueblo Pozoblanco, donde mi hija se vuelve loca de alegría con sus primos y se divierte de lo lindo. Yo ese año quiero ir sobre el 8 de Agosto hasta el 15 a Málaga. Tengo muchas ganas de ver esa costa de nuevo, y de verte también. Además quisiera dejar algo visto, porque el verano 66 (verás que tenemos proyectos) mi hija quiere nos vayamos Julio y Agosto a la Costa del Sol. Mi madre se queda en el pueblo con mi hija, porque quiere quedarse con sus primos y mi padre va a Saint Maló a la orilla del mar. Voy yo sola, así que búscame un Hotel en Málaga o Marbella, me da igual, no muy lejos del mar para poder bañarme. El precio, no Hotel de gran lujo, pero que no

---

61 Cartas autógrafas.

esté mal. Con un millón de gracias por todo, y esperando verte pronto, y a tu
numerosa familia. Un abrazo muy fuerte de mi padre y mío,
Carmen

Poco espacio para resumir una vida y sus anhelos. Lo más evidente entre estos intelectuales en el exilio francés es que se olvidaron de un componente fundamental del arte: la estética. Rehusaron usar de este elemento. No les valía el arte por el arte. Otros en cambio, con mayor perspectiva, supieron enseguida cambiar. Serge Salaün lo manifiesta con claridad:

Este cúmulo de desarraigos, difícilmente podía desembocar en obras mayo-
res. Es evidente que si hubiera existido un líder o un grupo diferente, o con
talento más enérgico, las cosas hubieran podido ser distintas, pero las orien-
taciones definidas desde 1944 llevaban necesariamente a una literatura
de este tipo. Los intelectuales de Francia, a diferencia de Francisco Ayala,
que apostó enseguida por una ruptura ideológica e histórica con todas las
Españas (pero no con la lengua ni con la exigencia estética) creyeron tanto
en una literatura del exilio como en una literatura escrita por exiliados y el
resultado, una vez más, es patético cuando se compara con la producción de
los "americanos". ¿Qué hubieran escrito Alberti, Prados, Cernuda, Altola-
guirre, Garfias, Max Aub, Rejano, Larrea, León Felipe, Juan Ramón Jiménez
o Jorge Guillén a orillas del Sena o del Garona?[62]

Afectado por una grave enfermedad, Antonio Porras regresó a su localidad natal de la que pudo disfrutar solamente cinco meses antes de morir. Falleció en 1970 a los 84 años.

En su localidad natal se otorga anualmente el Premio de Narrativa Antonio Porras.

---

62 S. Salaün, art. cit., p. 208.

Cuestiones poéticas al *Final*
de Jorge Guillén

Cuestiones poéticas al *Final* de Jorge Guillén

Antonio A. Gómez Yebra

1. La poesía

Cuando Claude Couffon en 1963 intentaba que Guillén le manifestara su concepto de poesía, el de Valladolid se mostró remiso a pronunciarse al respecto, contentándose con divagar en estos términos: "yo no sé qué es la poesía [...], su definición general no me interesa. Me basta con saberlo intuitivamente, con las manos, con el olfato, con el instinto. Dios me libre de un programita con fórmulas bien perfiladas para uso de poetas jóvenes... Hay quienes tienen en el bolsillo la clave de la poesía inminente, es decir, gentes enteradas de cómo se debe escribir en 1962 el buen poema. ¡Felices ellos! ¡Y Dios les conserve la vista! Yo escribo como Dios me da a entender y hago lo que puedo sin consultar el programita"[1].

Por aquel entonces, pues, Guillén o no se había detenido a definir un término tan vago y tan susceptible de matiz como es la poesía —que habrá que desestimar— o prefería silenciar las premisas de su trabajo para que no pudiera encasillársele dentro de los estrechos márgenes de escuelas determinadas. El caso es que, trabajando ya sobre *Homenaje*,

---

1 Palabras de J. Guillén en C. Couffon, *Dos encuentros*, París, Centre de Recherches de l'Institut d'Études Hispaniques, 1963, pág. 29. Parece incuestionable que esta posición guilleniana presenta un antecedente en San Agustín cuando, refiriéndose éste a la esencia del tiempo, manifiesta: "Lo sé si nadie me lo pregunta; pero si intento explicármelo, no lo sé". *Confesiones*, B., Plaza Janés, 1961, pág. 487.

volumen central de *Aire Nuestro*, evita toda definición cuando, se supone, podría haberla dado, no en balde sus conocimientos teóricos y prácticos eran abundantes.

Repasar los dos volúmenes poéticos anteriores aporta muy poca luz al respecto. En *Cántico* se resuelve el problema con una abstracción, si sugerente, excesivamente metafórica: "Gracia de vida extrema, poesía"[2], o mediante una alusión a la infancia como portadora de unos valores genesíacos desconocidos u olvidados por el adulto: "Poesía, la criatura"[3], expresión que también sugiere elemento vivo, recién creado, recién nacido.

En *Clamor* juega con la también evocadora definición becqueriana del término sirviéndose de la definición becqueriana, con la que juega con cierta malicia en el poema que lleva por título "Poesía... eres tú":

> *Ante el profesor (yo) la clase*
> *Compone su imán de doncellas.*
> *"Poesía eres tú." (Más ellas.)*
> *¡Ah, si su voz resucitase*
> *Para decirles esa frase,*
> *Que prendería a blonda y bruna*
> *Bajo un cono de luz de luna,*
> *Riel de temblor por un lago!*
> *Poesía... ¿Quién? (Bécquer mago:*
> *Todas nos sonríen.) ¡Ninguna!*[4]

El profesor elude responsabilidades con no poco humor. Ninguna de las jóvenes (aquellas de Wellesley College que amó tanto), puede ser considerada en puridad como poesía, por más que atraigan con sus hermosas sonrisas románticas al poeta que las mira e intenta enseñarles la mejor lírica castellana de todos los tiempos. Todas ellas son (inspiran) poesía, pero ninguna la define, ninguna la encarna, pese a Bécquer.

---

2 J. Guillén, "Vida extrema", *Cántico*, en J. Guillén, *Aire Nuestro. Cántico. Clamor*, ed. De Ó. Barrero, B., Tusquets, 2008, pág. 409.

3 "Familia", *Cántico*, ed. cit., pág. 415.

4 J. Guillén, "Poesía eres tú", en *Clamor*, ed. cit., pág. 655.

En *Homenaje* la definición no puede ser más lacónica, "Poesía: tesoro"[5]. Precisión, pero imprecisión total. Como tal tesoro cabe definir también a un amigo, en añeja imagen bíblica. Sin embargo, hacia el final del volumen, el poema "Doble inocencia" permite encajar las palabras a Claude Couffon citadas al principio:

> «Perdón. ¿Qué es poesía?»
> Pregunta el inocente a su maestro.
> —Soy poeta. No sé. Definición no guia
> Nuestro empeño más nuestro.
> Yo no soy en las fórmulas tan diestro
> Que pueda responderte con finura.
> ¿Qué es poesía? Dices.
> Felices
> Los profanos. Su gusto les procura
> Soluciones. Quizá tu propia tía...[6]

Guillén tenía por costumbre reflexionar poéticamente sobre anécdotas cotidianas, sobre noticias leídas en la prensa, sobre conversaciones mantenidas con amigos y críticos. La pregunta "¿qué es poesía" se la hicieron muchas veces. Tantas que el autor de *Cántico* terminó por rehuirla, o, como en este caso, por salir por la tangente, casi con un exabrupto.

Sin embargo, en *Y otros poemas* propone un apunte de definición del término, aunque el poeta se mantiene en su pretendida negativa:

> ¿Qué es poesía? No sé.
> Una existe que yo nombro
> Ars vivendi, Ars amandi:
> Sentimiento aún de asombro
> Que resplandece con fe.[7]

5 J. Guillén, "Perfil del viento", en *Aire Nuestro, Homenaje, Y otros poemas, Final,* ed. de Ó. Barrero, B., Tusquets, 2008, pág. 120.
6 Id., pág. 495.
7 J. Guillén, "Palabra por palabra", 27, en *Aire Nuestro, Homenaje,* etc., cit., pág. 825.

Guillén sigue a Sócrates, cuando afirmaba que el sentimiento propio del filósofo es el de asombrarse. P. Darmangeat confirmaba la diaria capacidad del poeta para asombrarse cuando advertía: "El advenimiento del mundo poético guilleniano se realiza en el asombro hasta el trazo final, y como prodigio al alcance de la mano, como milagro sin niebla mística"[8].

Ese sentimiento de asombro ante la vida y ante el amor deja, sin embargo, todavía en el aire, un concepto claro de poesía, que parece completarse en el subpoema 16 de las "Glosas" del mismo libro:

> *Poesía: sensación*
> *De una materia verbal*
> *Que ilumina una visión*
> *Con frescura de raudal*[9].

El poeta sigue afincado en la sensación, aunque ya hace intervenir el elemento verbal, la palabra, iluminadora de la realidad hecha íntima. Nos hemos acercado un poco más a una definición, pero todavía el poeta no se ha decidido a plantearla con claridad.

Para que esto ocurra hay que llegar a *Final*, donde el poeta ya no puede ni quiere eludir por más tiempo su definición de poesía:

> *Poesía es un curso de palabras*
> *En una acción de vida manifiesta*
> *Por signos de concreto movimiento*
> *Que al buen lector remueven alma y testa*[10].

Han sido necesarios cerca de sesenta años de escritura poética para que Guillén se decidiera por fin a dejar constancia por escrito de su concepto de poesía: un curso, es decir, una corriente, un raudal de palabras, que son reflejo de un hecho determinado de la existencia humana y cuya

---

8 P. Darmangeat, *A. Machado, P. Salinas, J. Guillén*, M., Ínsula, 1969, págs. 210-211.
9 J. G., en *Aire Nuestro, Homenaje*, etc., cit., pág. 800.
10 J. Guillén, "La expresión", 6, de Final, en *Aire Nuestro, Homenaje, etc., cit.,* pág. 1205.

misma expresión supone una acción trascendente. Pero este conjunto de signos "ágiles, flexibles, reverberantes", como dirá en el subpoema 10 de "Fuerza bruta", ha de alcanzar una doble meta: conmover, es decir, emocionar al lector y obligarlo a un mismo tiempo a un trabajo intelectual de decodificación.

Guillén propone una poesía dirigida al hombre entero, una poesía que exige un lector atento y completo, una poesía que va a exigir la colaboración responsable del receptor, puesto que es una "poesía viva, acompañada, hablando en participio de presente, en el sentido en que se dice en inglés: *living literature,* o en francés: *art vivant,* poesía participada a todo aquel dispuesto a compartirla"[11].

La definición que propone J. Guillén en *Final,* como curso de palabras dirigidas al hombre entero se completa con lo que refleja en su comunicado tras la recepción de un premio: "¡Poesía integral! Conocemos su fuente: el hombre entero con todo el rebullicio de su imaginación y su corazón. Poesía individual y general, himno, elegía y sátira, cántico y clamor, pese a los anatemas de los Pedantes"[12].

La poesía, completamos ahora, es la manifestación de "intuiciones, visiones, sentimientos"[13] a base de palabras, que parte del corazón y la inteligencia de un hombre entero, el autor, para ir en busca de otro hombre entero, el receptor, a cuyo corazón y a cuyo entendimiento ha de conmover. La poesía que cumpla estos requisitos es la poesía integral, y no solamente la que mueve en exclusiva la razón o el ánimo:

> *¿El meollo del verso es razonante?*
> *¿La poesía es ímpetu y disparo?*
> *Encarnación de espíritu completo,*
> *Criatura viviente: gran poema*[14].

---

11 J.L. Aranguren, "La poesía de J. Guillén ante la actual crisis de los valores", en *Jorge Guillén,* ed. de B. Ciplijauskaité, M., Taurus, 1975, pág. 269.
12 J. Guillén, "Poesía Integral",en *Revista Hispánica Moderna,* XXXI, n° 1-4. enero-octubre, 1965, pág. 209.
13 J. Guillén, "La materia", de *Final,* en *Aire Nuestro, Homenaje,* cit., pág. 1417.
14 *Id.,* pág. 1205.

2. El poema

Si la poesía es la encarnación de un espíritu completo, definición donde las alusiones bíblicas quedan manifiestas, el resultado de esa encarnación, como criatura viviente, es el poema, segundo paso de la actividad poética y consecuencia directa de la inspiración y la elaboración:

> *Inspiración. Poema. Ordenación. Conjunto*
> *Que aspira a ser un libro.*
> *Autor con su lector. El acto de lectura[15].*

El tercer paso es ordenar la producción poética de manera que tenga sentido. Esta ordenación proporcionará un bloque y éste, una vez impreso, llegará a manos del lector.

Pero, ¿cómo ve el poeta su propia creación? ¿Hay algún secreto no confesado que lo impulse a escribir? ¿Acaso una intención ideológica?

> *¿Poema de salvación?*
> *Podría ser. Fundamento*
> *Propone para vivir*
> *En la Tierra con aliento,*
>
> *Contagia profundo impulso*
> *De amor a las criaturas,*
>
> *Y se dirige a un hacer*
> *Entregándose al present*
> *Paso por este planeta.*
> *¿No es un valor inmediato?[16]*

Guillén, que en todo momento ha evitado su afiliación a cualquier tipo de ideología —literaria, religiosa o política— admite sin embargo que hay un principio ético en la base de su concepción poética, princi-

---

15 *Id.*, pág. 1448.
16 *Id.*, pág. 1214.

pio con el que está intentando impregnar a sus lectores: el amor a las criaturas. Este amor se convierte en palabra clave a lo largo de toda su obra poética, especialmente en *Final*, donde se expresa de varias formas diferentes: "El amor, la amistad, la paz del mundo"[17].

Por eso "no hay poema fácil"[18], como señalaba en *Clamor*; por eso el poeta "Sonríe con amor desde su luz"[19], por eso "Poeta, solo poeta / Arde en un alma la gracia / Que alumbra y no se interpreta"[20], matizará en *Homenaje;* por eso "El poema es enigma de sibila"[21], como apunta en *Y otros poemas;* y por eso "Hay, sí, poema en que el misterio late", como advierte en *Final*[22].

Ahora se comprende también por qué Guillén critica con firmeza al vacío poeta cultista que se preocupa por hallar el término de más difícil interpretación, el más oscuro, sin intentar meta superior:

> *Este poema tan abstracto y culto*
> *Me conduce, severo y distinguido,*
> *Por una senda ajena que me invita,*
> *Llegado el fin, a delicioso olvido*[23].

Y se llega a comprender también que el poeta, para serlo, ha de proporcionar al lector algo que no tenía, algo que no pueden darle las palabras, pero que sí puede recibir con su concurso:

> *¿Intemporal? ¿Sin tiempo?*
> *Disparate inocente. El poema es poema*
> *Si algo entonces se vive, se siente, se ejecuta*[24].

---

17 *Id.*, pág. 1290.
18 "¿Poeta fácil? Acaso. / ¿Poema fácil? Ninguno. *Aire Nuestro. Cántico. Clamor,* cit., pág. 646.
19 En "Emilio Prados", de *Aire Nuestro. Homenaje...* , cit., pág. 212.
20 En "Manuel Altolaguirre", *id,* pág. 217.
21 En "Hermes" de *Y otros poemas, id.,* pág. 810.
22 En "La expresión", 26, *Id.,* pág. 1213.
23 En "La expresión", 11, *Id.,* pág. 1207.
24 Id., 63 pág. 1209.

El poema será válido en cualquier época si continúa transmitiendo vivencias y lo hace de manera digna[25].

El poeta siente un hecho determinado, elige la forma y las palabras más apropiadas y las deja en manos de un lector-intérprete. El poema resiste el paso del tiempo si el lector, en cualquier época, puede seguir haciendo suyo aquel profundo sentir de su creador.

De ahí que Jorge Guillén se preocupe tanto por el receptor de su obra, como se dijo antes, al que mima más que ningún otro miembro de su generación[26].

Pero este cuidado solícito del receptor exige una no menos delicada atención al poema, a fin de que se presente en las mejores condiciones de intelección. Por eso se prodigan en todo *Aire Nuestro* las alusiones y las citas de textos propios, como autoexégesis, tanto aquellos que fueron interpretados por la crítica correctamente como, en especial, los que lo fueron incorrectamente. Y por eso también, la insistencia por parte del autor, en que los poemas se lean de viva voz, como se hacía antaño, ya que de este modo pueden asimilarse, a una, las calidades formales y las significacionales:

---

25 Esto concuerda con la afirmación de V. Cabrera cuando, refiriéndose a la poética de Salinas, Aleixandre y Guillén, concreta: "Características de estos tres poetas: 1º/ ausencia de todo formalismo hueco, de todo artificio sin función estrictamente poética, de todo juego lingüístico caprichoso e insustancial. *Tres poetas a la luz de la metáfora: Salinas, Aleixandre y Guillén*, Madrid, Gredos, 1975, pág. 210.

26 "Ellos dieron el gran paso, fundamental, en el curso de nuestra lírica, de escribir para cómplices, para activos participantes en la creación de la poesía [...], esos lectores convierten precisamente en fuente de interés y hasta de emoción los problemas de interpretación que el escritor les propone". F. Lázaro en "Una décima de Jorge Guillén", en *Homenaje a Jorge Guillén*, Wellesley College, Madrid, Ínsula, 1978, pág. 321. Véase también el artículo de B. Ciplijauskaité "Una gloria ya madura bajo mi firme decisión" del que extraigo esta cita: "*The poet says that he does not address himself to the immense majority nor to tu immense minority, but rather "al hombre con toda su hombría". He writes for a man who is capable of understanding him and feeling his experiences, for a reader willing to co-operate in the act of creation*", En *Luminous Reality. The Poetry of Jorge Guillén*, ed. de I. Ivask y J. Marichal, University of Oklahoma Press, Norman, 1969, pág. 46.

> *Los poemas no existen más que en la voz y no logran su plenitud sino merced*
> *a la lectura de viva voz. Esta realidad del sonido es inseparable de la idea,*
> *naturalmente, y la idea no alcanza su propio grado de vigor poético sin su*
> *encarnación sonora y sus matices muy precisos.*[27]

No se desentiende Guillén del poema una vez impreso; todo lo contrario, mientras puede vuelve sobre él, casi con la intensidad de Juan Ramón, y analiza los estudios críticos que suscita para comprobar si llegó al destinatario en las mejores condiciones:

> *Quise decir... ¿Lo dije, no lo dije?*
> *La expresión a su altura de poema*
> *Se irisa en claridad, se tornasola.*
> *¿Llegará a ser equívoco algún signo?*
> *Selva oscura no es término de viaje.*
> *El eminente lucha contra el caos*[28].

A veces, incluso, es necesaria una nueva formulación esclarecedora o complementaria: "Villalón de Campos" de *Final* fue en su origen una décima a la que Guillén añadió los tres versos finales, endecasílabos, a manera de estrambote, a la hora de editar el volumen. El poema es —se dijo antes— criatura viviente, y como tal ha de nacer:

> *En el silencio es pura la palabra.*
> *Sobre él se apoya con firme base.*
> *Mental, esa palabra me edifica*
> *Sólo a mí.*
>   *No es ese su destino.*
> *Quiere encarnar en voz, carne concreta,*
> *Una voz que imperfecta bien me suene,*
> *Viva, real, impura al realizarse.*[29]

---

27 Jorge Guillén, "Poesía integral", en *Revista Hispánica* Moderna, XXXI, n° 1-4, enero-octubre, 1965, pág. 207.
28 "La expresión", 5, *Final*, en *Aire Nuestro. Homenaje*, etc., pág. 1204.
29 "Hacia la poesía", 18, *Y otros poemas*, ed. cit., pág. 801.

El poema es susceptible de crecimiento, de metamorfosis, incluso de alcanzar un cierto grado de independencia:

> *El autor se relee*
> *Textos mal recordados.*
> *Sí, funcionan exentos,*
> *Libres. No maravillas:*
> *Criaturas. ¡Existen!*[30]

Y, con el transcurso del tiempo, el poema se acrisola, llega a la madurez:

> *Aquel poema tan desesperado*
> *Sin más visión final de podredumbre*
> *Bullía, rebullía, se afirmaba,*
> *Si buen poema, vivo, vivacísimo*[31].

Tras la madurez llega un momento en que el poema puede desaparecer en la oscuridad de una noche más o menos larga en que no encuentra lector. Pero nuevamente recobra vida cuando alguien inicia su lectura:

> *En el silencio extenso*
> *Resucitan los signos de la página,*
> *Inmóviles allí como posibles*
> *Criaturas, ahora*
> *Por entre luz y luz ya poesía*
> *De primer creador,*
> *De final taumaturgo.*[32]

La personificación del poema es completa: hay un nacimiento, una etapa de transición, una madurez, un estado de muerte aparente y una

---

30 Id., 17, *Y otros poemas*, pág. 800.
31 Id., 21, *Y otros poemas*, pág. 802.
32 "Lectura y escritura", I, en *Final*, ed. cit., pág. 1216.

resurrección. El poema es, en verdad, una criatura viva, y el poeta, en este aspecto, sí, es un dios, un creador.

3. El poeta

El primer manifiesto de *Final* acerca de lo que es el poeta parece negar, en principio, lo recién apuntado, es decir, que el poeta sea un dios, un creador: "El poema divino... Disparate"[33]. Parece, sin embargo, que se trata de dos aspectos completamente distintos. Por una parte, es la función propia del artista: la creación de una obra de arte, y por otra, trata de cuestionar la postura de Juan Ramón, a quien J. Guillén tras recibir el famoso telefonema que truncó la amistad entre ambos, había enviado una carta en la que advertía: "Usted, el retraído, el apartado, el que se mantiene con tanto escrupuloso celo fuera de la feria del mundo —celo que legitima su privilegio de *Divino*—, usted es quien ante la colocación de su nombre en una lista circunstancial, reacciona como cualquier mundano"[34].

En *Final* las alusiones al gran poeta no son infrecuentes, pues otra vez aparece una frase suya encabezando el subpoema 7 de "Vida de la expresión":

"Es un gran poeta malo"[35]

Sólo importa lo mejor.

El alpinista cuenta
La suma altura alcanzada,
El Everest, el Mont Blanc.

Obra unitaria y aciertos.

---

33 "La expresión", 26, en *Final*, ed. cit., pág. 1213.
34 *IAL*, año 9, n° 72, M., 28 de febrero de 1954, pág. 7. Las cursivas son mías.
35 Conservo una grabación magnetofónica en la que J. Guillén, interrogado por el emisor de la frase "Es un gran poeta malo" afirma que fue Juan Ramón Jiménez refiriéndose a Pablo Neruda.

¿Adónde llegan los máximos?
Así total calidad[36].

Y, desde luego, la acritud reaparece en el subpoema 16 del mismo apartado:

Hay literatos ensoberbecidos
Que sólo son "précieux".
Podría recordarse la comedia
Les précieuses ridicules de Molière.
Éstos son nada más
"Les mineurs ennuyeux".[37]

Pero Guillén no se limita a criticar poetas concretos. A veces lo hace también refiriéndose a colectivos, tanto a los que se dejan arrastrar por una supuesta inspiración desmesurada ("Estupendo poeta ilimitado, / Y por genialidad irracional"[38]), como a aquellos que, sin encontrar una clave lírica que dé elevación a su verso, pecan de simpleza:

Ay, poeta, poetastrillo:
Si te pierdes en tal llaneza
Jamás, jamás serás sencillo[39].

Estos poetas quedan asimismo retratados en *Final* sin ninguna compasión: "Es retórica a su oído / La palabra con sentido"[40].

---

36 *Final*, cit., pág. 1223.
37 *Id.*, pág. 1226. Aún se podría añadir a este escrutinio el subpoema 22 de "La expresión", que empieza así: <<"Musa ibérica. Torrencial", / Dijo un gran escaso muy fino. / "Mucho y perfecto", el divino / Quiso.>>Tal vez resuma esta amarga crítica un epigrama: "Gran poeta, pero mal bicho. / Es infalible lo bien dicho // Y lo peor: era ya un dios. / Atroz, atroz, adiós, adiós" *Final*, pág. 1332. En éste hay un recuerdo, sin duda, de un epigrama anterior: "Amable de viva voz, /Tiene pluma de mal bicho. / En el fondo, ¿qué será? / Lo más hecho es lo más dicho". *Y otros poemas*, ed. cit., pág. 1021.
38 *Final*, cit., pág. 1230.
39 *Y otros poemas*, cit., pág. 804.
40 *Final*, cit., pág. 1213.

También critica escuelas, "ismos", en especial cuando sus seguidores creen haber alcanzado la piedra filosofal de la poesía, con la cual ellos, y solo ellos son capaces de llegar a la cima de la poesía, razón por la cual el núcleo de los privilegiados forma un grupo superior que ha de mantenerse alejado del resto:

> *"Elitista", palabra obscena.*
> *La selección de los mejores,*
> *O sea, de los creadores,*
> *¿Va a la picota, suma pena?*[41]

Por el contrario, Guillén cree en la diversidad de acceso a la obra de arte, que deja en libertad a cada artista, a cada poeta, para manifestar su propio pensamiento con sus propios recursos. En definitiva, Guillén cree en el estilo personal, individual, diferenciador:

> *Nadie impone un modelo obligatorio.*
>
> *Afirmándose crea el otro artista*
> *Desde sus intuiciones y sus gustos*
> *Por un normal camino diferente,*
> *Libre de lucha con la ajena página.*
>
> *En la historia —museo— antología,*
> *Obras vivientes a la vez persisten*
> *Gracias al arte, vida testaruda*[42].

Este anarquismo bien entendido es el que llega a producir cúspides geniales, irrepetibles, dentro incluso de grupos bastante homogéneos, como lo fue aquel en que el poeta se encontraba tan a gusto, y donde no hubo "amigos superficiales", ni "literatos envidiosos"[43], sino una convivencia que hubo de sufrir duras pruebas:

---

41 *Id.*, pág. 1316.
42 *Id.*, pág. 1229.
43 *Id.*, pág. 1311.

Dicen que el 27...
¿Generación, constelación o grupo?
Arte combinatorio de abstracciones
En teoría de una mente exenta
De un enlace vital... con nuestros actos.
Bien compartidos los actos con amigos
En mutuas relaciones bien vividas,
El acorde feliz sin coro alguno
Y desde aquellos años hasta hoy.[44]

De este grupo toma consecuentemente Guillén un modelo a la hora de definir el término *poeta*, cosa que no había realizado hasta este momento. El poema "Vicente Aleixandre" se convierte de homenaje a un hombre, a un amigo, a un poeta, en resumen de la función del poeta, de cualquier poeta y, de un modo reflejo, en autodefinición del mismo Guillén:

Le invade el universo.

Responde
Con su imaginación en explosión
A través de un lenguaje en elocuencia
Impulso violento
Se arroja hacia la luz y la trasciende
Con su palabra, siempre más allá
De un ser humano;
Fuerza de creación en ese espacio
Donde todo se junta, se penetra,
Y sin contradicciones
Todo es complementario en plena vida,
La ternura, la furia,
La destrucción o amor
Que gobierna las galaxias.[45]

---

44 *Id.*, pág. 1415.
45 *Id.*, pág. 1452.

Se aúna en este poema, del que aquí vemos solo un fragmento, toda la teoría poética de Guillén. El poeta observa la creación y la re-crea en su mente para, por medio de la palabra, trascender el nivel superficial y adentrarse en un nivel donde todo cobra nueva vida. No falta la inspiración, "impulso violento", no falta el esfuerzo elaborador, "Fuerza de creación", no falta el poder creador de la palabra, "lenguaje en elocuencia", y no sobra la clara alusión a una de las obras del poeta sevillano, *La destrucción o el amor*, con la que se manifiesta una vez más cuál es el móvil que dirige en última instancia la actividad creadora: el amor. La relación amor-poesía puede encontrarse unos versos más adelante:

> *Es en la creación de ese mundo infinito*
> *Donde con eficacia prevalece*
> *La amorosa potencia,*
> *Aquí ya un eco humano: poesía.*[46]

La poesía, puede inferirse de aquí, es la actividad humana que mejor evidencia la capacidad para amar. Pero esta capacidad de amar ha de ser a las cosas concretas, a los seres concretos, razón por la cual el poeta no puede olvidarse de mantener un estrecho contacto con la realidad de su época:

> *Ah, no se pierda jamás el incesante*
> *Contacto con la tierra.*
> *Así prolongaremos nuestros seres,*
> *"Hechos ya tierra viva".*[47]

Los seres concretos a los que, con mayor dedicación ha de atender el poeta son aquellos que le acompañan, los que le hablan, los que le escuchan:

> *¿El mundo a solas? No.*
> *Nuestros muy semejantes,*
> *Siempre tan inmediatos, nos escuchan.*

---

46 *Id.*, pág. 1453.
47 *Id.*, pág. 1454.

Un arranque entrañable ofrece diestra
Fraternal, solidaria.
El tal viviente en medio de la Corte
No será ajeno a la Historia,
Y asume apasionado el corazón
De todos, de ninguno,
Fiel a lazos que traban, unifican.[48]

El poeta ha de hablar y escuchar a sus semejantes y convertirse, a través de su verso, en lazo que una a todos los hombres en un solo sentir. Los datos personales de Aleixandre, los títulos de sus obras —que vuelven a aparecer—, las citas textuales, no son obstáculo para que el homenaje a un poeta concreto se convierta en definición de todo poeta: el que de verdad vive en medio de los hombres y al mismo tiempo para ellos, y esto concuerda con las declaraciones hechas por Guillén acerca de su obra: "Me vuelvo hacia el otro o al otro. Al mundo, a lo que me rodea. En mi libro *Final* aparece el mundo del otro"[49].

4. La crítica literaria

Si en ciertas ocasiones Guillén manifestó con dolor haber tenido que sacrificar su faceta de investigador literario a favor de la labor de creación poética, también confirmó que en ningún momento abandonó defini-

---

48 *Id.*, id.
49 Palabras de J. Guillén en entrevista para *Cambio 16*, (1 de julio de 1979, pág. 79). De un modo parecido volvió a referirse en otra entrevista publicada en *Ya* (1 de junio de 1980, pág. 5) donde confirmaba lo recién expuesto: "Es decir, que lo que me interesa es el mundo, las cosas, los otros. Quedarme con mi soledad, interesarme por mi vida, eso no me ha ocurrido, a no ser en relación con otras personas. Por su parte, Antonio Piedra, en relación con esta postura del poeta ante el mundo y los otros, manifiesta: <<Se coloca el poeta "dentro del mundo", donde siempre estuvo con el amor –"realidad de realidades"- como estribillo explicativo y atmosférico>>. (De "Necesario el cantar, como el aire", en *Homenaje a Jorge Guillén*, Valladolid, Fundación Municipal de Cultura, 1982, pág. 5).

tivamente aquella función, ejercida también a través de sus versos: "La consideración de la poesía en general no existe sin crítica literaria"[50].

Y su crítica se vuelve —ya se advirtió antes— contra los poetas que no llegan a alcanzar un nivel digno o contra los que pretenden un oscurantismo a ultranza. Pero se vuelve también contra las antologías, museos de fragmentos literarios sin sentido en donde apenas se puede descubrir nada nuevo, ya que todas parecen ponerse de acuerdo en acotar los mismo textos y los mismos autores:

> *Manual de literatura.*
>
> *"Más bien pedal". (Unamuno)*
>
> *¿Esos lugares comunes*
>
> *Serán la voz de la Historia,*
>
> *O sólo un sordo murmullo,*
>
> *Posteridad burocrática,*
>
> *Pedal de literatura?*[51]

Guillén cuestiona el valor de los manuales de literatura[52], tal vez recordando que él fue directamente a los textos completos y entró en contacto con ellos sin ningún intermediario: "Sentí en seguida gran fervor por la literatura. Leía, leía, leía. Mi madre me puso el *Quijote* en la mano"[53].

---

50 *El argumento de la obra: Final, Revista Ilustrada de Información Poética,* nº 17, M., Ministerio de Cultura, 1985, pág. 42.

51 J. G. *Final,* ed. cit., pág. 1222.

52 Este cuestionamiento lo realizó también en prosa: "El tópico prospera, pulula, cambia, se deforma, y la Crítica Fácil cunde en una atmósfera sucia de lugares comunes que ya no son de nadie. Y nadie es responsable de tantos errores, de tantas verdades a medias. // Esa confusión no sólo flota sobre la Crítica Fácil de los periódicos, que no dejan de poseer literatos excelentes. Invade asimismo aulas de profesores, manuales de literatura, sumergidos en esa fea fraseología. <<Un manual de literatura, más bien pedal>>, decía Unamuno con su característico juego de similitudes. [...] ¿Qué sabemos de tantas *Very Important Persons* bajo esos oleajes de vulgaridad?". J. Guillén, "Sobre amistad y poesía", en Roma, Academia Nazionale dei Lincei, *Adunanze straordinarie per il conferimento dei premi A. Feltrinelli,* Vol. II, Fasc. 3, 1978, pág. 72.

53 Palabras de J. Guillén tomadas de A. Piedra, "J. Guillén más allá del soliloquio". *Revista Ilustrada de Información Poética,* cit., pág. 9.

Pero el poeta, que heredó de su madre su vocación más íntima, sabe que la inmensa mayoría de sus contemporáneos no han tenido guía ni texto original en las manos durante los primeros años de su existencia, y, mucho menos, la posibilidad de iniciar el estudio de la Retórica en los años decisivos de la juventud. Sabe, sí, que ha existido una nueva etapa de *panem et circenses* de fácil asunción que ha congregado muchedumbres de espectadores en los campos de fútbol y contados lectores de poesía:

> *He ahí, he ahí, la mayoría,*
> *La inmensa mayoría innumerable,*
> *Consistente, compacta,*
> *Unidad de atención en esos ojos*
> *Que siguen ese juego*
> *Con lúcido interés apasionado.*
> *Ellos miran, entienden, saben, juzgan*
> *Los giros y las suertes,*
> *Entre los pies sublimes*
> *De unos seres triunfantes.*
> *¿Se desea que un público de estadio*
> *Se apasione también*
> *Por el rigor de un pensamiento en ritmo,*
> *Y al único nivel*
> *Ya de la poesía?*
> *Ideal irreal.*[54]

Esta es crítica, por supuesto, sobre críticos y desarrollo político-social más que crítica literaria, aunque los críticos de poesía, en especial aquellos que han interpretado la obra de Guillén sin haber puesto demasiada atención en la lectura, reciben sus más hirientes invectivas:

> *Abstracción: las escuelas, los influjos.*
> *¿Contactos con el texto serán lujos?*
> *¿Esto es posteridad o burocracia?*
> *Se evapora la esencia con su gracia.*

---

54 J. Guillén, *Final*, ed. cit., pág. 1228.

> *Y tanto teoriza aquel talento*
> *Que su tesis le envuelve y se le enrosca,*
> *Y ya no ve la realidad concreta,*
> *Y al colibrí desposa con la mosca.*
> *Teoría origina teoría.*
> *¿Me alumbró el sol para que me sonría?*[55]

La crítica literaria propiamente dicha la efectúa Guillén cuando se manifiesta acerca de tendencias o corrientes literarias:

> *Composición retórica del siempre antiguo clásico*
> *Declamación retórica del ya antiguo romántico.*
> *—¿Qué eliges?*
> *—Yo me quedo con todo para varia lectura.*
> *—¿Y qué te importa más? —La musa, la aventura.*[56]

En este caso el poeta, con la voluntaria omisión de la poesía del momento en que escribía esos versos, corrobora su aversión a ciertas formas de creación poética ya manifiesta en ocasiones anteriores. Por ejemplo, su crítica a los escritores del absurdo en *Y otros poemas*[57], o la que hace de quienes convierten el poema en monólogo intimista:

> *¿Monólogo interior? Sin fin el chorro*
> *De una charla con chispa de borracho*
> *Que no ha bebido, lúcido,*
> *Y componiendo páginas compactas*
> *Acumula un tropel de intensa broza.*[58]

Sin embargo, hay veces en que Guillén toma citas de diversos autores, sea para encabezar un poema, sea para componer un "Al margen

---

55 *Id.*, pág. 1227.
56 *Id.*, pág. 1207.
57 "Escritores del Absurdo / en obra que no lo es: /Corto pensamiento burdo / Da sentido al gran Ciempiés" *Y otros poemas*, ed. cit., pág. 777.
58 *Id.*, pág. 805.

de". En estos momentos va incorporando al texto original su visión personal, su comentario:

> LOPE, "El Isidro", Canto V

> Isidro, labrador, humilde hasta ser santo,
> Se ajusta a realidad, la propia, también nuestra.
> Se levanta. La tiniebla le ofusca / Va tentando...
> Llega al frío hogar... Entre la ceniza busca...
> En fin, un tizón halló, / Y algunas pajas juntó...
> Y el rostro de viento hinchado / Soplando resplandeció
> El instante en la estrofa resplandece, real.
> Prácticos pormenores a visión se incorporan.
> Cúbrese de un capote viejo, / Sin cuidado y sin espejo.
> Y desfilan cestillo, la alforja, puerro y pan.
> Todo se transfigura porque ven ciertos ojos.
> Es el amanecer. Y relincha la yegua,
> Rozna el rudo jumentillo. Canta el gallo.
> Y ladra el perro. Más. Lechón gruñe. Buey muge.
> Bate las alas el ganso. Natura se asocia
> Con sus vidas a Isidro, quien al jumento aplaca
> La sed. Y le cincha. ¿La yegua? Solo relincha.
> Con la yegua cargada se va al campo y la guía.
> ¿Prosaísmos? Dislate. ¿Los seres ahí? Neutros.
> Poético valor no está en las cosas mismas.
> Bellas, feas esperan esa extrema mudanza
> De la visión. Y Lope, genio, crea, recrea
> Con una extraordinaria variedad prodigiosa.
> ¡Madrugador Isidro! Ya santo en poesía.[59]

La labor crítica de Guillén consiste, pues, en aclarar los elementos oscuros de un verso, en recordar el valor originario de ciertas expresiones, en demostrar el punto de vista del autor, en completar lo que el poeta (en este caso Lope) omitió voluntariamente, en hacer observar los

---

59 *Final*, ed. cit., pág. 1215.

recursos utilizados, y todo con sencillez, sin pretensiones de descubrimientos importantes y sin salirse del texto.

Pero no olvida Guillén tampoco la crítica literaria de obras en prosa para extraer el estilo de un determinado autor: "su lenguaje es poder", "frase muy flexible", "lirismo", "ironía", "sarcasmo", "renovación de la palabra" son características esenciales que descubre en "Gabriel Miró"[60], donde la poesía forma parte de la prosa.

Y aún se atreve Guillén a volver sobre sus propios poemas para interrogarse si ha habido una evolución a lo largo de su obra:

> *Con intensa atención escribí un texto,*
> *Y lo borró el olvido.*
> *... Me releí con inquietud de incógnita.*
> *¿Yo seré quien he sido?*[61]

Esta inquietud ante la propia obra poética es signo de temor: Guillén teme que con el paso de los años sus versos hayan perdido categoría. Esto es un eco de otro texto del cuarto volumen de *Aire Nuestro*:

> *Es poeta ya viejo que se arriesga*
> *Con su pluma jamás, jamás segura;*
> *No recorre la misma vía, sesga*
> *Por el papel de incógnita blancura.*[62]

La inseguridad, la duda, el temor de que la obra reciente no alcance las cotas de la anterior, es, sin embargo, signo de lucidez del poeta, quien sabe, tal vez mejor que el crítico, cuáles son sus cortapisas y sus metas, no solo porque estudia su propia obra con ojos de crítico, sino porque conoce otros precedentes literarios en la misma encrucijada de los años:

> *Vejez de Calderón, vejez de Goethe,*
> *Apasionada ancianidad fecunda*

---

60 *Id.*, pág. 1412.
61 *Id.*, pág. 1225.
62 *Y otros poemas*, ed. cit. pág. 825.

> *Por la vía suprema del esfuerzo*
> *Diario, competente,*
> *Aunque insegura en busca de otra cosa,*
> *No lejos ya del último horizonte.*[63]

A esa altura, con la autoridad de una vejez sabia, podía permitirse el consejo a los poetas jóvenes, a quienes acogía en su casa y en su amistad para avisarles de un peligro, el perfeccionismo que él mismo, evidentemente, había superado, pues a partir de *Cántico* había corregido menos y había publicado más.

> *¡Ojo! No te extravíes en orgías*
> *De minucias. Te acecha el demoníaco*
> *No acabar, perfección... hacia la Nada.*[64]

Y, por último, se permitía volver sobre sus propios poemas para dejar bien clara cuál era su posición y cuál la correcta interpretación de un poema, como ocurre cuando vuelve sobre el soneto "Cierro los ojos" de *Cántico* a fin de expresar que en aquel poema, ya lejano, no se trataba de una visión metafísica, sino de un fenómeno que nos traspasa la barrera de lo físico:

> *Cierro los ojos y el negror me advierte...*
> *«Cántico», «Cierro los ojos»*

> *Veo cielo estrellado con los ojos cerrados,*
> *Una constelación de escarlata radiante.*
> *¿Metafísica? Física. Y me pone delante*
> *Sólo unas chiribitas. Ni misterios ni dados.*[65]

La explicación de la obra, que en otras ocasiones elude el poeta para que el lector pueda desarrollar su propia tesis, aparece cuando un texto

---

63 *Final*, ed. cit., pág. 1172.
64 *Id.*, pág. 1222.
65 *Id.*, pág. 1224.

ha sido mal interpretado. Si el oficio del poeta consiste en "hallar y combinar palabras", el del crítico debe ser descifrar aquello que pueda resultar oscuro o equívoco. Guillén se encontró a veces en una encrucijada de dos caminos: actuar como poeta o actuar como crítico. Si bien las dos manifestaciones pueden ser excluyentes, él supo aunar ambas facetas cuando su crítica de la obra ajena era poética, o cuando hacía crítica de su propia poesía. En Guillén a veces es difícil apreciar dónde termina la función poética para empezar la crítica, o dónde termina ésta para iniciar la creación propiamente dicha: ambas suelen estar estrechamente unidas a lo largo de la obra.

5. Conclusión

Si *Lenguaje y poesía*, conjunto de ensayos sobre diversos escritores a los que el poeta admiraba es también un compendio del que extraer la teoría poética de Guillén, reflejada en su admiración sobre determinados aspectos de las obras y autores glosados, es imprescindible la aproximación a la poesía de Guillén para poder comprender en su totalidad los presupuestos teóricos en que se basa o que fue desarrollando a lo largo de *Aire Nuestro*.

Las facetas que Guillén tuvo ocasión de practicar y desempeñar, alrededor de la literatura —profesor, poeta y crítico— hicieron de él un poeta *sui generis* en el que lo didáctico, lo creativo y lo interpretativo se dieron la mano. A través de las sucesivas etapas de su vida y de su producción literaria, alguna de las tres facetas se ha adelantado a las otras dos, y, en esta última, la labor interpretativa y la didáctica parecen haber relegado a un segundo término a la creativa.

Se dan, en efecto, en *Final*, con más frecuencia, los poemas breves, epigramáticos, los poemas en que se estudia el fenómeno literario y el fenómeno social. Menos abundantes que en otras ocasiones, son los poemas largos, líricos, donde el poeta puede tener más posibilidades de expresión simbólica.

La abundancia de poemas sobre la cuestión literaria hace que *Final* se convierta en una de las claves para llegar a captar, junto con *Y otros poemas*, obra tan poco estudiada, los entresijos de su producción en verso. No en vano son propiamente sus obras de senectud y el poeta se siente sabio y en disposición abierta hacia los demás.

Por otra parte, abandonada la labor académica cotidiana, las conferencias y los cursos en universidades de cualquier parte del mundo, necesitan que el profesor y el crítico den un cauce distinto a su visión de la obra literaria. Si además, "ya se acaba la edad" y queda mucho por decir, no existe mejor oportunidad que la de fundir en una las tres facetas, poetizando sobre la poesía, sobre la literatura en general.

Para no pecar, sin embargo, de maximalismos, habrá que admitir que Guillén fue sembrando diarios y revistas con su teoría poética. Por eso hay que acudir a ellos, como se ha hecho aquí, y como deberán hacer quienes intenten reflejar la visión global que sobre la función poética presidió su obra.

La teoría poética de *Final* es, decididamente, el final de su teoría literaria, lugar donde se acumulan definiciones, complementos y también variaciones con respecto a manifestaciones de las series anteriores. Unido todo ello al continuo bien hacer de Guillén como "entrevistado" para diversos medios de comunicación puede llevarnos a una completa visión de su postura teórica, de sus presupuestos poéticos y de su actitud como profesor y como crítico. *Final* es el broche que cierra toda su postura poética, y se complemente, sin duda, con *El argumento de la obra*, *Final*, simétrico al *Argumento de la obra*, de *Cántico*, manifiesto mucho más antiguo y, por ende, más conocido que el que sirve de colofón y comentario al quinto volumen de *Aire Nuestro*.

Memoria de la muerte
en la poesía de Emilio Prados

Memoria de la muerte
en la poesía de Emilio Prados

Manuel Gahete Jurado

Nullum animal ad vitam prodit sine metu mortis
L. Annaei Senecae. Epistulae, Morales, 121.

*Lo lamentable —y por eso me he decidido, por fin, a escribir estas notas— es
que, de tanto hablar de mi muerte, su inmediatez se me ha convertido en un
tema. Habrá incluso quien piense que es una pose, todo lo vital o poética
que se quiera pero pose al fin. Desde esa versión de mí que, estoy seguro,
corre por ahí, mi poesía no sería sino "literatura". Te matas, haciendo versos
durante cuarenta o cincuenta años y los listos, los prácticos, los racionales,
los realistas dicen que todo lo que has hecho no es sino "literatura".[1]*

Estas palabras de queja que Carlos Blanco Aguinaga pone en boca
de Emilio Prados nos abocan directamente al asunto que pretendemos
desentrañar. El tema de la muerte es uno de los grandes referentes del
ser humano, en todas las culturas y épocas. Su extensión significativa
traspasa ideologías, barreras sociales, condicionamientos históricos,
atavismos, leyes, tradiciones y convenciones. Es la gran verdad a la que
nos remite Emilio Prados en muchos de sus versos: el destino común y
fatal que presagiaba Pitágoras; la eternidad suma, como Ramón y Cajal
advertía, frente a todo lo terreno pasajero y efímero. Quizás Ricardo

---

1 Carlos Blanco Aguinaga, *La voz continua*, Madrid, Alfaguara, 1997, p. 15.

Molina, intuitivo —y por ello quizás versátil en sus apreciaciones críticas— fuera uno de esos listos, prácticos, racionales o realistas de los que hablaba Prados, aunque sería osado asegurar su alusión tácita a él cuando nos lega este curioso testimonio escrito que da fe expresa del interés que el tema de la muerte suscita entre los poetas de todas las generaciones, referentes por antonomasia y a ultranza del carácter y el pensamiento humanos.

> *Asombrosa coincidencia en el tema de la muerte. Su persistencia ya mortificante. Son muy pocos los que afrontan directamente el problema y menos aún los que saben expresar originalmente su vivencia. La muerte es la pendiente fácil en un mundo como el nuestro impregnado, aun sin saberlo, de existencialismo. O, tal vez, una aspiración (con demasiada frecuencia detenida en el tópico vago y vulgar) hacia una pretendida profundidad filosófica. (…) La poesía no es más profunda por rozar los temas profundos. (…) Y además hay un peligro en tocar los temas trascendentales de la vida como en tocar un poste de alta tensión.*[2]

Si pudiéramos discernir, a la luz del hecho histórico o conciencia intelectual que animó estas palabras, su verdad; o, al menos, la intención del autor, a través del análisis, más reflexivo que crítico, nos encontraríamos probablemente ante una doble cuestión en principio más proclive a la interpretación psicológica que a la puramente textual. Esta cuestión gemela en sus planteamientos adopta asimismo un doble plano de aplicación según se refiera al propio poeta como espectador de la realidad o como interlocutor válido de sus más íntimas sensaciones.

Si hemos de situar nuestra reflexión en el primer nivel de análisis propuesto habrá que recurrir, en defensa de los contemporáneos a los que Molina impreca, a las estructuras peculiares de carácter psíquico previas a la conciencia que, transmitidas de generación en generación, nos condicionan como herederos e hijos de un "inconsciente colectivo" —según señalaba Jung— del que no podemos, *mutatis mutandis*, des-

---

2 Ricardo Molina, "Obsesión de la muerte en la poesía actual", en *Cántico. Hojas de Poesía*. Núm. 2, Córdoba, 1947, p. 11.

nudarnos[3]. Molina sabría muy bien que estos temas arquetípicos "dominan la creación literaria de modo subrepticio... el escritor se limita a dar forma a impulsos que lo sobrepasan, porque bucean en lo oscuro de su condicionamiento biológico y en un largo proceso de sedimentación de experiencias colectivas"[4]. Hemos de pensar entonces que Ricardo Molina atacaba la forma y manera de enfrentarse a la muerte más que a la persistencia *per se* del tema.

Un poeta como él (y aquí podríamos apuntar el segundo nivel de análisis) se sentiría vejado por el maltrato del tema, ya por la falsedad pretextual que motivaba su creación, ya por la pobre textualidad donde naufragaba como cruel despojo de la marea su propia obsesión vivida. Será necesario revisar exhaustivamente la poesía elegíaca de la época para ajustar esta afinación en materia poética, que es, por concluyente, discutible. Lo que no me deja lugar a dudas es que Ricardo Molina seguía poniendo el dedo en la llaga cuando apuntaba el inefable riesgo de sentir el frío filo de tan serena, lenta y cierta enemiga.

El tema de la muerte, tantas veces llevado a la cúspide de la inteligencia y razón humanas, sigue siendo inefable *motus movendi*, impulsor dilógico de las más enconadas argumentaciones. Quizás sea, por su altura elegíaca compartida con la carga ideológica de religión y pecado, el planto medieval a la muerte de Trotaconventos uno de los documentos capitales para analizar el dolor del ser humano ante su poder y vileza:

¡Ay Muerte!, ¡muerta seas, muerta e malandante!
(...)
Enemiga del mundo, que non tienes semejante:
de tu memoria amarga non sé quien no se espante.
(...)
non hay en ty mesura, amor nin piedad
synon dolor, tristeza, pena e crueldad

3 Carl G. Jung, "Psicología y poesía", en *Filosofía de la ciencia literaria*. México. Fondo de Cultura Económica, 1946, p. 345.
4 Carlos Reis. "Niveles de análisis", en *Fundamentos y técnicas de análisis literario*. Madrid, Biblioteca Románica Hispánica, Edit. Gredos, 1985, pp. 74-75.

(...)

¡de fablar en ti, Muerte, espanto me atraviesa![5]

Nada tienen que ver los amargos denuestos que profiere con la aceptación estoica o el misticismo balsámico y regenerador de esta vida, cárcel del alma, cuyo ambiguo significado ha tenido las interpretaciones más lúcidas. Nada tampoco con la niveladora segur que trunca, en azarosa y fértil danza, a poderosos y miserables, mendigos y reyes, virtudes y vicios. Entre la antítesis extrema de la conjunción vida y muerte se han planteado las tesis más irreconciliables y las más solidarias. Enemiga del mundo, la llamará Juan Ruiz; y, en casi idénticos y diáfanos términos, Dante, escrutador de tan arcana materia, devanará su letal imprecación *in aeternum:* "Mórte villana, di pietá nemica/ di dolor madre antica..."[6]

Desde el medievo hasta nuestros días la fertilidad del tema ha llenado páginas de todo carácter. Ni sería posible, en trabajo tan breve, esbozar las líneas maestras que vertebran los códigos elementales de la intertextualidad, ni es mi intención abordarlas sin determinar una mínima sistematización selectiva y restrictiva de sus múltiples posibilidades[7].

El criterio básico sobre el que se formula la exposición adopta dos postulados que se infieren recíprocamente, orientados por una parte a acotar el terreno de análisis sobre un espacio concreto y una obra determinada; y, por otra, a evidenciar desde el punto de vista sincrónico las relaciones comparatistas en las que el texto ha de ser considerado como un palimpsesto capaz de la absorción y transformación más o menos radical de múltiples textos continuados o rechazados diacrónicamente[8].

---

5 Juan Ruiz, Arcipreste de Hita. *Libro de Buen Amor.* Manuscritos Gayoso, Toledo y Salamanca. Madrid, Club Internacional del Libro, 1983, pp. 170-175.

6 "Muerte villana, enemiga de la piedad y madre antigua del dolor".

7 Muchos libros se han ocupado de este tema. Cito el artículo de mi autoría sobre el que me baso para articular la introducción del tema "Dibujo de la muerte en la poesía cordobesa", en *Boletín de la Real Academia de Córdoba,* julio-diciembre 1994, Año LXV, n.° 127, pp. 467-473; y fundamentalmente el libro de María del Rosario Fernández Alonso, *Una visión de la muerte en la lírica española.* Madrid, Biblioteca Románica Hispánica, Edit. Gredos, 1971.

8 Sobre el concepto de intertextualidad, *cf.* Julia Kristeva, *Eemeiotijé. Recherches pour une sémanalyse.* París, Seuil, 1969, pp. 113-116 y 255-257.

Así planteado, no nos queda sino discernir cuál ha de ser el ámbito de acción de nuestro análisis, subordinando a este los referentes intertextuales que pueden precisar y valorar debidamente temática y texto. Trataré, en el abigarrado contexto de la obra pradiana, el tema de la muerte como memoria de la vida, lo que de alguna manera me obliga a asumir el pensamiento de Papini de que "al nacer se comienza a morir" porque, a fin de cuentas, no es la vida sino otra forma de la muerte. Se inscribe el tema en las coordenadas expuestas por Pedro Rosa, cuyo manifiesto teórico asumo: "La poesía escrita por poetas andaluces se inserta en una vastísima, rica y prolongada tradición cuyo fundamento no es otro que la lengua castellana"[9]. Este vasto dominio me permitirá dibujar una línea fantástica entre el pasado y el presente, vislumbrando en su superficie la complejidad de un texto literario, cuyo autor Emilio Prados Such titula *Cita sin limites*; y, desde los virtuales presupuestos de un libro anterior *Mínima muerte*, nos avecina a las orillas de las aguas caudales de Lucio Anneo Séneca.

En los labios del filósofo se adivina palmariamente el sentido último del postrero libro del malagueño ilustre. Las palabras del cordobés pueden servirnos como cita introductoria y como exégesis significativa: "No caemos de repente en poder de la muerte, sino que vamos a ella poco a poco. Morimos cada día"[10]. En la conjunción de vida y muerte se concentra todo el misterio, testimonios recíprocos, reflejos en tándem como caras de una misma moneda. "Poesía y muerte", señalará Vicente Núñez, que es como decir "vida" y "muerte".

Es sutil la línea que separa este camino, un surco demasiado tenue, en palabras de Séneca, para el hombre arrojado al mar como náufrago de sí mismo, de su propia impotencia[11], asido a una delicada tabla de salvación a la que Núñez llama amor o tal vez belleza; pero la belleza es

---

9 Pedro Roso, *Quince años de (joven) poesía en Córdoba* (1968-1982). Córdoba, Excma. Diputación Provincial, 1984, p. 7.

10 *Vid.* Mª A. Fátima Martín Sánchez, *El ideal del sabio en Séneca*, Córdoba, Publicaciones de la Excma. Diputación Provincial y el Monte de Piedad y Caja de Ahorros, 1984, pp. 151-152.

11 Lucio Anneo Séneca, *Medea* (vv. 302-309), en *Obras completas*. Traducción de Lorenzo Riber. Madrid, 1966, p. 1002. *Vid.* Manuel Gahete, "Dibujo de la muerte en la poesía cordobesa", en *B.R.A.C.*

efímera y el tiempo arpa sobre la carne dejando signos irreversibles que acallan lo que fuimos y petrifican la roja savia de la vida, permaneciendo sólo en la memoria lo que hemos sido o comprendido, si es que hemos llegado a ser o comprender algo.

Juan Alfonso de Baena, en el *Prologus Baenensis* del famoso *Cancionero* del que fue compilador, nos explicita esta necesidad humana de pervivir tras la breve aventura de la vida: "Penaron e trabajaron mucho los omnes sabios e entendidos de ordenar e poner en escripto todos los grandes fechas passados por dexar en memoria tanta remembrança d' ellos como si estonçe en su tiempo d' ellos acaesçiessen e pasasen".[12]

Como en Juan Alfonso de Baena, es innegable la preocupación de Prados por el futuro de su obra, cercana y presentida la hora de su muerte. Nos la muestra sin tapujos en las cartas enviadas a su comentarista y exegeta José Sanchis-Banús[13], a quien el poeta ilusionado dedica sus más enardecidas declaraciones. Y paralelamente, en su último libro, *Cita sin límites*[14], en el que estuvo trabajando hasta el instante decisivo de su muerte, cuando ya parecía haber superado un reciente acceso de su vieja enfermedad de bronquios, compañera cruel desde los días de la infancia y razón singular de su carácter introvertido:

> *Desaparezco de hoy...*
> *Mundos perdidos voy cruzando.*
> *Recojo trozos de los que les di...*
> *Los unos ante mis ojos...*
> *Vuelvo a mirar.*
> *El signo: ¿es el nombre nuevo?*
> *No lo sé. No lo sabré.*
> *No emerjo.*

---

12 Juan Alfonso de Baena. "Prologus Baenensis", en *Cancionero de Juan Alfonso de Baena*, Madrid, Visor (Edición de Brian Button y Joaquín González Cuenca), 1993, p. 3.

13 *Correspondencia (1957-1962) José Sanchis-Banús/ Emilio Prados*, Valencia, Pretextos, 1995.

14 El libro se publicó en Málaga, tres años después de la muerte del poeta, en 1965, por su hermano Miguel, con el título de *Últimos poemas*. Librería anticuaria "El Guadalhorce", Málaga, 1965, 118 págs. Prólogo de Carlos Blanco Aguinaga.

Ya por siempre, sin mí,

permanezco en el fondo

de su energía extraña.[15]

Difícilmente podría explicarse esta sensación de desaliento que embarga al poeta si no fuera reflejo exacto de una duda interior mucho más dolorosa. El profundo sentir cristiano que se transparenta en *Mínima muerte* se vierte en el agnosticismo trascendente de *Cita sin límites,* donde el después es Dios, la energía extraña en la que permanecemos sin conocer cómo. Sanchis-Banús sentencia que, en este libro, "la presencia de Dios y de la muerte se hace casi física, palpable, insufrible para el lector"[16]. Comparto esta idea sin denuedo, porque responde probablemente al estado de ánimo del poeta enfrentado a su obra. La creatividad sorprende al autor con mecanismos intangibles que proveen su imaginación de nuevas intuiciones y formas, tan deslumbradoras a veces que alcanzan límites casi insoportables para la razón.

George Steiner afirma que "más allá de la fuerza de cualquier otro acto testimonial, la literatura y las artes hablan de la obstinación de lo impenetrable, de lo absolutamente ajeno a nosotros con lo que tropezamos en el laberinto de la intimidad"[17].

Este deseo subliminal de trascenderse a través de su obra constituye, en el malagueño, una noticia no desconocida para el ser humano. Si bien es cierto que al creador le preocupa el destino de su obra, no ha de ser menos intensa la necesidad de sobrevivir como ser en la ambigua causalidad de sus signos. Quizás sea en ellos donde se sustente el vitalismo que convulsiona la poesía de Emilio Prados. Signos propicios e infaustos, oscuros o luminosos, contrastados o unívocos. Signos, en definitiva, de los que puede inferirse la preexistencia, atestiguan la existencia y permiten escapar al nihilismo de la muerte.

---

15 Emilio Prados, *Poesías Completas* (Edición y prólogo de Carlos Blanco Aguinaga y Antonio Carreira). México, Aguilar, Biblioteca de autores modernos, 1976, Tomo II, p. 1008.

16 Estudio previo, selección y notas del libro Emilio Prados, *Antología Poética.* Madrid, "El Libro de Bolsillo" de Alianza Editorial, 1978, p. 18.

17 George Steiner, *Presencias reales.* Barcelona, Ensayos/Destino, 1991, p. 172.

No es fácil la comunicación entre el esplendor y la negrura. Por fáctica que sea la verdad de la muerte, nunca es una facticidad que la razón acepte con serenidad, aunque hayan sido y sean muchos los audaces que han arrostrado y arrostran este desafío sin estremecerse. La Fontaine aseguraba que la muerte no sorprende nunca al sabio porque este siempre está dispuesto para partir[18]. Signos y presencias se concitan para dilucidar lo inexplicable. Apasionante y arduo es el proceso de desemantización que nos obliga a racionalizar las intuiciones del espíritu. Aunque no podamos hablar de absolutos en el pensamiento, sometido o no a la lógica, debemos establecer *a priori* el contexto efectivo de la argumentación para evitar cualquier involución maniqueísta que nos arrastre a la sistematización deshumanizada o a la draconiana subjetivación. En la literatura, como en la vida, las concreciones de la realidad permiten el empapamiento, la interpenetración, las tangenciales influencias. No debemos olvidar la recurrente máxima de que los extremos se tocan, advirtiendo que cuanto más alejadas nos parezcan dos manifestaciones, más proclives a identificarse se encontrarán. Vida y muerte se hallan distantes y próximas en el plano del eterno retorno, principio y fin, nacimiento y consunción, origen y destino.

Y al igual que la vida es, para unos, valle de lágrimas y espejo del paraíso, para otros; así como el dolor puede mortificar o redimir, y la pasión enaltecernos o condenarnos; la muerte, en idéntico contraste, oscila entre ser una oscura pesadilla tenebrosa o un anhelado sueño liberador y catártico. Ya por hostil, ya por deseada, no podemos más que percibir su tacto; la experiencia real de la muerte es, más que inefable, imposible para el hombre. Esta misma inefabilidad e imposibilidad de comprehender suscita las más diversas interpretaciones, y todas ellas confluyen en idéntica conclusión: Como enemiga o amante la muerte nos acecha o espera; y su monstruosidad o belleza constituye el último capítulo cognoscible de cada vida.

Al igual que, en el nacimiento, Dios se yergue para sustentar lo desconocido, la realidad o virtualidad incomprensible, el antes y el más allá de la línea donde la sombra ejerce su dominio. A través de los signos, interpretamos la naturaleza; y sólo en este orden natural somos capa-

---

18 *Cf.* Mª A. Fátima Martín Sánchez, *El ideal del sabio en Séneca, op. cit.*, pp. 150-151.

ces de sobreimpresionar los símbolos que coadyuvan a la hermenéutica del espíritu, a la exégesis de la razón espiritualizada, en la que Pierpauli basa el orden de los órdenes, estableciendo que *vivere politice secundum naturam* es *vivere religiose et politice secundum Dei Legem*[19]. Esta relación que unifica vida y Dios se constituye esencialmente propicia para considerar el binomio muerte y Dios, estableciendo así los tres ejes sobre los que se asienta la poesía, sea cual sea posteriormente los nombres que queramos atribuir a cada uno de ellos y las interpretaciones subjetivas que se deriven de nuestras vivencias, experiencias y pensamientos.

Sin embargo, no es una tarea fácil acordar estos conceptos conniventes. El vitalismo de Prados nace posiblemente de la angustiosa certeza de su debilidad, de su enfermedad congénita y crónica que lo llevó en muchas ocasiones al despeñadero de la muerte. Pero este registro no aparece en la obra de juventud de Prados. Podríamos decir que es una presencia fantasmal en sus primeros poemarios *Tiempo, Vuelta, Nadador sin cielo,* donde algunos de sus amigos advierte un sensualismo neopanteísta, de tintes metafísicos, un erotismo seudorreligioso sin Dios[20], al que Prados en alguna ocasión pone en entredicho: "Dicen que el hombre es la obra más perfecta de Dios. Qué absurdo y qué vanidad la del que lo crea"[21].

Con *El misterio del agua* esta orientación sufre un giro copernicano. De ser la muerte registro inexistente2[22] cobra una fuerza arrolladora, axial y sistemática. Se constituye en presencia real que ya no cesa. Sanchis-Banús afirma que hubo voluntad deliberada de Prados para no publi-

---

19 José Ricardo Pierpauli, "El orden de los órdenes", en *Verbo,* Madrid, Speiro, S.A. Año 1998 - Serie XXXVII, núm. 365-366, p. 418.
20 *Cf.* Prólogo a *Poesías Completas, op. cit.,* p. XXXII.
21 Emilio Prados, *Diario íntimo,* Málaga, Málaga, Centro Cultural Generación del 27 (C.E.D.M.A.), 1998, Día 17, pp. 8-9.
22 En el poema "Negación" de *Tiempo -Poesías Completas, op. cit...,* p. 19- se leen estos versos: "parece que la muerte/ pasea entre los dos abanicándose". Y ya no hay más referencias del registro hasta el libro *El misterio del agua.*

car este libro porque "suscitaba en él una especie de terror sagrado"[23].
No podemos pensar, y esto nos los advierte claramente su amigo José
Luis Cano en el prólogo a *Cartas desde el exilio,* que su conversión responda a los presupuestos originales del catolicismo de su infancia sino
ciertamente a otras consideraciones de calado diferente, referidas a
su búsqueda constante de la verdad del espíritu, el deseo solidario de
fraternidad y una necesidad acuciante de defenderse contra la soledad
que, para el crítico almeriense, constituía el tema fontal de toda la poesía
del destierro[24].

En este sentido, es curioso detectar ciertas analogías. Georges Steiner
señala, refiriéndose al texto de la tercera *Meditación* de Descartes, cómo
el hombre "recurre a la imprescindible probabilidad de Dios con el fin
de escapar a la finalidad de la soledad"[25].

La soledad será el tema central del libro *Mínima muerte,* al que María
Zambrano confiere una poderosa atracción, y del que extraerá conclu-
siones ciertamente próximas a la verdad que de Emilio Prados me transmite su profusa dialéctica:

> Libro clave, más que de su sentir la muerte y de meditar sobre ella según
>
> suele acontecer, lo es de la muerte misma en él: de la muerte que vive como
>
> ella querría, sin duda, en un ser viviente sin tener que arrancarle la vida:
>
> hermanada con la vida, en una honda fraternidad que sostiene la fraterni-
>
> dad que en toda su amplitud la ha ido ganando como signo de su ser. (...) Y
>
> este suceso, imposible en principio, de que la muerte viva no en lucha sino

---

23 Nota a la edición de *El misterio del agua* de José Sanchis-Banús. En ella se afirma
que Prados, "cuatro días antes de su muerte (cuando ya se estaba muriendo, y
lo sabía)" escribió al crítico en este tono: "Así es, hermanito, que mira como "El
misterio del agua" me va llevando hacia él", Valencia Pre-textos/Poesía, 1987, p. 7.
En la *Antología* que realiza sobre la obra de Prados en 1978, ya se había referido a
este hecho, *op. cit.,* p. 17.
24 José Luis Cano, en el prólogo a *Cartas desde el exilio,* Valencia, Pre-textos, 1997,
pp. 14-15, considera que este acercamiento a Dios se produce simultáneamente a
un alejamiento de sus ideales revolucionarios y políticos.
25 Georges Steiner, *op. cit.,* p. 170.

en hermandad con la vida, esta hermandad de vida-muerte es el punto que fue engendrando el equilibrio entre el ser y la vida.[26]

Será en definitiva que el poeta, cuando escribe su libro, piensa en Juan Ramón Jiménez, buscando el eterno ideal en que mujer-amor y poesía-vida se identifican hasta igualarse con la muerte, sus tres presencias desnudas[27]. Prados dirá:

> *La Poesía, nuestra Poesía, que es la vida misma: su luz, ella es la que nos salva hoy, ayer, en el futuro, dentro de su tiempo hermoso en el que nos hace sentir que nada muere, que nadie muere, que todo nuestro dolor al perder lo que amamos es injusto: imperfección de nuestra alma (...) Pues el alma de la poesía es eso: El Tiempo Eterno, el Cielo, la Luz, el Aire que respiramos, que sentimos diaria sobre nuestra piel, en nuestros ojos, en nuestros sueños de cada noche. Por eso escribí mi libro Mínima muerte. Léelo ahora, que te hará bien.*[28]

Y animados por su consejo, penetramos en un bosque frondoso y desconocido, franqueando la espesura. Nos acompaña la luz de su palabra y la espada de su verso. Atravesando las penumbras, nos adentramos en la sombra:

> *Persistió con su luz; entró a la sombra*
> *—flor de la luz la rosa fugitiva—*
> *y tuvo espejo en ella su hermosura.*
>
> *Venció a la sombra; se apoyó en el tiempo,*
> *insistió más y al verse en el olvido*
> *huyó del tiempo y otra vez fue rosa.*
>
> *¡Rosa es también la flor que en mí contemplo!*[29]

---

26 "Pensamiento y poesía en Emilio Prados", introducción al libro *Circuncisión del sueño* de Emilio Prados, Valencia, Pre-textos, 1981, pp. 6-7.

27 *Cf.* Arturo del Villar,"Eternas cenizas de la palabra poética", prólogo a *Ceniza de rosas. Nuevos poemas de "La frente pensativa" (Edición Homenaje)*, Rute (Córdoba) Colección "Ánfora Nova", 1992, p. 13.

28 Fragmento de carta a Carmen Saval Prados (Septiembre1946), en *Revista Litoral. Revista de la Poesía y el Pensamiento* 1968-1988. Málaga, MCMLXXXVIII, pp. 287-288.

29 "Penumbras, I", en *Poesías Completas, op. cit.*, p. 788.

Prados dedica *Mínima muerte* a Aleixandre, a quien echa de menos[30], amigo como era de sus amigos y espíritu sensible, por su naturaleza enfermiza y su carácter introspectivo. En la dedicatoria se percibe claramente el dolor y la decepción sublimada: "A Vicente Aleixandre salvado para mi amistad, con la poesía, en su presente ausencia". No es menor la frustración que siente por no haber hallado en Lorca el amigo que soñaba: "Tú bien sabes el desengaño que he tenido con Federico. Le abrí mi alma. A él ha sido a la única persona que se la he mostrado tal cual es. Llegué a considerarlo como hermano y luego nuestra amistad ha terminado de una manera trágica, tan trágica".[31]

Este sentimiento de fracaso sería para él una constante llaga dolorosa, un oscuro resquicio del *taedium vitae,* un vestigio fático del fastidio universal, del *mal du siècle* que Russell P. Sebold atestigua en el sentir vital de los románticos[32].

No es difícil asociar la concepción pradiana de la búsqueda de Dios con el deseo de huida desde la soledad que, ladrillo a ladrillo y noche a noche, se yergue como un edificio paralelo a su estructura humana, constituyéndose así en un tercer yo, imposible de desarraigar. Manuel Salinas ya establece las categorías de algunas de estas personalidades:

> *En las cartas, las memorias, los diarios, no existe un solo "yo" sino varios "yoes": es un juego de espejos que se explican los unos a los otros: existe un Emilio que fue compañero de Aleixandre, "alegre y bullicioso que parecía todo él una canción. Una canción fresquísima", y existe otro, en el mismo texto, tímido y huidizo. "Para entonces, para los de mi edad, cariñosamente fui 'el fantasma', 'el San Sebastián', 'el tormentoso y lleno de misterio' o 'el*

---

30 "A Vicente, si lo ves, le dices que estoy triste con él, porque ya no me quiere... Yo siempre estaré con él...", *Cartas desde el exilio, op. cit.,* p. 59.
31 *Ibid.*
32 Russell P. Sebold, "Amor sublime, precursor de la muerte: sobre la novela de Larra", en *Hispanic Review,* Vol. 66, n.º 4 (1998), p. 403.

oscuro'... Así también, en el diario hay varios Emilios[33] ése que se hunde en medio de la enfermedad o éste otro, lleno de esperanzas.[34]

Pero aún encontramos nuevos hombres y nombres en la poesía de Prados, que sigue siendo hasta su muerte un singular desconocido, como advierte Zambrano[35], funámbulo en la cuerda floja de la vida, en la línea difusa que separa el abismo de la cumbre, consciente en todo momento de su soledad, el paraje más próximo a la muerte en esta vía hacia la consunción por la que caminamos en continua batalla, "sin luz y a oscuras", pregona San Juan de la Cruz, anunciándonos probablemente que la luz se encuentra después del camino que nunca llegamos a percibir con claridad: "Mi otra personalidad lucha constantemente con ésta y terminará esta lucha con mi razón"[36].

El cordobés Lucano ilustra este aprendizaje de la "verdad más pura", dejándonos una indescifrable y agridulce sensación en la boca: "Sólo quienes están próximos a morir, les es permitido conocer que la muerte es una felicidad; lo dioses ocultan este conocimiento a los que tienen todavía que vivir para que puedan seguir el camino de la vida".

El poeta permite que contemplemos los misterios del alma bajo la fronda de los árboles y los intensos destellos del sol. Nos invita a participar de esta soledad humana, patrimonio bíblico de los seres: "Hija, hermana y amante del barro de mi origen"[37]. En el devenir, la soledad extiende su cuerpo junto al nuestro y nos recuerda que seguimos vivos, integrales núcleos de semilla fecunda: "Soledad, noche a noche te estoy edificando..."[38]. Finalmente nos prepara para asumir nuestro destino, sin tragedia, sin lacras, sin aristas letales:

---

33 "Hay en mí dos personalidades. Una dulce y buena, pero siempre triste; ésta me lleva por el camino recto y la verdad. La otra es falsedad e hipocresía, bajeza y maldad" (Emilio Prados, *Diario íntimo, op. cit.*, p. 28).
34 Manuel Salinas, "Hilar la memoria", en *Diario íntimo* de Emilio Prados, *op. cit.*, p. XV.
35 M. Zambrano, en *Circuncisión del sueño, op. cit.*, p. 14.
36 Emilio Prados, *Diario íntimo, op. cit.*, p. 30.
37 *Id.*, "Muerte Mínima" en *Poesías completas, op. cit.*, tomo 1, p. 795.
38 *Ibid.*

Tenga valor la carne que se desgrana herida,

pues su fuga prepara la próxima presencia,

igual que en el olvido prepara la memoria

la forma insospechada de la verdad más pura.[39]

La próxima presencia, tras la fuga de la carne, no es otra que la muerte; como es la muerte la verdad más pura, aunque nos cueste trabajo asumir esta comunicabilidad inexcusable. Tal vez pudiéramos eludir la escritura de lo que nos destruye o nos conmueve contra nuestra voluntad, pero tal premisa obligaría a replantearnos la concepción de la literatura y de la vida. Porque la libertad se pospone a la necesidad; la libertad es una emoción secundaria sometida incluso a la razón, aunque sea falta de razón.

Nuestra imperfección alimenta este desajuste entre lo que somos, lo que queremos ser, lo que otros permiten que seamos y cómo los demás nos ven que somos. En esta confrontación desmesurada, donde tenemos tantas apariencias y nombres, todo se nos convierte en herida casi corporal y el dolor físico en miedo o soledad negra.

Así en los momentos en que estoy abandonado. En los que busco mi casa, mi recuerdo, mi felicidad, me caigo, entro en la noche del alma y allí como en un pozo me siento hundir, diminuto como un niño (...) También sabía que en mí existía la fortaleza en el Espíritu, en la Poesía y sé que de ella estaba bien orgulloso porque ella me lo dejaba en la sangre eterna.[40]

De alguna manera somos todos en uno mismo: el que hemos sido y el que imaginamos ser, el que somos y el que seremos; y de todos hemos de temer y en todos hemos de aprender y confiar. Esta complejidad nos abruma porque si somos tantos en uno, tantas serán nuestras muertes en el devenir del tiempo que nos atrapa y nos supera. Y esta muerte continua, aliada y par a la vida, freza y desgasta convirtiéndonos en seres cada vez más diminutos, aislados en la "soledad infalible más pura que

---

39 *Ibid.*.
40 Carta a Carmen Saval, loc. cit., p. 288.

la muerte"[41] del uno esencial e inentrañable, materia física existente y sin límites que tras la vida accede a otra forma de vida, también insita en ella, siendo la muerte sólo "un tránsito entre las dos formas del tiempo, pero un tránsito hacia lo más perfecto. No debemos buscarla, pero cuando llega, si nuestra alma está en camino de perfección en cumplimiento de Belleza, no debemos entristecernos"[42].

Así lo deja escrito a Sanchis-Banús en su última carta del 18 de abril: "Aunque la vida me sigue pareciendo hermosa hasta en la muerte..., nada sentiría más que la tristeza que dejara a los que me quieren... 'El misterio del agua' me va llevando hacia él. ¡Pero no te quedes triste!"[43]

Las influencias son notables, aunque no sean sino sentimientos y pensamientos nacidos o prendidos en el corazón o la inteligencia de los hombres. No será muy difícil convencer de la verdad que muestra cómo, sin aprendizaje, el hombre se adecua a la naturaleza y de esta obtiene los mejores frutos. Todo avance permite establecer una plataforma propicia para nuevos avances; todo lo que puede gestarse en un hombre puede en otro, con las mismas capacidades, concebirse. Jorge Manrique, los místicos, el conceptismo barroco fluyen en la páginas de *Muerte mínima* de Prados con claridad y sabiduría, pero de igual manera son visibles los contagios luminosos de Apollinaire, Juan Ramón, Unamuno, Antonio Machado, Bergamín, Aleixandre o Lorca. Todo un paisaje de ciencia literaria ilustra un pensamiento arduo, pero no diluido, determinado por la asociación transitiva de vida, soledad y muerte. En torno a ella se acumulan un gran número de símbolos, signos referenciales del hombre: las aguas, el sueño, la sombra de la sombra, el *alter ego,* la rosa y su belleza efímera.

Prados secunda la teoría manriqueña del río de la vida vertiéndose en el mar universal de la muerte. Pocos como Jorge Manrique han mantenido, casi como obsesión, esta presencia constante en sus obras:

Puente de mi soledad:
con las aguas de mi muerte

41 Emilio Prados, *Poesías completas, op. cit.,* tomo 1, "Mínima muerte", p. 796.
42 Carta a Carmen Saval, loc. cit., p. 288.
43 *Correspondencia, op. cit.* p. 331.

tus ojos se calmarán (...)

Puente de mi soledad:

por los ojos de mi muerte

tus aguas van hacia el mar,

al mar del que no se vuelve.[44]

Calderón también penetra en este cosmos sensible en que el hombre es protagonista único. La simbiosis, más que confrontación, entre realidad y sueño, engaño y vida, de la que se quejaba Segismundo, queda palmaria en estos versos de Prados:

Por eso cuando me duermo

sueño que no estoy dormido

y si creo estar despierto

pienso que sueño en mi olvido.

De esta forma mi vivir

es engaño de que vivo.[45]

En el apartado segundo de *Mínima muerte*[46] se advierte uno de los símbolos más persistentes de la poesía de Prados, el de la rosa, testimonial, signo barroco que identifica al hombre con la flor, su belleza mudable y marcesible con la presencia en la vida de la muerte: "Esa rosa de que yo hablo en él, es sólo símbolo del Ser Humano (...) símbolo de la Belleza, que siempre llamaban fugaz, fugaz... y no por salvarla yo (¿qué soy yo?), sino porque la Poesía me hizo ver que ella es como decía Jesucristo, el Reino de Dios, que está en nosotros mismos".[47]

Prados no puede ser más explícito. Lo que define con mayor precisión el sentido de la muerte en Prados es su conexión con Dios, el acercamiento desde la soledad al Redentor del hombre, el carácter ascético de su poesía, referente inequívoco de lo que ha sido, y es, su preocupación existencial.

---

44 Emilio Prados, *Poesías completas, op. cit.,* "Tres canciones" p. 802.

45 *Ibid.,* p. 803.

46 Titulado "Trinidad de la rosa".

47 Carta a Carmen Saval, loc. cit., p. 288.

Esta ascesis de perfección, a la que Prados nos remite con temosa frecuencia, arranca de la soledad, alfa y omega de interrogantes y conexiones:

Me pierdo en mi soledad
y en ella misma me encuentro
que estoy tan preso en mí mismo
como en la fruta está el hueso.

Si miro dentro de mí,
lo que busco veo tan lejos,
que por temor a no hallarlo
más en mí mismo me encierro.

Así por dentro y por fuera
se equilibra mi destierro;
dentro de mí por temor,
fuera, por falta de miedo.

y entre mis dos soledades,
igual que un fantasma hueco,
vivo el límite de sangre
sombra y fiel de mis deseos.[48]

No es difícil identificar el relámpago entre las dos oscuridades de Aleixandre en *Historia del corazón*[49]; o las cenizas de Bergamín, el más llameante fantasma, en la *Apartada orilla* donde sombra y sueño se confunden[50]. El temor también está presente. Un temor impreciso que para Bergamín tiene concreción en la poesía, el arte supremo de temblar[51]; y para Prados trasciende todo tiempo y razón humanas porque sólo es posible fuera de uno mismo hallarse y ser en realidad. Sólo este desasimiento

---

48 Emilio Prados, *Poesías...*, op. cit., pp. 804-805.
49 Vicente Aleixandre, "Historia del corazón", en *Obras completas*. Prólogo de Carlos Bousoño, Madrid, Aguilar, 1968, p. 781.
50 *Cf.* José Bergamín, "Apartada orilla" en *Poesía III*, Madrid, Turner, 1983, p. 174.
51 *Cf.* Gonzalo Penalva, *Tras las huellas de un fantasma. Aproximación a la vida y obra de José Bergamín*. Madrid, Turner, 1985, p. 14.

permite alcanzar la libertad de Dios, la que nos arranca de nuestra cárcel mortal y nos recobra de la muerte. Porque "¿cómo es posible la muerte en Él?"[52]. Lo interno y lo externo se entremezclan en este concurso de vida y muerte. El verso de Ausonio *Collige, virgo, rosas* entra en confluencia con el tópico de *Carpe diem* desviando su significado hacia una novedosa concepción de la trascendencia, la que permite aunar en este mundo lo fugaz y lo perdurable: "No es más allá, es aquí en este mundo donde tenemos y están con nosotros los que creemos que ya no vemos"[53].

Con esta declaración parenética, deontológica, volcada a la solidaridad, cristiana esencialmente pero en singular equilibrio de valores, Prados inicia una búsqueda ferviente de la identidad del hombre en su multiplicada y anfibológica apariencia:

> *¡En todo está! ¡Por todo va la rosa*
> *perenne y fiel en dar su fugaz símbolo*
> *al clamor de lo eterno!...*[54]

La derivación es evidente. El tópico de la fugacidad de la belleza y la vida expresada en la rosa, que ya se apuntaba en Anacreonte, se ha transformado positivamente. El hombre, aunque muera, perdura, como la rosa en todo sigue palpitando. Su belleza prosigue siendo fresca en la resurrección de la carne, como la flor que se renueva sobre el tallo más hermoso. No es posible obviar la claridad del sentir, del soñar, del pensamiento. No es la vida la que logra su destino al morir, es la muerte la que presta sentido al gozo de la vida y se supedita a su belleza, a su triunfo renovable e imperecedero; y tanto una como otra existen porque Dios existe, porque Dios está siempre naciendo[55], y esta certeza permite al hombre aspirar a la felicidad:

> *La rosa tuvo tres muertes:*
> *la que vino a ser la rosa,*

---

52 Carta a Carmen Saval, loc. cit., p. 288.
53 *Ibid.*
54 Emilio Prados, *Poesías completas, op. cit.*, p. 809.
55 *Vid.* María Zambrano, en prólogo citado, p. 8.

la que se fue y la presente.

Luego la rosa nació
del anillo de sus muertes,
sobre la mano de Dios.

¡Feliz quien su rosa siente![56]

Filosofía y poesía se funden como una unidad. Prados parece indicarnos el camino iniciado por Friedrich Schlegel cuando afirma que si unimos una y otra no obtendremos otra cosa que religión[57].Ciertamente la triple muerte, que es la misma muerte y da sentido a la vida del hombre en manos de Dios, nos dispone a la contemplación del dogma cristiano que considera al hombre como una unidad antes, en y después de la vida. La rosa, o el hombre, se prefigura en la poesía de Prados como unidad en la totalidad: "Todo está".

La creación prevalece sobre la concepción neoplatónica donde el hombre es y siente *per se* y no en otro, aunque muchos otros confluyan manifestándose con sus propias ansias y deseos; en la globalización intuimos un cierto aroma de providencia panteísta, por la que Dios, a quien no vemos, se adivina en todas partes, sobre todo "en el centro de un hombre lleno de sentido, en la profundidad de una obra humana viva"[58]. Todos los grandes temas literarios se reflejan en la poesía de Prados que, como muy bien defiende, no es literatura sino vida, un ejercicio espiritual y vital que lo arrastra indefectiblemente hacia Dios, hacia lo eterno, porque "sólo por relación a lo infinito -como no se cansa de repetir Schlegel- surgen contenido y utilidad; lo que no se relaciona con ello es absolutamente vacío e inútil"[59]. Esta confianza en lo que ha de venir, aunque desconocido, confiere serenidad al poeta, alivio, hasta anhelo moderado de liberarse de la cárcel mortal que lo atenaza sin alcanzar, por otra parte, la intensidad de los místicos:

---

56 Emilio Prados, "Mínima muerte", en *Poesías completas, op. cit.*, p. 813.
57 Friedrich Schlegel, *Poesía y filosofía*, Madrid, Alianza Editorial, 1994. "Ideas" [46], p. 157.
58 *Ibid*, [44], p. 156.
59 *Ibid.*, [3], p. 15l.

> *Cuando el molde quede libre:*
> *¡qué nuevo mundo!, jqué esfera*
> *tendrá su nuevo sentir!*

> *¡En él quisiera morir!*

Porque Prados no renuncia a sentir en la vida. No teme a la muerte ni la ignora, como tantas veces pretende Aleixandre refugiado en un amor delicuescente:

> *Los amantes no tienen vocación de morir. "¿Moriremos?" (...)*
> *No queremos morir, ¿verdad, amor mío? Queremos vivir cada día.*[60]

Ni se enfrenta a ella, como Juan Bernier, con dolorosa energía, profiriendo en alta voz su réplica desgarradora y desgarrante:

> *No, porque yo no quiero morir*
> *no quiero.*
> *(...)*
> *No quiero morir pues he nacido vivo,*
> *vivo como un corazón tras una carrera presurosa, y no exánime*
> *como una piedra yerta en medio de la estepa.*[61]

Ni siquiera adopta la actitud desafiante, el tono cínico y desengañado de José Bergamín:

> *Si la muerte me da tiempo*
> *de que la sienta venir*
> *quiero salirle al encuentro.*
> *Quiero salirle al encuentro*
> *al menos para sentir*
> *que todavía no estoy muerto.*

---

60 Vicente Aleixandre, *Obras Completas, op. cit.*, p. 773.
61 Juan Bernier, *Aquí en la tierra*, tercer número extraordinario de *Cántico*, Córdoba, 1948, p. 11.

Que todavía no estoy muerto
y que le puedo decir:
"Si te he visto no me acuerdo".[62]

Ciertamente alejado de los conmovedores versos de Comendador Escrivá, maestre de Fernando el Católico: "Ven muerte, tan escondida! que no te sienta venir/ porque el placer de morir/ no me vuelva a dar la vida"; o la vehemente invocación de Teresa de Cepeda o Juan de Yepes en ardoroso tándem místico "Que muero porque no muero".

Prados desea vivir, compartir la vida con sus amigos, con todos los hombres en solidaridad y armonía, buscando aquí, en este mundo, el equilibrio y no dejando que se escape la accesible felicidad pensando en otra utópica y desconocida que nos obliga a olvidar el instante presente:

¡Ay rosa,
la rosa fría! (...)
y el hombre no la miraba,
iba pensando en su dicha.[63]

La pertinaz idea de que el hombre pierde su vida en pensar y no en sentir persigue al poeta. Su vitalismo, adelgazado más por la enfermedad que por las convenciones religiosas, sufre la tragedia de los hombres que se dejan abatir por el azar de lo que va a ocurrir mañana, ajenos al vivir y al sentir de la belleza y frescura del hoy que sin gozarse muere. No es mística la invocación a la muerte:

Y en mi canción escondida
quisiera morir,
sin saber por qué,
de olvido.
¡Sin saber por qué![64]

---

62 José Bergamín, *op. cit.*, p. 82.
63 Emilio Prados, *Poesía completa*, op. cit., p. 819.
64 *Ibid.*, p. 823.

Es, sin duda, la sensación de impotencia ante la esterilidad del pensamiento cuando es la vida la que pasa fugazmente como una estela de luz inasible. Ni tampoco lo es la exclamación que aúna paradójicamente dos contrarios:

> *Quien quiera estar vivo*
> *comience a morir*
> *y diga conmigo*
> *vivir es morir*
> *y no estar dormido (...)*
> *¡Morir es vivir![65]*

Aunque fuera deseo de Sanchis-Banús elevar a seráfica la poesía de Prados, interpretando las consideraciones de Juan Larrea sobre una "mística crisalidación" colectiva como afirmación rotunda de una realidad interna, lo cierto es que la trascendencia que rezuman los poemas del malagueño incide más en la ignorancia del ser que en el ansia del encuentro divino; es más oscura, en este caso, la noche del cuerpo que la del alma, con todas sus connotaciones de iluminismo, santidad y sobrenatural experiencia[66].

María Zambrano arguye con eficacia sobre la voluntariedad y verdad de este presunto misticismo:

> *Decir de este ser conocido de la muerte que sea un místico, haría pensar en 'éxtasis' que desconocemos si tuvo o no. Mas ¿son los éxtasis los que definen el fondo del vivir del místico? Ninguno de ellos los buscó, más bien los soportaban. Unir o que se unan muerte y vida, entregarse a nacer indefinidamente es lo que parece sea propio del místico, si es que en ello hay algo que no esté propuesto a todo poeta, a todo filósofo. Mas no: propuesto está a todo ser viviente, natural.[67]*

---

65 *Ibid.*, p. 834.
66 *Cf.* Juan Larrea, "Ingreso a una transfiguración", en *Jardín cerrado*, reedición introducida por Ignacio Javier López, Málaga, Centro Cultural de la Generación del 27, 1995, pp. 75-85; y Sanchis-Banús, *Antología de Emilio Prados, op. cit.*, pp. 16-17.
67 María Zambrano, "Pensamiento y poesía en Emilio Prados", prólogo citado, p. 11.

El hecho de que la experiencia subjetiva de Dios sea dada de manera *natural* al ser humano, no implica la intelección racional. El acercamiento sensible a las cosas permite adivinar la presencia de un creador, aunque no necesariamente nos asegura su relación de inmanencia. La ascesis mística procura un conocimiento metafísico del que adolecen los poemas de Prados, más bien podríamos hablar de serenidad sigilosa, de templanza atenta, de mesurado aprendizaje, virtudes plenamente cristianas, trascendidas por la virtualidad del senequismo que atribuía al sabio todas las cualidades del espíritu, pero que en ningún momento lo liberaban de las eternas interrogantes, cuyo discernimiento nos hace temblar. No hay más que sobreleer al filósofo para comprender que no es fácil el equilibrio entre la actividad exterior y la reflexión interna[68]. Todo compromiso personal, social, político y religioso nos exige una adecuación de ambas realidades; y, aun lograda una cierta armonía, existen cabos que nunca podremos atar ni desatar.

Habrá que hablar ahora de un estoicismo cristiano que se cuestiona con ferocidad amable la reducción simplista a mito de nuestras insondables carencias. "No os preocupéis de la Muerte —aconsejaba Epicuro— porque cuando nosotros estamos, ella no está; cuando ella está, nosotros no estamos". Lo cierto es que sí estamos ante un hombre en la búsqueda del *logos* de Heráclito, que convierte en el todo lo uno y lo uno vierte en el todo, fundiéndose la unidad en la diversidad sin confundirse, para que así no se rompa nunca el equilibrio del universo, siendo la muerte entonces una circunstancia más, una estación intermedia, de la que habla Larrea[69], que exige la consunción de la materia madurada para que una nueva simiente surta y se renueve en el más estimable fruto, parte esencial de un absoluto ser donde la energía se diluye y se restaura:

> *Yo soy Todo: Unidad*
> *de un cuerpo verdadero.*
> *De este cuerpo que Dios llamó su cuerpo*
> *y hoy empieza a sentirse*

---

68 Para ampliar este tema, Mª A. Fátima Martín Sánchez, *El ideal del sabio en Séneca, op. cit.*, pp. 141-162.
69 Juan Larrea, prólogo citado de *Jardín cerrado*, p. 76.

> *ya, sin muerte ni vida,*
> *como rosa en presencia constante*
> *de su verbo acabado y, en olvido*
> *de lo que antes pensó aun sin llamarlo*
> *y temió ser: Demonio de la Nada.*[70]

Aunque incluso en la Nada, sea capaz de florecer la rosa[71]. Estos versos finales del poema "El cuerpo en el alba" que clausura *Jardín cerrado,* en consideración de muchos, uno de los libros más sólidos de Prados, anuncian *Cita sin límites:*

> *No salió el sol, pero...*
> *¿no estoy?, ¿no estamos juntos*
> *—uno en todo—...?*[72]

última palabra escrita de Prados, la continuación rotunda de una obra completa que se explica a sí misma en sucesión de continuidad, donde cada nuevo libro es apódosis de la prótesis; donde cada nuevo poema es la justificación del que le precede y le sucede, con un solo paréntesis, el de la muerte, penetrando una u otra vez desde *El misterio del agua* en la realidad del poeta, que no es agónica por su existencia sino por la ignorancia inextricable de una esencia disímil.

Porque ciertamente hay realidades más dolorosas y duras que la muerte física, muertes cotidianas tan heroicas como la del amor sublime del que nos habla Sebold cuando nos devuelve a Macías desde el infierno de los enamorados[73]; esa muerte en la cotidianidad que nos permite su progresiva aceptación, y deja flotando la idea capital y extraña que nos legaba Goethe cuando afirmaba enigmático que el hombre que muere es un astro poniente que se levanta más radiante en otro hemisferio. Porque siendo fieramente humano, Prados constata la exigencia de una conquista del hoy hacia el futuro:

---

70 Emilio Prados, *Jardín cerrado, op. cit.,* pp. 397-399.
71 *Id., Poesías completas,* p. 859.
72 *Id.,* "Cita sin límites" en *Poesías Completas, op. cit.,* p. 985.
73 R. P. Sebold, art. cit., p. 404.

Que esto quede bien sabido:
quien nada le da al mañana,
nada tiene ni ha tenido.[74]

Todos, en definitiva, somos modelos inacabados en constante lucha por obtener un estado de perfección posible que sólo se alcanza en Dios. Hasta los más reacios sienten esta necesidad vívida de traspasar la líquida barrera:

Si has de venir, ven callada...
Que nada te anuncie, nada,
ni aun el rumor más pequeño...
para que seguirte sea
pasar de un sueño a otro sueño.[75]

En *Cita sin límites* se transparenta claramente la presencia de Dios, hacia el que tiende la nimiedad y minimez del hombre. Todo lo dicho y hecho por él tiene sentido en el punto y final que no halla límites. Lo que se extingue se recrea en un nuevo ser, en un nuevo lenguaje desconocido, en el estado de libertad que, según Vicki Baum, se apodera de aquellos que saben que van a morir pronto. Y los símbolos de la eternidad se van superponiendo para explicar la resurrección, apenas acaecido el tránsito de la muerte: el árbol que brota, el ave que vuela, la semilla que fecunda. Porque ya ha sido antes liberado el *otro yo* de la posada accidental del cuerpo; y siendo, al no ser ya uno, parte esencial del todo, la muerte o la intuición de la muerte, que es la vida más plena y procede necesariamente del olvido, se manifiesta clara y universal en la memoria, cuya razón desconocemos pero presagia un nuevo ser que eres tú mismo, recién nacido siempre y en superior naturaleza recobrado:

Soy yo mismo en mi cuerpo
—y en los suyos también— y en nadie:

---

74 Emilio Prados, *Poesías Completas, op. cit.*, p. 852.
75 Antonio Pérez Roldán, *Serena, lenta enemiga* (1938-1988). Tarrassa (Barcelona), Mirall de Glaç, 1992, p. 35.

movimiento en que vivo, intemporal,
sin nombre, en unidad, reunión de símbolos.[76]

Y te quedas en ti sin cuerpo
en este cuerpo que no es tuyo.[77]

¡Pronto sabrás la verdad que he sido![78]

Y en verdad, debió conocer antes de ser. María Zambrano nos recuerda cómo algunos de los amigos que velaron al poeta en su muerte, después de haberlo visto caer y levantarse, coincidían en destacar que "su expresión era la de estar en un País que había visitado muchas veces"[79]. Porque Prados no había dejado de morir desde su nacimiento[80]. Prados muere de una dolencia física que da por consumada su afección espiritual. Murió de soledad y de nostalgia[81], zaherido por la muerte múltiple de sus ideales[82] y sus amigos[83], rechazando aquella antigua execración que no le hacía justicia: "He llegado a comprender que sólo "yo" seré mi único amigo"[84]. Ciertamente aquella soledad que lo iba alejando de sí mismo lo acercaba a otro conocimiento, por una vía oscura que no me atrevería a llamar mística pero que lo acercaba a la luz verdadera en que nada muere, a esa paz interior que ya era prédica en sus labios: "No es conformidad por haber cumplido mi vida como hubiese deseado; pero la realidad es que (...) nunca sentí mayor paz"[85]. Ocho días después de

---

76 Emilio Prados, *Poesías completas, op. cit.,* p. 1028.
77 *Ibid.,* p. 1030.
78 *Ibid.,* p. 1032.
79 M. Zambrano, prólogo citado, p. 11.
80 "En el día de la concepción se estableció nuestra muerte (...) Todo lo que nace para la vida está destinado para la muerte" (Lucio Anneo Séneca, *De brevitate vitae,* París, Les Belles Lettres, 1951, Dialogues, tome II, pp. 47-48, 7; 8, 5).
81 José Luis Cano, *Cartas desde el exilio, op. cit.,* p. 15.
82 *Ibid.,* p. 12.
83 *Vid.* introducción de Larrea en *Poesías Completas, op. cit.* tomo 11, p. 20; o en *Jardín Cerrado, op. cit.,* p. 82, donde se trata la muerte de Unamuno, Machado y Lorca, en el mismo año infausto de 1936.
84 Emilio Prados, *Diario íntimo, op. cit.,* p. 11.
85 Prólogo de Ignacio Javier López, en *Jardín Cerrado,* op. cit., p. 19. *Vid.* pp. 25 y 26.

pronunciar estas palabras, el 24 de abril de 1962, moría en México. No sabremos con absoluta verdad si, en la hora de la muerte última, había resuelto sus contradicciones; pero ciertamente, tras haber explorado las regiones humanas más recónditas, estaba muy cerca de liberar en vida la tensión mortal de un cuerpo perseguido que volvía a nacer, tras diluirse, en la memoria nueva de sí mismo:

> *Golpeé con mi voz, con mi palabra*
> *—no sé dónde ni lo sabré jamás—:*
> *(...)*
> *Saqué mi sangre, la extendí en redondo*
> *—yo al centro interno, extraña ella de mí*
> *atravesé, llegando hasta su origen*
> *de un golpe:*
>   *¡vuelto estoy a la vida!*[86]

---

86 Emilio Prados, *Cita sin límites, op. cit.*, poema fechado el 5 de abril de 1962.

El valor coral en las coplas
de Rafael de León

El valor coral en las coplas de Rafael de León

Sonia Hurtado

Al tratar de la gente no nos referimos a nadie en concreto sino a una pluralidad que no se concreta en particularismos subjetivos sino en el imaginario colectivo. En la copla podemos encontrarnos con la gente como personaje innominado. Un colectivo que da su parecer, sospecha, desprecia, comenta, aconseja, critica, investiga, avisa, elogia, lamenta, murmura, se pregunta; un colectivo que, en la mayoría de los casos, actúa como factor determinante en la actuación de algún otro personaje sí individualizado en la copla. La gente actúa como coro, como voz de fondo, como conciencia colectiva, como ojo que todo lo ve y todo lo juzga.

A la colectividad-personaje a veces también podemos darle un nombre menos genérico: "las comadres", "los señores", "los niños/as", "los majos/as", "los donceles", "los manolos", "los flamencos/as", "las damas", "la gente del abolengo", "la gente llana", "los señorones", "los guapos", "los guapos de Triana", " las niñas bonitas", "los amigos", "las buenas mozas", "los jerezanos", "los mocitos/as", "los gitanos", "pobres y ricos", "la gente morena", "los sevillanos", "la gente de bronce", "los hombres", "los mejores y más cabales", "los jueces", "los maestrantes", "los bandoleros", "los chisperos", "los reyes", "las princesas", "la justicia", "los militares", "los paisanos", "todos los gaditanos", "los que sufren mal de amores", "una montaña de pretendientes", "las vecinas", "maños", "todo el pueblo", "todas", "las niñas de Peñaflor", "mis vivos y mis muertos" (mi familia), "otras mujeres", "la afición", "ninguna serrana", "la gente del pueblo", "los chavales", "enemigo", "la Corte", "los chiquillos", "las doncellas", "poeta", "los sabios nucleares", "aquellos que saben querer con fatiga", "la gente que inunda el mundo de negros misiles", "la gente maliciosa". Puede que aparezcan expresiones con un número concreto, pero son frases hechas que se refieren a la colectividad y no a alguien determinado. Cuando el sustantivo "gente" aparece precedido de un posesivo se hace alusión a un grupo de personas pero más concreto como es el de las personas que componen la familia más cercana. En este universo se aprecian diferentes planos culturales, sociales, económicos, profesionales, pero quedan asumidos en ese sentido coral al que me refiero.

En numerosas coplas el narrador es esa colectividad-personaje, no sabemos quién es, es sólo una voz que cuenta e incluso ordena algo al resto del grupo social.

[...] Silencio en Andalucía,
rezadle un avemaría
y quitadse los sombreros;
silencio el patio y la fuente,
que está de cuerpo presente
el mejor de los toreros. [...]
Silencio por un minuto,
pintad el campo de luto,
el ciprés y el olivar,
de luto las amapolas,
de luto Carmen y Lola,
Concha, Pepa y Soledad. [...]
(Silencio por un torero)

[...] Poned candelas en las montañas
y luminarias por los tejados,
que ando a la busca de unas pestañas
y de unos ojos negros rasgados. [...]
Poned candiles, poned faroles,
por Dios, ponedlos, por compasión,
que por culpita —culpita— de esos dos soles —dos soles—
tengo en tinieblas mi corazón. [...]
(Candiles y luminarias)

Cómo se puede identificar a ese grupo que en la mayoría de los casos sólo es voz y de la que no tenemos una descripción física ni sabemos apenas nada más que su opinión ante una determinada circunstancia. La función de coro es evidente. Esa voz sutil que aparece incorpórea la descubrimos en expresiones como: "dicen", "según se cuenta", "se recordó", "cuentos que te han traído", "se sigue cantando" y otras. Como se observa en la mayoría de los casos son expresiones impersonales o bien nos encontramos con cantidad de indefinidos tales como; "todos", "algunas", "otros", "nadie", "ninguno", "la gente", "cualquiera". En una ocasión encontramos el sustantivo "minero" como sinónimo de "nadie" o la expresión "tengo por muchas candelas" como sinónimo de "tengo por mucha gente, por muchos hombres". También encontramos el pronombre "usted" como indefinido: "Averigüe usted", "mire usted", donde "usted" puede ser cualquier persona de la colectividad. Sólo en contadas ocasiones encontramos un imperativo dirigido a no sabemos quién, a la colectividad, a todo el que quiera oírlo.

Puede que el imperativo vaya dirigido a parte de esa colectividad para que con sus bailes alegren el corazón que sufre de amor por un desengaño.

> *[...] Delante de mi balcón*
> *bailadme la jota, maños,*
> *delante de mi balcón,*
> *para quitarme este luto*
> *que llevo en el corazón.*
> *Bailadme la jota, maños.*
> *(La jota de mi balcón)*

En algunos casos esa colectividad-personaje aparece tan oculta que se elige la sustantivación de esa acción realizada por no se sabe quién, por esa colectividad que siempre está escondida. En ocasiones la colectividad queda restringida por un topónimo que asume sus rasgos.

> *[...] ¡Pobre del platero, qué solo quedó!*
> *La burla lo hiere, la pena lo mata,*
> *y hoy el duro bronce que altivo se alzó*
> *tiene la cabeza cubierta de plata. [...]*
> *(María Magdalena)*

[...] Y mientras se iba quedando
color de cera y marfil,
<u>Sevilla la iba vistiendo</u>
<u>de hojita de perejil.</u>
Macilenta, Macilenta,
la del quebrado color,
<u>Sevilla lleva la cuenta,</u>
<u>la cuenta de un mal de amor.</u> [...]
Y mientras con penitencia
ella sabía callar,
<u>Sevilla con mal querencia</u>
<u>repetía este cantar:</u>
(La Macilenta)

[...] <u>Toda Andalucía</u>
<u>se hace lenguas de tu valentía.</u> [...]
(Coplas de Pedro Romero)

[...] Y luego, ¿qué ha sucedido?,
¿quién de mí te separó?,
<u>¿qué sombra es la que ha venido</u>
<u>y se ha puesto entre los dos?</u> [...]
(Yo no me quiero enterar)

[...] <u>Madrid te está buscando para perderte</u>
y yo te busco sólo para quererte. [...]
(Coplas de Luis Candelas)

Algunos personajes se rebelan contra la opinión de la gente y no hacen caso a ese criterio colectivo, neutralizando así la intención de estas voces, al tiempo que ganan en libertad y fuerza. Si alguien está dando una imagen falsa del personaje, éste se rebela y protesta.

[...] <u>No me importó de la gente,</u>
<u>ni lo que hablaron de mí,</u>
que me importó solamente

verlo gozar y sufrir. [...]

(Carcelera)

[...] Ni tu madre a mí me quiere,
ni la mía a ti tampoco.
¡Qué nos importa de nadie
si nos queremos nosotros!
Aunque pongan una tapia
y tras de la tapia un foso,
han de saltarlos tus brazos
y han de cruzarlos mis ojos.

(No me llames Dolores)

[...] Y no importa que la gente
mi canción, que va en el viento,
traiga y lleve maldiciente.

(Coplas de Luis Candelas)

[...] Lo nuestro tiene que ser
aunque entre el uno y el otro
levanten una pared.

(Las cositas del querer)

[...] Hablaron más de la cuenta
las niñas de Peñaflor,
que si ella tiene cuarenta
y que él sólo veintidós.
Pero contra el viento de la comidilla –de la comidilla–
y a pesar del tango de lo de la edad,
la vio todo el pueblo salir de mantilla – salir de mantilla–
con aquel mocito de la catedral.

(Amante de abril y mayo)

La rebelión contra la gente puede hacerse de forma sutil, como petición de un favor. Los personajes de la copla van a seguir queriéndose por mucho que la gente hable, pero piden que los dejen quererse en paz.

Dicen que somos dos locos de amor,
que vivimos de espaldas al mundo real,
pretendiendo lograr de la gente un favor:
que nos dejen querernos en paz. [...]
(Tema de amor)

Se puede pedir clemencia, piedad pero no por humildad sino por estar en la creencia de que el personaje tiene más autoridad que el resto de la gente.

[...] Tenedle, por Dios, clemencia,
piedad tenedle los jueces,
que yo le he dado licencia
para matarme cien veces. [...]
(La Ruiseñora)

En otros casos, da la sensación de que el personaje es una marioneta cuyos hilos mueve esa colectividad imprecisa; sus actuaciones pueden beneficiarlo o perjudicarlo. El personaje entra en un vaivén en el que la razón o las decisiones personales no tienen cabida, el personaje actúa movido por los diferentes consejos que cualquiera quiere darle.

Yo no sé qué lengua mala
sopló aquel nombre en mi oído,
que yo abandoné tu casa
cuando aún estabas dormido. [...]
Yo no sé qué lengua buena
te hizo entrar en razones;
quien quiere mucho perdona
que el perdonar es de hombres. [...]
(No me mires a la cara)

En otras ocasiones son los individuos los que se dirigen a esa colectividad, bien mediante un intermediario o directamente, llegando incluso a desafiarla. En ocasiones, piden que se pregone algo con lo que el común no estaría de acuerdo, pero el personaje se impone no importándole las seguras consecuencias.

Decidle al señor alcaide,
decidle al corregidor
que yo por Luis Candelas
me estoy muriendo de amor.
Decidle que es un canalla,
decidle que es un ladrón,
y que he dejado que robe
con gusto mi corazón.
Que corra de boca en boca
esta copla que yo canto
como si estuviera loca: [...]
(Coplas de Luis Candelas)

[...] ¿A dónde está ese buen mozo
capaz de darme martirio?
Vengan los guapos a verme
que a todos los desafío,
porque ninguno se adorna
con la flor de mi cariño;
el valiente que lo logre
no existe entre los nacidos. [...]
(La Salvaora)

En algunas coplas el personaje pide a la gente que deje de hablar, o que le guarde un secreto que podría ser fatal publicarlo, porque le están haciendo mucho mal o pueden hacérselo. Un mote ideado por la gente puede ser fatal, en otros casos el apodo parece estar justificado.

[...] No llamadme Petenera
que ese mote es mi castigo.
Ese nombre es la bandera
que está acabando conmigo.
Madre de mi corazón,
que es la cruz y la ceguera
de mis tormentos mayores.
No llamadme Petenera

que yo me llamo Dolores –Dolores. [...]

(Dolores La Petenera)

[...] La Niña de Fuego te llama la gente,
y te están dejando que mueras de sed.
-¡Ay, Niña de Fuego, ay, Niña de Fuego!-
Dentro de mi alma yo tengo una fuente
para que tu culpa se incline a beber. [...]

(La Niña de Fuego)

[...] ¡La Loba! ¡Vaya una fama!
No callarse ¿Qué más da?
Pero a ver quién me lo llama
con la cara levantá. [...]
¡La Loba! ¡Ése es mi nombre!
No te calles. ¿Qué más da?
Pero a ver si tú eres hombre
pa podérmelo quitar.
La Loba pa el que hace alarde
de jugar con un querer
y pa llamarte ¡cobarde!
si no cumples tu deber.
Por la cruz que hay en mi alcoba,
que no digan con razón
que eres hijo de... ¡La Loba!
y no tienes corazón.

(La Loba)

Puede que lo que pida el personaje sea cualquier tipo de castigo o humillación por parte de la gente. El personaje se ofrece en sacrificio a la colectividad como forma de no perder su amor; como puede verse aquí el sacrificio no se aleja de la idea tradicional de intercambio y compensación. Cuanto más preciado sea el objeto ofrecido, más poderoso será el favor que se recibe, nada hay más preciado y precioso que uno mismo. Esta ofrenda actúa como purificadora del amor; cuanto más hagan sufrir al personaje tanto mayor y mejor será el amor que siente. Si la colectividad necesita siempre del dolor del personaje, éste puede ofrecerse voluntariamente con tal de no perder el amor; el personaje está dispuesto al martirio de su cuerpo en la creencia de que así salvará su alma: el amor. El personaje se inmola y establece un "do ut des" con la colectividad, ante la que se sacrifica, ante la que ofrenda su cuerpo. Al personaje no le importa sufrir los mismos tormentos que sufrió Cristo, de mano de esa gente despiadada, en honor del Dios Padre: el amor. No es necesario entrar en interpretaciones sicocríticas para analizar el mecanismo.

> [...]*¿Por qué no se para la sangre en mis venas?*
> *¿Por qué no me prenden si fui su cuchillo?*
> *¿Por qué no me ponen cargá de cadenas*
> *y juntos nos llevan al mismo presidio?* [...]
> (Como castigo de Dios)

> [...] *Que me arrastren por esos caminos*
> *del potro de noche de mi cabellera.*
> *Que me llenen los ojos de espinos*
> *y escupan mi cara como a una cualquiera.*
> *Que me amarren a una fragua*
> *y luego la echen a arder.*
> *Que cuando yo pida agua*
> *me den vinagre a beber.*
> *Tos los martirios que encuentro*
> *soy capaz de resistir;*
> *todos menos el tormento*
> *de separarme de ti.* [...]
> (Pozo de muerte)

> [...] *Las calles del Puerto de Santa María*
> *corro espavoría como un alma en pena;*
> *mis ojos son fuente de noche y de día.*
> *¿Por qué no me llevan con él a la trena?* [...]
> (Pastora)

En ocasiones, se consigue que la gente no se entere de alguna de las actuaciones de los personajes. Ocultar algunas de estas actuaciones se convierte en un tipo de poder, en un secreto que satisface al personaje, dando a entender que siempre que la gente sepa algo o intervenga en algún asunto puede destruirlo. Se consigue esquivar a esa gente que todo lo ve y que de todo opina. Se esquiva ese ojo que juzga. Cuando lo que se consigue ocultar es un sentimiento, el sentimiento que no se cuenta se ve aumentado, sublimado. De cualquier forma la gente quiere enterarse. Es posible que la gente no llegue a enterarse de algo tan grave como quién es el autor de un crimen.

> *[...] Y sin que _nadie_ lo sepa*
> *en ese barco encantado*
> *tengo un cariño encerrado*
> *que _nadie_ lo ve. [...]*
> *(No me digas que no)*

> *[...] Se dice si es por un hombre,*
> *se dice que si es por dos;*
> *pero la verdad del cuento,*
> *¡ay, Señor de los tormentos!,*
> *la saben La Lirio y Dios. [...]*
> *(La Lirio)*

> *[...] Cuando yo más te quería*
> *tú te alejaste de mí;*
> *nadie sabe la agonía*
> *que por tu culpa sufrí [...].*
> *(Callejuela sin salida)*

> *[...] Se pue saber de qué y por qué*
> *la María Amparo vive en Sevilla,*
> *y el din y el don, y el qué y el con*
> *de lo que oculta tras la mantilla.*
> *Se pue saber de qué y por qué*
> *en cuanto llega la madrugá,*
> *sin ton ni son, ni dar razón,*
> *la María Amparo se echa a llorar. [...]*
> *¿Se pue saber de qué y por qué*
> *la María Amparo no está en Sevilla?*

¿Y el din y el don, el qué y el con
del guapo mozo de las patillas?
¿Se pue saber de qué y por qué
con un empaque de emperatriz,
en tílburi de allí pa aquí,
la flamencona va por Madrid? [...]
(María Amparo)

Nadie sabe, nadie sabe,
aunque todos lo quieren saber,
ni la llave, ni la clave
de mi cuándo, mi cómo y porqué. [...]
(Un rojo, rojo clavel)

[...] Lo que pasó los jueces no han descubierto
y en el Perchel no han dado con la novela
de aquel galán moreno que hallaron muerto
junto al portal cerrado de Micaela. [...]
(Bajo un limón limonero)

En contadas ocasiones la gente no juzga y actúa como simple espectador, al margen de toda la acción. Es posible que la gente se conmueva ante el mal ajeno y, cosa rara, parece quedar paralizada ante el sufrimiento. Sólo en un caso vemos a la gente interesada por cuestiones estéticas y no por el comportamiento humano.

[...] Y cambió hasta la línea de su pintura,
y por calles y plazas lo vio la gente
desojando la rosa de su amargura
como si en este mundo fuera un ausente. [...]
(La Chiquita Piconera)

La Clavel está cantando
en el patio del Tronío
y de lo que está escuchando
a la gente le da frío. [...]
(La Clavel)

> *[...] Y en las tinieblas del aguardiente*
> *igual que un loco pronto se hundió;*
> *noche tras noche lo ve la gente*
> *hablando a solas con su dolor. [...]*
> *(Dolores La Golondrina)*

> *[...] Del Cachorro están hablando*
> *y dicen que no han visto*
> *un semblante agonizando*
> *igual al de ese Cristo. [...]*
> *(Sevillanas de Triana)*

No siempre, aunque se intente, es posible guardar un secreto y la gente presiona hasta el punto de que el personaje confiese su verdad. El personaje se rinde ante lo que considera inevitable, que la gente consiga saber todo lo que quiere; al rendirse siente una liberación, pues hay secretos que atormentan y sólo es posible escapar de ese peso cuando se hacen públicos. Puede que el mismo personaje necesite de la gente para expresarse, sin necesidad de que ésta haga nada. Es una necesidad recíproca. La gente necesita del personaje y el personaje de la gente. Son dos elementos que conforman un binomio actancial imprescindible para el desarrollo del componente narrativo. Sin embargo, no existe equipolaridad, sino que la gente se configura como el espacio en el que la acción del personaje tiene que desarrollarse forzosamente. La gente satisface las necesidades de diálogo y de relación de la misma manera que soporta el amplio espectro de la actividad funcional del personaje. Las estructuras monológicas y dialogísticas, fundamentales en los textos de Rafael de León, como en todo el universo de la copla, tienen rendimiento por intersección de los elementos representados tomados como conjuntos simbólicos.

> *[...] Y fue la deshonra rodando y rodando*
> *por entre las mesas de todo el Burrero;*
> *pero la flamenca, que estaba llorando,*
> *al fin dio tres cuartos para el pregonero. [...]*
> *A la larga o a la corta,*
> *se tenía que saber;*
> *por lo tanto, no me importa*

que publiquen mi querer.
No me causa ya tormento
que la gente de Triana
vaya y venga con el cuento
y diga a los cuatro vientos
dónde va La Mariana.
(La Mariana)

[...] -Dejadme que diga recio
to lo que esconde mi garlochí.
Mi gloria son los desprecios
que ese mal alma tiene pa ti.
Ese mal alma es su amante
que un día se le casó,
y ella publica en un cante
la pena de su dolor. [...]
(La Clavel)

Sevilla del novecientos; en el Café de las Flores
Esperanza la de Utrera pone a la gente de pie
y mientras baila por tientos, llora un secreto de amores
por Juan Manuel de Antequera, que no la puede ni ver.
Ella es más pura que los brillantes
y que las perlas de su collar
pero el Manolo, por mor de un cante
hasta a las piedras les dio que hablar. [...]
Dijeron de ella tanto y más cuánto,
pero Esperanza no quiso hablar,
y la mañana del Viernes Santo
se hizo el milagro de su verdad. [...]
(Esperanza la de Utrera)

Podemos encontrar cómo se le quita la responsabilidad de alguna desgracia a esta gente personaje. Al negársele la responsabilidad tan gratuitamente, lo que se hace es culparla de cualquier desastre en toda ocasión excepto en ésta.

> [...] Claro que <u>la culpa de que esto pasara</u>
> <u>no la tuvo nadie, nadie más que yo.</u> [...]
> (Te lo juro yo)

Un personaje puede solicitar a esa gente imprecisa, que lo sabe todo, alguna información de la que carece, pero en este caso no encontrará respuesta. No sabemos si la gente no da la información que se le pide porque no la tiene o porque no le interesa darla.

> [...] Errante lo busco por todos los puertos,
> a los marineros pregunto por él,
> <u>y nadie me dice si está vivo o muerto</u>
> y sigo en mi duda buscándolo fiel[...].
> (Tatuaje)

> [...] <u>¿Me quieren decir, amigos, dónde lo puedo encontrar?</u>
> porque lo quiero y lo quiero.
> ¿Me quieres decir, soldado? Y <u>nadie me sabe dar</u>
> <u>razón de su paradero.</u> [...]
> (Magnolia)

> [...] Y sin vida lo encontraron a la puerta de Pilara
> pero <u>nadie dio razones para el caso esclarecer,</u>
> <u>y los jueces no supieron en verdad quién lo matara</u>
> en legítima defensa de su honra y su querer. [...]
> (La jota de mi balcón)

> [...] <u>Yo pregunté por tus ojos, mas nadie los conocía,</u>
> y una noche sin estrellas en el vino los hallé,
> y desde aquel punto y hora voy errante por la vida
> y, si no tengo alegría, me la busco junto a él. [...]
> (Candiles y luminarias)

Los personajes de las coplas están acostumbrados a que la gente con sus habladurías, consejos y "buenas intenciones" actúe según el concepto generalizado de lo "correcto". La gente, por lo general, funciona como una metáfora del sistema establecido, del orden moral dominante, actúa como elemento disciplinario, aunque puede desarrollar otras funciones.

El amor es el principio y fin, nada ni nadie puede perturbar la pasión absoluta, totalmente patética en el sentido de la tragedia griega, que mueve las acciones de la protagonista. La colectividad es el dios de la norma, del orden, de la regla que es transgredida. La lírica de Rafael de León y, en consecuencia la copla, es la historia de una transgresión donde no existe vuelta a la situación inicial, en el sentido proppiano, sin pasar por la inmolación. Una de las claves de esta lírica es la contumacia en la transgresión: no hay fuerza que haga cambiar el sentimiento amoroso que sólo se puede transformar en odio, que es otra pasión de la misma intensidad en sentido opuesto.

Cuando esta gente, esta colectividad no censura una actuación errónea del personaje provoca más efecto que si lo hubiera hecho. El personaje se pregunta desconcertado por qué la gente no ha reaccionado como suele hacerlo, provocándole aún más dolor, más sufrimiento, porque si la gente reaccionara de acuerdo al sistema favorecería la eliminación de éstos.

> *[...¿Por qué no se para la sangre en mis venas?*
> *¿Por qué no me prenden si fui su cuchillo?*
> *¿Por qué no me ponen cargá de cadenas*
> *y juntos nos llevan al mismo presidio? [...]*
> *(Como castigo de Dios)*

El personaje también puede preguntarse a sí mismo o a otro de los personajes quién de ese colectivo impreciso ha actuado o puede actuar en determinada circunstancia bien como elemento separador o de ruptura entre dos personas, bien como elemento que causa sufrimiento. Hay un intento de personalizar e identificar a alguien dentro de ese mar genérico; a veces se maldice, se elogia o se ignora conscientemente a este ser desconocido. El personaje llega a expresar el miedo que le produce que cualquier desconocido de esa colectividad imprecisa salga del anonimato y le robe lo que le hace feliz: el amor.

> *[...] Y luego, ¿qué ha sucedido?,*
> *¿quién de mí te separó?, [...]*

(Yo no me quiero enterar)

[...] ¡Los dineros!
El que inventó los dineros
castigo se ha merecido.
¡Compañero!
¿Por qué te vas, compañero,
cuando yo na te he pedido? [...]
¡Los dineros!
El que inventó los dineros
un premio se ha merecido.
¡Compañero!
¡Viva el lujo, compañero,
por tres perras te has vendido! [...]
(Manuela la de Jerez)

[...] Rosita de Capuchinos,
vara de nardo y clavel,
¿Quién te ha sembrado de espinas
el rosal de tu querer?
¿Quién le pintó esas ojeras
a tu carita de rosa?
¿Quién te mandó que sufrieras
igual que una Dolorosa?
Mocita, vuelve a tus flores
y olvida tu desatino,
que yo no quiero que llore
mi Rosa de Capuchinos.
(La Rosa de Capuchinos)

[...] Mal fin tenga la lengüita -¡maldita!-
que de mí te murmuró,
y con cuatro palabritas -¡chiquitas!-
mi castillo derrumbó.
Han sembrado la cizaña
en las rosas de mi abril,
y no doy con la guadaña

> *pa segarla de raíz. [...]*
> *(A tu puerta)*

> *[...] No revueles por Triana*
> *cuando vayas a beber,*
> *que me da miedo, serrana,*
> *que me roben tu querer. [...]*
> *(La paloma y el río)*

> *[...] ¿Qué sombra lo tiene esclavo?*
> *¿De qué rumbo maldecío*
> *viene este dolor de clavo*
> *que me esbarata el sentío? [...]*
> *(La Ruiseñora)*

Hay otro tipo de búsqueda por parte del personaje de alguien concreto dentro de ese universo de la gente, pero en este caso el desconocido que se busca no ha ocasionado ningún tipo de problema entre el personaje y su amor, simplemente se busca ese ser indeterminado para amarlo. La falta de un amor hace que se intente encontrar a éste entre la colectividad.

> *[...] Con desesperación buscaba un dueño*
> *y soñaba la cárcel de unos brazos,*
> *pero me despertaba de mi sueño*
> *con el alma sin voz hecha pedazos. [...]*
> *(En el último minuto)*

Las preguntas pueden ser simplemente retóricas, no esperan ninguna respuesta pues ésta ya va implícita en la pregunta.

> *[...] ¡Válgame la Soledad!*
> *Si somos uno del otro,*
> *¿quién nos puede separar? [...]*
> *(Las cositas del querer)*

> *[...] ¿Dónde está el agonizante*
> *que entre la noche y la aurora,*

se muera cantando un cante
mejor que La Ruiseñora?
(La Ruiseñora)

[...] ¿Dónde está la criatura,
que muriéndose de pie,
quiera con esta locura
-¡Ay, Virgen de la Amargura!-
como quiere La Clavel? [...]
(La Clavel)

Los personajes también se preguntan por qué la gente necesita tantas explicaciones.

[...] Si el aire que tú respiras
es el que estoy respirando
¿pa qué nos piden razones
del qué, del cómo y del cuándo? [...]
(Las cositas del querer)

Puede que la gente mencione algo, sin una aparente intención, pero aún no siendo nada intencionada consiguen hacerle recordar a alguno de los personajes algo que éste no siempre desea recordar.

[...] Ca vez que ella siente mentar los caudales
se acuerda del hombre que le dijo un día:
-El mundo está lleno de finos metales;
me voy a buscarlos pa ti, reina mía.
Después, tiniebla adelante,
se perdió en la callejuela,
mientras que expiraba un cante
en los labios de Manuela: [...]
Alguno le hizo memoria
de aquella que lo quería,
y él dijo: -Pasó a la historia,
con los años to se olvida. [...]
(Manuela la de Jerez)

Es difícil encontrar a la gente desprevenida ante alguna circunstancia, porque por lo general siempre sospecha algo. Se señalan algunos casos en los que la gente parece no haber estado atenta. En otros ejemplos la gente interroga o se pregunta por algo que aún no sabe pero que está deseando averiguar; en algún momento es el mismo personaje quien da toda la información.

> *[...] Cuando nadie lo pensaba,*
> *casao con otra mujer,*
> *volvió el hombre que esperaba*
> *Manuela la de Jerez. [...]*
> (Manuela la de Jerez)

> *[...] Yendo de juerga en su coche*
> *con corona de marqués,*
> *le dieron muerte una noche*
> *en la calle Lavapiés.*
> *Nadie el motivo sabía,*
> *nadie conoce la clave.*
> *La niña que le vendía*
> *la lotería sí que lo sabe. [...]*
> *Y en el filo de la aurora,*
> *desde Sol a Chamberí,*
> *nadie sabe por qué llora*
> *pregonando un quince mil. [...]*
> (¡Mañana sale!)

> *[...] ¿Qué tiene La Zarzamora*
> *que a todas horas llora que llora*
> *por los rincones?*
> *Ella que siempre reía*
> *y presumía de que partía*
> *los corazones. [...]*
> (La Zarzamora)

> *¿Quién es esa mano oculta*

que ampara a los bandoleros? [...]
(Reyes Montero)

[...] ¿Por qué, si es como un clavel,
no tiene un querer
doña Soledad? [...]
(Doña Soledad)

[...] ¿Qué te pasa, Ruiseñora?
Que tengo un nido de pena y celos en la garganta,
que hasta el corazón me llora
por seguiriyas, por soleares y por tarantas. [...]
(La Ruiseñora)

[...] De noche suena una llave
y un hombre cruza el cancel,
mas nadie en el mundo sabe
el nombre de aquel doncel. [...]
(La cautiva)

Hay personajes que tienen muy en cuenta la opinión de la gente intentando que ésta dé su aprobación. Si la gente da su aprobación ante alguna forma de actuar se tiene asegurada la buena reputación, la buena fama, el honor. Conservar la buena reputación tiene un precio, el personaje en este intento pierde libertad ya que no actúa movido por sus sentimientos u opiniones sino por los de los demás. La buena fama, la reputación siempre trae consigo la opinión de la gente. Sin la colectividad no es posible la buena o mala fama, es un elemento indispensable. Un personaje puede amenazar a otro con hacer rodar su fama, es decir, hacer que la gente conozca algún dato que le haga perder la buena reputación.

[...] No sigo el ejemplo tuyo
ni aunque muriéndome esté,
yo tengo a gala y orgullo
que diga to el que me ve:
-¡Ay, ay, ay, por dinero,
no se compra esta mujer!

> ¡No se vende por dinero
> Manuela la de Jerez!
> *(Manuela la de Jerez)*

> *[...] Yo he venido a convencerte de que debes olvidarlo*
> *y aventar como cenizas la esperanza de ese amor;*
> *esto, maña, es un consejo; que, si no quieres tomarlo,*
> <u>*vas a ver rodar tu fama de zaguán en corredor.*</u> *[...]*
> *(Rondalla de celos)*

Por el contrario, a algún personaje no le importa dar que hablar, echar a rodar su fama, que la gente pueda hablar mal, con tal de salvar a su amor. Por amor un personaje puede renunciar a la fama como reputación, como imagen ante el grupo, como integración en definitiva.

> *[...] ¡Ay, doña Reyes Montero!*
> <u>*¿Cómo has tenido valor*</u>
> <u>*de poner tu fama en lenguas*</u>
> <u>*con tal que me salve yo?*</u> *[...]*
> *(Reyes Montero)*

> *Cuando la Sevilla de los Mompasié*
> <u>*dio que hablar*</u> *lo suyo cierta flamencona,*
> *que gastaba un aire y tenía un aquel*
> *como si debiera de llevar corona. [...]*
> *(María Amparo)*

> *[...]* <u>*No se me importan tus canas*</u>
> <u>*ni el decir de los demás,*</u>
> *lo que me importa es que sepas*
> *que te quiero de verdad. [...]*
> *(Te he de querer mientras viva)*

La gente suele abrir los ojos a los personajes que, o no se dan cuenta de lo que está pasando, o no quieren darse cuenta. Intenta quitar la venda de los ojos a aquel personaje que no es consciente de un engaño o alguna traición. Esta acción normalmente provoca gran dolor en el personaje que descubre la verdad. La verdad descubierta nunca causa alegría, es una revelación dolorosa.

> *[...] -Lleva anillo de casado-*
> *me vinieron a decir,*
> *pero ya lo había besado*
> *y era tarde para mí. [...]*
> *(La Zarzamora)*

> *[...] No sé qué mano cristiana abrió una mañana*
> *mi puerta de repente,*
> *luz que cortó en mil pedazos, como un navajazo,*
> *mi venda de la frente.*
> *Me quitaron la ceguera*
> *con un cuchillo de compasión*
> *y hoy va solo por la acera*
> *sin lazarillo mi corazón. [...]*
> *(A ciegas)*

> *[...] Como yo por aquel hombre de cariño estaba loca,*
> *los consejos que me dieron no los quise ni atender*
> *porque luego, ante mi llanto, con las mieles de su boca*
> *me borraba aquellos celos que me hacían padecer. [...]*
> *(La jota de mi balcón)*

Lo peor que le puede pasar a alguien es verse sólo y que el grupo, como tal, no le preste ayuda.

> *[...] Permita Dios que te vea*
> *ir de cancela en zaguán*
> *y que nadie te socorra*
> *con un cachito de pan. [...]*
> *(Arrieros somos)*

Aunque uno de los personajes pierda la razón siempre será consciente de la existencia de la colectividad.

[...] Con una sonrisa hueca
Lolita le respondió:
-¡<u>Quien hable mal de Rebeca</u>
<u>*no tiene perdón de Dios!*</u>
¡Mata la araña,
pipiritaña,
tu cabecera
con telarañas!
¡Igual que una regadera
está Lolita La Musaraña!
Con el tiempo y una caña
recobra Lola el sentido
y ahora las musarañas
las ve el pobre del marido.
Camina por el alero
<u>*diciéndole así a la gente*</u>*:*
-¡Yo soy los Tres Mosqueteros
y mi señora, nuestro asistente! [...]
(Lolita La Musaraña)

Cuando el enamorado declara su amor a la amada, vemos que hay una exclusión consciente del resto de la colectividad. Nadie entra en el círculo del amado excepto la amada. No tener en cuenta a la colectividad supone amar con más intensidad. Cuando la soledad es provocada por el amor éste adquiere más valor.

[...] Te quiero con ternura,
con miedo, con locura,
<u>*sólo vivo para ti.*</u> *[...]*
(Te quiero, te quiero)

[...] <u>Salgo por las calles solo</u>
<u>*porque estoy atormentaíto por unos celos,*</u>
porque no quiero ahogarla
con la trenza de su pelo,
-de su pelo negro, Dios mío, qué pelo. [...]
(Carcelero, carcelero)

Yo era mujer de alhucema, de patio y de celosía,

a la calle no salía más que a verte de venir,

y en tu querer con delirio me quemaba noche y día,

pues, más que a nada en el mundo, <u>te adoraba sólo a ti</u>. [...]

(Candiles y luminarias)

No hay más orgullo que el de poder decir a la gente alguna virtud de alguien muy cercano; parece como si no pregonar las virtudes del ser al que se quiere fuera quitárselas o no tenerlas en cuenta. Es necesario que la gente se entere del amor de los enamorados para que la felicidad sea completa. Si bien los sufrimientos se cuentan para descargar parte del dolor, las alegrías también se cuentan, porque no contarlas es como no sentirlas. ¿De qué sirve ser feliz si los demás no se enteran? La felicidad no es tanta mientras no sea comunicada a esa colectividad, aunque el ámbito de la perfección amorosa se produce en el binomio amado-amada.

[...] ¡Qué alegría,

<u>cuando le digo a la gente:</u>

-¡Qué guapa es la madre mía! [...]

(Madre hermosa)

[...] España entera recorreremos

como dos novios enamorados,

<u>van a enterarse que nos queremos</u>

<u>en Zaragoza como en Bilbao</u>. [...]

(¡Ay, carabí y hurí)

La gente, en contadas ocasiones, pues no es esta su función primordial, piropea a los personajes.

[...] Y por las Ramblas de Barcelona

dirás, serrano, que no te explicas

cómo <u>me dicen: -¡Aquesta dona</u>

<u>és molt bufona i és molt bonica</u>! [...]

(¡Ay, carabí hurí)

[...] -<u>¿Dónde va tan bonita</u>

Lola, Lolita La Piconera,
que a la vez que va andando
va derramando la primavera? [...]
(Lola La Piconera)

El personaje pertenece a la colectividad, pero destaca por algo que lo hace diferente al resto y de gente-personaje pasa a personaje individualizado.

Entre la gente de bronce que cantaba y que bebía
brillaba Lola Puñales;
era una rosa flamenca que a los hombres envolvía
igual que los vendavales. [...]
(Lola Puñales)

La gente, la colectividad puede dar de lado a alguno de los personajes, bien por una característica de su personalidad, bien por un defecto físico, pero puede llegar incluso a cometer actos de crueldad verbal y física, aún más, pueden incluso desear la muerte.

[...] -Es su madre una cualquiera-
dicen por la vecindad,
el morir más le valiera,
¡qué penita de chaval! [...]
(Amparo)

[...] Tu escalera han dao de cera
y en subir nadie consiente,
pa que seas la primera
que resbale y se reviente. [...]
Aunque nunca se la invita,
yo no sé de qué manera,
cuando hay fiesta, Manolita
se emborracha la primera. [...]
(Manolita La Primera)

[...] Sevilla madrugadora
la ve en el cierro coser

desde el filo de la aurora
al morado atardecer.
Y a través del encaje
de los visillos
esta copla le llega
como un cuchillo. [...]
Nadie le dice bonita,
nadie de amor la camela,
como un lirio se marchita
sentadita en su cancela.
Y el "aquel" de su penita
por Sevilla corre y vuela:
-No se casa esta mocita
porque tiene la carita
picadita de viruela. [...]
Uno le dijo bonita,
por él la niña se cuela
y al verla señaladita
no ha vuelto por la plazuela. [...]
(Picadita de viruela)

La colectividad puede ser acusada por alguno de los personajes de envidiosa y de querer causar un mal simplemente por el hecho de ver la felicidad en alguien y no ser capaz de soportarla.

[...] Tienen envidia de vernos así,
abrazados y alegre cruzar la ciudad,
y quisieran cortar este amor de raíz
que ellos nunca pudieron lograr. [...]
(Tema de amor)

El hecho de que alguno de los personajes acapare toda la actividad y no deje destacar al resto de la gente en algún aspecto no se perdona y como resultado encontramos coplas como:

Desde que era chiquitilla,
como es tan rabisalsera,

tos le dicen en Sevilla
Manolita La Primera.
En las bodas de tronío
se retrata ella delante,
y la esposa y el marido
van detrás, de acompañantes.
La primera en todos lados
Manolita siempre está
y se lleva en los fregados
la primera bofetá.
Y al ve a Manolita
que manda y dispone
la gente le grita
desde los balcones:
Manolita, corre, trota y galopea.
Manolita, ponte el manto y repagila,
que hay lechuzas, Manolita, en mi azotea
y te tienes que poné en primera fila.
Tu escalera han dao de cera
y en subir nadie consiente,
pa que seas la primera
que resbale y se reviente.
Mírala, qué aperreá,
pa acá y pa allá, de to se entera.
Que en Sevilla y Alcalá,
que en Jerez de la Frontera.
Donde hay papas aliñás
meterá la cuchará
Manolita La Primera.
Aunque nunca se la invita,
yo no sé de qué manera,
cuando hay fiesta, Manolita
se emborracha la primera.
La primera en los banquetes,
ella trincha, corta y raja,
y se come lo de siete
con tres platos de ventaja.

Con billetes de tercera
Manolita sube al tren,
y al momento va en primera,
¡malas puñalás le den!
Y al ve a Manolita
como una sultana,
la gente le grita
por toda Triana:
(Manolita La Primera)

Puede que uno de los personajes difunda una calumnia de otro personaje. Si el amor no es correspondido, la venganza hará que la otra persona adquiera mala fama y que nadie que no sea él la quiera. Pero todo se
puede volver en contra del personaje que difunde la calumnia. Se observa
que no son los personajes los únicos manejados, los personajes también
consiguen manejar a su antojo el comportamiento y la opinión de la gente, sobre todo, si es para desviar su atención hacia algo negativo.

[...] Paco Sanlúcar, que es un niñato
de los que a Rosa piden candela,
anda sacando los pies del plato
porque la niña no lo camela.
Y de taberna en colmado,
con muy malos sentimientos,
una copla le ha cantado
pa que se la lleve el viento.
Rosa la de los lunares
¡ay, qué penita, pena, me da!
lo mismito que su madre
deja bastante que desear.
Y confirma este murmullo
algo que dice Sevilla:
-¿A qué viene tanto orgullo?
De tal palo, tal astilla.
Conque no te vuelvas loca
presumiendo de azahares,
que ya está de boca en boca

Rosa la de los lunares. [...]
(Rosa la de los lunares)

Sevilla del novecientos; en el Café de las Flores
Esperanza la de Utrera pone a la gente de pie
y mientras baila por tientos, llora un secreto de amores
por Juan Manuel de Antequera, que no la puede ni ver.
Ella es más pura que los brillantes
y que las perlas de su collar
pero el Manolo, por mor de un cante
hasta a las piedras les dio que hablar. [...]
(Esperanza la de Utrera)

El personaje calumniado puede hacer todo lo posible para reconquistar su buena fama hasta conseguirlo. Que la colectividad tenga una mala imagen por culpa de una maledicencia no se permite como norma.

[...] Rosa la de los lunares,
escondiendo sus pesares,
en la reja lo citó;
y Francisco el de Sanlúcar
se tragó el terrón de azúcar
que la niña le ofreció.
Y a la semana Sevilla entera
lo vio por plazas y callejones,
con el semblante como la cera
y hablando solo por los rincones.
Como un cirio requemado
se apagó poquito a poco
hasta que se lo han llevado
a la casa de los locos.
Rosa la de los lunares
Tiene la fama como el cristal;
quien la lleve entre cantares
tarde o temprano lo ha de pagar.
Ya está loco y enterrado
quien la copla me inventara;

la razón se la han nublado
los ojitos de mi cara.
Y Sevilla me coloca
mi corona de azahares;
ya no va de boca en boca
Rosa la de los lunares.
(Rosa la de los lunares)

En cambio, cuando la fama es justificada el personaje se resigna, se conforma con lo que quieran llamarlo.

[...] Si alguien me pregunta que cómo me llamo,
me encojo de hombros y contesto así:
Yo soy... ésa,
esa oscura clavellina
que va de esquina en esquina
volviendo atrás la cabeza.
Lo mismo me llaman Carmen,
que Lolilla, que Pilar...
con lo que quieran llamarme
me tengo que conformar.
Soy la que no tiene nombre,
la que a nadie le interesa,
la perdición de los hombres,
la que miente cuando besa.
Ya lo sabes... yo soy ésa. [...]
(Yo soy ésa)

La colectividad se deja impresionar por el dinero y el buen nombre de una familia, pero al mismo tiempo exige más que a ninguna otra persona unas normas de comportamiento. Si una persona tiene buen nombre y dinero, la gente no permite que además pueda tener el amor que le venga en gana. El amor ha de ser ajustado a ese nombre, a esa clase social, aunque no sea verdadero amor. El nombre y el dinero no dan la completa felicidad, y no sólo eso, sino que además son el obstáculo para conseguir el amor verdadero. Sólo cuando el nombre no va acompañado de dinero la gente puede perdonar que el amor se produzca con alguien de diferente clase social. Lo que la gente no perdona es que se tenga todo: fortaleza moral, nombre, dinero y amor.

[...] Por tu hacienda y tu apellido
se te guarda devoción,
y un clavel en tu vestido
llamaría la atención.
En tus ojos se adivina
la locura de un "te adoro".
Has de ser como la encina,
ganadera salmantina
con divisa verde y oro. [...]
(Con divisa verde y oro)

Sevilla la conocía,
la vio crecer día a día
en la calle Santa Clara;
detrás de su celosía
como una flor relucía
el magnolio de su cara.
Una montaña de pretendientes
ronda que ronda, y ella que no,
y las vecinas siempre pendientes
de la cancela y el mirador. [...]
Ahí va doña Soledad,
vaya majestad
la de su persona.
Está más que arruiná,
no le queda na
más que la corona. [...]
Al suelo vino el castillo,
porque un chaval torerillo
pudo más que los blasones,
y el barrio del Baratillo,
que vio nacer al chiquillo,
adornó hasta los balcones.
No hubo en la boda ni un maestrante,

conde ni duque ni general.
-Con un cariño tengo bastante-
fue el comentario de Soledad.
Y el romance dulcemente
corre alegre entre campanas,
por el río, por el puente,
por Sevilla y por Triana:
Ahí va doña Soledad,
vaya majestad
la de su persona.
Ahí va de recién casá,
se ganó de azahar
la mejor corona.
Condesa de Valdeflores
con un Murillo y un caserón,
bandera de tus amores,
un capotillo sobre el balcón.
¿Pa qué quieres más cuartel
que el de su querer
bueno y de verdad?
Ya sé que no es un marqués
pero a ti, ¿ya qué?,
doña Soledad.
(Doña Soledad)

A la gente le gusta el cante y el baile, pero es contradictoria pues a la mujer que desarrolla esta profesión no le da buena fama. Por amor el personaje puede renunciar al cante y al baile, pero cuando el amor la traiciona vuelve a darle a la gente lo que le gusta. Es preferible tener mala fama entre la gente que respetar la fama del hombre que traiciona.

[...] Subió derecha al tablado:
-¡Aquí está La Ruiseñora
pa lo que gusten mandar!
¡Lo de ése y yo se ha acabado!
¡Vuelvo a ser la cantaora!

¡Conque vamos a cantar! [...]
(La Ruiseñora)

Es indiscutible la raíz popular de las coplas del poeta sevillano; esa cauda, clave en la literatura hispánica nunca ha sido excluida por la llamada tradición culta. El maridaje de ambas ha producido y produce textos de singular calidad. Rafael de León supo incorporar la frescura de lo popular por medio de imágenes de origen culto y de singular belleza. En este artículo queda clara la presencia del elemento más popular, el coro, la voz del pueblo, la colectividad antropomorfizada como personaje, como el gran personaje que sirve de marco contextual activo; es muy importante este valor, a la tragedia amorosa o al canto encomiástico de la tierra andaluza.

Los procesos de escritura entre
1926-1936 del corresponsal de
prensa de Alhaurín de la Torre
Sebastián Roca Ortega
en *La Unión Mercantil*

Los procesos de escritura entre 1926-1936 del corresponsal de prensa de Alhaurín de la Torre Sebastián Roca Ortega en *La Unión Mercantil*

Carlos San Millán y Gallarín

Vivir es tener siempre que hacer algo.
La vida no se me ha dado, resulta que tengo que hacérmela yo
José ORTEGA Y GASSET

Introducción

El presente trabajo viene a convertirse en un homenaje —una muestra más— a la persona de Sebastián Roca Ortega, un corresponsal de prensa (víctima de la Guerra Civil Española), a quien recientemente con la ayuda de la Concejalía de Cultura de Alhaurín de la Torre, tuve la ocasión de biografiar[1].

Por lo general, de la obra de un corresponsal de prensa de comienzos del siglo XX, se espera que sea un vademécum que viene a recoger la vida cotidiana del lugar del que se escribe. Unas crónicas que se hacen eco de todos los avatares, de lo cultural a lo religioso, pasando por lo sociopolítico, festivo, etc. Sin embargo, aunque en Sebastián Roca ese esquema se repite, su aportación periodística va mucho más allá. La herencia que nos deja, no sólo nos sirve para recrear una etapa difícil de

---

1 *Alhaurín de la Torre en La Unión Mercantil. Crónicas de Sebastián Roca Ortega (1907-1936)*. Ayuntamiento de Alhaurín de la Torre, Alhaurín de la Torre, 2008.

imaginar, sino que además muestra una pugna fortísima por la defensa de los valores éticos y morales. Rastreando sus colaboraciones periodísticas realizadas en *La Unión Mercantil*, uno se percata de que Roca Ortega no sólo nos refleja el espacio en el que se mueve y lo que ocurre en el mismo, sino que se muestra como un claro defensor y promotor de la verdad, la justicia y la religiosidad y ello dentro de un marco temporal políticamente muy difícil si tenemos en cuenta que su vida transcurre entre la Dictadura de Primo de Rivera y la II República de la que desgraciadamente fue víctima. Sus crónicas no sólo sirvieron para acercar la realidad a un pueblo prácticamente analfabeto, sino también para que el procesamiento intelectual de las capas más desfavorecidas pudiera alcanzar cotas hasta ese momento desconocidas.

Así las cosas, lo que nos disponemos a realizar a través de este sencillo y modesto trabajo es analizar las numerosas colaboraciones periodísticas —más de 250— que realizó en uno de los periódicos más importantes del primer cuarto de siglo tanto a nivel provincial, como regional y nacional: *La Unión Mercantil*[2].

1. Crónicas que denuncian la situación de un pueblo

Sebastián Roca se sirve de sus crónicas como vehículo de cruzada, portador de una única misión: reflejar y denunciar la realidad por la que pasa el pueblo, su pueblo, al que ama, quiere, siente y respeta. Y lo hace —en el espacio periodístico: "la voz de los pueblos" — tal cual lo visualiza y lo percibe, alejándose de los prejuicios que pueda tener. Así, sus primeras crónicas de prensa son plenamente objetivas.

> *Alhaurín de la Torre está en el mayor de los olvidos, a saber:*
> *El cuartel de la Guardia civil es un tabuco donde viven los individuos de*
> *dicho Cuerpo como pudieran hacerlo en el interior de un submarino; baste*

---

2 Para abundar en el conocimiento de este periódico deben consultarse las siguientes obras de J. Antonio García Galindo: a) *Prensa y sociedad en Málaga. 1875-1923. La proyección racional de un modelo de periodismo periférico*. Málaga, Edinford, 1995; b) *La prensa malagueña 1900-1931. Estudio analítico y descriptivo*. Málaga, Ayuntamiento de Málaga-Área de Cultura, 1999.

decir que se han visto precisados a destinar de dormitorio la sala de armas; el puente; de que tantas veces se ha hablado, sigue en el ostracismo y ahora en plena temporada de lluvias crea dificultades sin cuento al tránsito tanto a la entrada como a la salida del pueblo; las aguas de que se abastece la localidad no están protegidas contra los microbios y las contaminaciones; no hay matadero en regla en que se garantice la sanidad de los animales que se sacrifican para el consumo y harto de otras muchas cosas necesarias para la vida normal de un núcleo de población a los actuales tiempos.

Por otra parte, está falto de alcalde, pues aunque interinamente viene desempeñando la alcaldía el primer teniente don Cristóbal García Torés, hombre acertado como de buena voluntad, su situación no es la más adecuada para acometer la obra de regeneración constructiva que Alhaurín de la Torre reclama.

Que se le designe alcalde en definitiva, y que comience para este pueblo una era de iniciativas y de trabajos tan ansiosamente deseada por todos.

Brindo estas líneas al jefe provincial de la Unión Patriótica señor Rodríguez Muñoz, cuyo interés favorable a las aspiraciones de Alhaurín de la Torre puede ser gratamente decisiva[3].

Del mismo modo Sebastián Roca considera, en el contexto social y temporal en el que vive, que la crónica es el único medio a través del cual puede conseguir llamar la atención y así poder experimentar mejoras para los vecinos de su pueblo. Vean como estamos en lo cierto cuando escribe:

Desde hace algún tiempo viene observándose en este pueblo una considerable escasez de leche.

Los dueños de cabras y abastecedores en general, ante la demanda insatisfecha de artículo tan necesario como la leche, han determinado subir los precios.

---

3 *La Unión Mercantil*, miércoles 7 de noviembre de 1928, p. 5. (Todas las crónicas que se citan en el presente estudio toman como referencia la fuente en la que aparecieron. De cualquier modo, todas ellas están recogidas en el libro mencionado en la nota 1.).

En Alhaurín de la Torre hay unas 2.000 cabras en explotación que produ-
cirán muchos centenares de litros de leche, pero es el caso que se la llevan a
Málaga y a otras localidades cercanas.

No es justo que los vecinos de Alhaurín de la Torre sean víctimas de la nece-
sidad y debiera procurarse por la autoridad correspondiente que aquellos
quedasen surtidos en primer lugar aunque luego todo el sobrante saliera a
venderse a otras partes[4].

Y además esas crónicas no caen nunca en el olvido, sino que repiten
su denuncia contribuyendo así a que la petición sea más fuerte y se haga
extensa a toda la población:

No hace mucho, publicó nuestro periódico la escasez de leche que había
en este pueblo, fue dirigido al señor alcalde don Francisco de los Santos un
escrito lamentándonos de la falta de leche y aún no sabemos si les darán
solución a este problema, pues llevamos varias semanas en espera de que
se resuelva[5].

Para Roca Ortega, la crónica periodística se convierte en el único
vehículo desde el que poder denunciar la realidad. Y a él acude continuamente para exponer las carencias que presenta Alhaurín de la Torre
con el único fin de hacerse escuchar y así esperar posibles soluciones
a los problemas denunciados. Su forma de escribir la realidad es muy
elegante, sin acritud, sin herir a nadie, en clara defensa hacia los más
pobres y desfavorecidos y dejando, en consecuencia, a los políticos en
entredicho. Así se comprueba cuando recoge:

Sigue escaseando la leche en esta barriada. A pesar del escrito que se dirigió
al alcalde, la leche sale de aquí y es vendida a otra parte.
Con respecto al pan hay mucho que decir también. Sabemos que el precio
de la harina ha bajado.

---

4 *Idem*, viernes 6 de septiembre de 1929, p.13.
5 *Idem*, sábado 28 de septiembre de 1929, p. 3.

*Sin embargo el del kilo de pan sigue a 65 céntimos. Además, aquí en Alhau-
rín de la Torre, sufrimos lo de la falta de peso. Hace unos días un vecino
compró un kilo y le faltaban 150 gramos.*

*El aceite cuyo valor ha descendido en Alhaurín de la Torre, está tan caro
como antes.*

*¿Tendrán solución estos pequeños problemas tan grandes para la casa
del pobre?*[6]

2. El amor a la verdad de prensa

El corresponsal Roca Ortega no conoció los estudios de periodismo que hoy se cursan en las numerosas universidades que existen en
España y, aún menos, pudo acceder –casi con seguridad– a la lectura de
algunas de las cabeceras que por entonces se editaban en nuestro país.
Sin embargo, como periodista de raza, Sebastián Roca se convirtió en un
cronista que amaba la verdad, y que recogió en sus crónicas lo que pre-
viamente había recogido al pie de la noticia, en la calle, en el lugar de los
hechos. Así pues, estamos ante un mayor y mejor periodismo de investigación si llegamos a tener en cuenta los medios con los que contaba.
Para muestra de lo que decimos lean la crónica del domingo 12 de febrero de 1933 cuando tras el titular "Un muerto que ha resucitado" aclaraba
la noticia diciendo:

*Con motivo de los temporales que en estos días hemos tenido, circuló unos
rumores en este pueblo que el cortijo de Santa Águeda del término municipal
de Campanillas, y en propiedad de don Francisco Aguilar Gajete, se había
ahogado, en las inmediaciones del río de Campanillas, el vecino de este pueblo que se encontraba trabajando Francisco Martín Benítez, de treinta años
de edad. Seguramente había de dar esta mala noticia, una mala lengua. El
que suscribe enterado de esto, acudió prontamente a tomar informaciones
de estos rumores y pudo averiguar que nada ocurría. Desde luego el susto y
el más rato lo pasó la familia. Desmiento rotundamente tales rumores*[7]

---

6 *La Unión Mercantil*, miércoles 23 de octubre de 1929, p. 11.
7 *La Unión Mercantil*, domingo 12 de febrero de 1933, p.14.

Pero la búsqueda de la noticia para luego realizar la crónica, había sido toda una constante en la forma de ser y actuar del corresponsal Roca Ortega. Una forma de ser que había experimentado desde sus comienzos, cuando escribe sólo aquello que ve, siente y corrobora con una total y absoluta transparencia en primera persona. De ello estamos en lo cierto cuando nos retrotraemos en el tiempo y acudimos a la crónica del 28 de marzo de 1928, en la que recoge:

> Por encontrarse nuestro estimado párroco en cama, aunque mejorando, nos encontramos en estos momentos sin un padre de alma; sin un sacerdote que pueda prestar todos los auxilios espirituales; sin un ministro que pueda celebrar misa en los días festivos; y sin un cura que pueda presidir entierros y demás actos religiosos.
>
> A las seis de la tarde del día 25, procedente de Coín, pasó el excelentísimo señor obispo por este pueblo, en dirección a la capital, y en el momento de cruzar un entierro. Al instante S. I. se apeó del coche y rezó un responso por el alma del difunto. Terminado este acto, todo el acompañamiento besó a S. I el anillo pastoral, y fue despedido cariñosamente. En la carretera, le esperaba el corresponsal que suscribe con algunos jóvenes y numerosos grupos de niños y niñas y al frente de la bandera de la Hermandad de San José.
>
> El corresponsal conversó breves momentos con el ilustre viajero, y el señor obispo prometió enviar un sacerdote. Terminado esto, fue despedido S. O. con vítores[8].

Finalmente, cabe señalar que este calificativo de amor a la verdad de prensa, recogiendo en primera persona lo que posteriormente escribe, es extensible a cualquier manifestación, suceso o hecho del que el corresponsal es -en ocasiones- parte implicada. De ello estamos totalmente en lo cierto cuando leemos en una crónica bajo el titular "A los toros", cuanto sigue:

> Numerosas personas de este pueblo, entre ellas el alcalde señor García, el médico don Pedro García-Valdecasas; don José Luque; don Francisco García, don Francisco Fernández, don José Garrido, y el que suscribe, después

---

8 La Unión Mercantil, miércoles 28 de marzo de 1928, p. 11.

de celebrarse la procesión y el "lunch" marchamos a Málaga y asistimos a la
corrida de toros haciendo el regreso muy cansados, a las ocho y media[9]

3. El fervor religioso de Sebastián Roca

El hecho religioso es una constante en la vida de Roca Ortega. Desde muy pequeño su labor de monaguillo en la iglesia de San Sebastián de Alhaurín de la Torre y posteriormente la de sacristán dejan una profunda huella que aparece reflejada en buena parte de las crónicas que escribe. En las que aborda el hecho religioso, aquellas se presentan de forma suntuosa. Sebastián Roca no ahorra esfuerzos en sus sentimientos, y así escribe con un profundo halo de subjetividad donde el único objetivo es dejar patente la fe en Dios. Y ello se refleja, no sólo cuando alude a fiestas religiosas de lo más diverso como el Corpus o la Semana Santa, sino también cuando relata cualquier oficio desarrollado en la parroquia de San Sebastián. Así bajo el titular "Triduo misional", escribe:

> Con gran solemnidad se ha celebrado en este pueblo en los días 18,19, y 20 del actual un solemne triduo preparación de la fiesta Misional. El domingo a las ocho de la mañana se verificó la comunión de los niños y niñas de las escuelas, y de muchos más; cuyo número no bajaría de ciento treinta. A las nueve en punto, tuvieron los niños su procesión, en la que llevaban vistosas banderas y en andas al niño Jesús y a la Inmaculada.
> La procesión resultó solemnísima y durante ella fueron disparados muchos cohetes y bombas. A continuación se celebró la misa que estuvo concurridísima y una vez terminada el párroco pronunció una plática sobre la caridad que debemos tener para con los misioneros, contribuyendo a su obra con nuestras oraciones, comuniones y limosnas[10].

Para Roca Ortega, la crónica es el único medio con el que cuenta y, en consecuencia, el único con el que propagar la fe en Dios. Así, cualquier celebración religiosa que se celebraba en la iglesia era motivo más que

---

9 *La Unión Mercantil*, martes 4 de junio de 1929, p. 3.
10 *La Unión Mercantil*, miércoles 24 de octubre de 1928, p. 11.

suficiente para realizar una crónica. Y así ocurre en numerosas ocasiones, como en "La Fiesta de Cristo Rey":

> *Con gran solemnidad se ha celebrado en este pueblo la gran función religiosa en honor de Cristo Rey. En la Iglesia parroquial se dijo Misa cantada con exposición de Su Divina Majestad y a continuación del Santo Evangelio, nuestro amado párroco dirigió la palabra a los fieles explicando la grandeza de la fiesta.*
>
> *A continuación de la Misa y antes de la Reserva, se hizo acto de consagración a Jesús Sacramentado; y después de la Reserva, terminó la fiesta con vivas a Cristo Rey[11].*

Ese patrón del hecho religioso lo aplica Sebastián Roca —como decíamos más arriba— en cualquiera de las crónicas periodísticas que realiza. Sin embargo, es al mencionar los cultos que se llevan a cabo durante la Semana Santa cuando de una manera más férrea se pone de manifiesto su fervor cristiano en el desarrollo escriturario. Vean al respecto la crónica de 27 de marzo de 1929:

> *Con toda solemnidad se ha celebrado en este pueblo, un solemne septenario a Nuestra Señora de los Dolores, con los ejercicios siguientes: Santo Rosario, cántico de los siete dolores, letanías y sermón por nuestro estimado párroco. El viernes último, festividad de la Dolorosa, por la mañana, a las nueve tuvimos una gran función religiosa, y a las ocho de la noche, dio por terminado el septenario con los ejercicios de costumbre y el Stabat Mater. La Cofradía Dolorosa, el párroco y las jóvenes cantoras, han recibido muchas felicitaciones. La concurrencia a estos actos ha sido numerosísima[12].*

De igual modo, en crónicas como la que desarrolla bajo el titular "Las Misiones Eucarísticas", Sebastián Roca no ahorra esfuerzos para arrojar halagos por el esplendor con el que se desarrollan la funciones religiosas en nuestro pueblo. Así, con motivo de la llegada a Alhaurín de la Torre del misionero Bartolomé Payeras en noviembre de 1929, Roca escribi-

---

11 *La Unión Mercantil,* martes 30 de octubre de 1928, p. 10.
12 *La Unión Mercantil,* miércoles 27 de marzo de 1929, p. 11.

rá en La Unión Mercantil "Las Misiones Eucarísticas", una crónica que resalta tanto la energía y la fuerza con la que se celebran los actos en el interior del tempo , como la vitalidad con la que los escribe:

El domingo 17 del actual a las 9 de la mañana se celebró el santo sacrificio de la misa y nuestro estimado párroco don Wilibaldo Fernández Luna, en una breve plática, que dirigió a los feligreses, manifestó que para el jueves próximo, día 21, llegaría un misionero eucarístico, con objeto de dar tres días de misión. Dicho domingo llegaron varias señoras con el propósito de dar mayor aviso al pueblo para mayor cumplimiento de los actos que habían de celebrarse. El pueblo entusiasmado por tan deseada misión, oyó con gusto las pláticas de nuestro párroco, ofreciendo asistir a cuantos ejercicios se celebrasen. Llega el día esperado y a la una de la tarde llegó procedente de Málaga el virtuoso padre misionero don Bartolomé Payeras.

Salieron a recibirlo el párroco, el alcalde don Francisco de los Santos, los concejales, los maestros y maestras nacionales, el médico titular y una nutrida comisión de señoras, señoritas y caballeros. Poco después nos dirigimos al hermoso templo parroquial, en donde se rezó una visita a Jesús Sacramentado, y a continuación todos los congregados, dando las gracias al recibimiento.

La santa misión duró tres días, celebrándose por las mañanas catequesis para los niños y niñas, y por la tarde conferencia por los señores y señoritas; por la noche, rosario cantado y a continuación sermón por el referido padre.

El sábado por la tarde se celebraron las confesiones y a la mañana siguiente se acercaría a la Sagrada esa a recibir el pan de los ángeles numerosos niños y niñas y personas mayores.

El padre misionero nos ha demostrado, desde le púlpito que va sumamente satisfecho del cumplimiento de los hijos de Alhaurín de la Torre.

El domingo a las cuatro de la tarde marcho el P. Payeras siendo cariñosamente despedido.

Felicitamos al misionero eucarístico, a nuestro párroco y a la distinguida señora María del Sagrario[13].

---

13 *La Unión Mercantil*, viernes 29 de noviembre de 1929, p.14.

Pero si hay una crónica que ejemplifica como ninguna otra la fuerza y el valor por la defensa de todo el hecho religioso, no cabe duda que es la que Sebastián Roca escribe en marzo de 1932. Y, lo es, además, por partida doble. De un lado, por el momento en el que se escribe -en el periodo inicial de la República- y de otro, por abordar el hecho de la Semana Santa un año más tarde del incendio y saqueo de la iglesia de San Sebastián en el que fueron destruidas todas las imágenes. A pesar de ello, la pluma de Sebastián Roca se presenta con más fuerza que nunca, denunciando los destrozos de 1931, y exaltando el fervor de un pueblo a pesar de los sucesos acaecidos. Y todo ello por el amor que pone en la fe católica. Así, bajo el titular "La Semana Santa" escribe:

> *A pesar de encontrarse nuestro hermoso templo parroquial destrozado desde el 12 de mayo, casi todos sus altares y retablos destruidos, las preciosas imágenes desaparecidas por el fuego enloquecedor de la turba, puedo afirmar y decir en voz alta, que la Semana Santa en Alhaurín, mi pueblo natal, este año ha superado a la de años anteriores.*
>
> *La animación y entusiasmo han sido extraordinarios; la asistencia de los fieles a los oficios y actos religiosos, como nunca. El monumento levantado en el altar mayor, más engalanado y lucido que los anteriores, y especialmente la fe, más viva y fuerte que nunca. Los católicos de este pueblo quedamos muy satisfechos por la Semana Santa; que bien podemos decir que ha sido santa y de recogimiento, lo que otros años ha sido orgullosa de compromiso y de diversión. Muchos fieles que en los años anteriores asistían a los oficios, asistían por compromiso, de las representaciones oficiales del Ayuntamiento y por oír la banda de música; pero este año ha sido recogimiento y santidad.*
>
> *La función religiosa, la procesión al Monumento, la Adoración de la Cruz, y todos los oficios se han celebrado con más emoción y recogimiento. Justo es consignar lo mucho que colaboraron a esta obra, nuestro virtuoso párroco don Luís Soto y varias señoritas piadosas. Sigamos, pues, adelante y no volver la vista atrás[14].*

---

14 *La Unión Mercantil,* jueves 31 de marzo de 1932, p. 14.

4. La crónica social

Desde las páginas de La Unión Mercantil, Sebastián Roca se erige en claro exponente y defensor de la crónica social de su pueblo. Los nacimientos, defunciones, bodas, comuniones o la llegada de un nuevo maestro a la localidad, amén de cualquier otro suceso, son noticias más que relevantes para el pueblo alhaurino. Y así, Sebastián Roca, con un lenguaje sencillo y claro, que narra lo que acontece, sin dejar la anécdota al margen, nos presenta una serie de noticias que actualmente nos permiten comprobar las numerosas transformaciones que se han producido en los comportamientos de la sociedad. Así, la crónica "Muere un hombre a consecuencia de una caída" es un buen ejemplo de cuanto afirmamos:

> *En la mañana del día 24 a las diez y media se ha registrado un suceso del que resultó ser víctima Tomás Márquez Gómez, de treinta años de edad, de estado casado y con hijos.*
>
> *Este suceso ha ocurrido en la forma que se expresa:*
>
> *El desgraciado Tomás marchaba diariamente a la casa de los señores Rodríguez (don Juan) con objeto de hacer la matanza de cerdos a que diariamente acostumbraba.*
>
> *Hallándose en dicha faena, resbaló hacia atrás, con tan mala suerte que cayó al suelo sin conocimiento.*
>
> *Inmediatamente se presentaron los señores de Rodríguez y mandaron aviso al médico titular[15].*
>
> *Este reconoció a Tomás apreciándosele la fractura de la base del cráneo y conmoción cerebral.*
>
> *El herido fue trasladado en el "auto" de los señores Rodríguez al Hospital Provincial de Málaga.*
>
> *Momentos después de llegar a dicho centro, por teléfono supimos que el desgraciado Tomás dejaba de existir.*

De la misma forma cualquier actuación de organismo o entidad se convertía en noticia social que Sebastián Roca trasladaba como cró-

---

15 *La Unión Mercantil*, viernes 27 de julio de 1928, p. 12.

nica a La Unión Mercantil. Bajo el titular "Excursión" escribe en abril de 1929:

> El Jueves y Viernes Santo, después de las procesiones marchó a Cártama y Torremolinos la notable banda de música de este pueblo, con objeto de asistir a las procesiones que tenían que celebrarse en dichos pueblos. El viaje y la estancia en dichas localidades les fueron gratos, regresando a esta de madrugada[16].

De igual modo, como mencionábamos más arriba, cualquier vecino de Alhaurín que se desposaba se convertía de inmediato en noticia, hecho que nuestro corresponsal trasladaba a la redacción para su conocimiento. Así bajo el titular "Una Boda" Sebastián Roca relata:

> El viernes anterior, día 24, a las diez de la noche y ante el altar mayor de nuestro hermoso templo parroquial, tuvo lugar el enlace matrimonial de la bellísima señorita Isabel Rocha Castillo con nuestro buen amigo don José Ramos Rueda.
>
> La novia iba guapísima, pues lucía un lujoso vestido negro y magnífico velo blanco, y las emblemáticas flores de azahar.
>
> La bendición matrimonial fue dada por nuestro virtuoso párroco don Wilibaldo Fernández Luna.
>
> Apadrinaron a los contrayentes don Francisco Rueda García y su esposa doña María Padilla.
>
> Después del acto los numerosos invitados pasaron al domicilio de la novia, en donde fueron espléndidamente obsequiados.
>
> Concluido el convite, los nuevos esposos marcharon en automóvil para la capital.
>
> Les deseamos pasen con toda felicidad la luna de miel[17].

Y en la misma línea se encuadra -como otras muchas- la crónica que envía al periódico con el titular "Entusiasmo General por el Hallazgo de los Aviadores". Una crónica que viene a poner de manifiesto cómo

---

16 *La Unión Mercantil*, jueves 4 de abril de 1929, p. 5.
17 *La Unión Mercantil*, martes 28 de mayo de 1929, p. 13.

cualquier suceso servía de acicate para la celebración de una fiesta en el pueblo:

> *En la tarde de 29, próximo a las siete tuvimos noticia de que habían sido encontrados y salvados los aviadores del <Dornier 16>, Franco y sus compañeros.*
>
> *Enseguida corrió la grata nueva por este pueblo y las campanas de nuestra parroquia se echaron a vuelo, dando muestras de júbilo por tan afortunada noticia.*
>
> *La nueva Banda de este pueblo, demostrando una vez más el cariño por su pueblo, y la alegría de que era objeto nuestra amada España, recorrió las calles tocando escogidas piezas y detrás de ella el pueblo dando vivas a España, a los aviadores y a Inglaterra.*
>
> *En esa misma noche se organizó una verbena[18].*

5. Sebastián Roca y la Justicia

Como hemos visto más arriba, todas las crónicas de Roca Ortega se presentan impregnadas de elementos comunes como lo social, lo religioso y lo cotidiano. Sin embargo, cuando aborda el tema de la política continuamente clama por la petición de justicia. De un lado, porque desde muy joven había sentido una gran atracción hacia los temas de la judicatura (téngase en cuenta que con escasos 20 años repartía las citaciones del Juzgado Municipal de Alhaurín de la Torre y que en 1931 empezó su preparación para obtener una plaza por oposición de secretario de Juzgado)[19] y, de otro, porque continuamente —durante el periodo de la II República— no dudó en ningún momento en denunciar los continuos abusos que cometían los integrantes de la corporación municipal. Sebastián Roca, hombre profundamente monárquico y de fuertes convicciones cristianas, denunció en todo momento a través de sus crónicas los desmanes que cometía la corporación republicana. Por entonces,

---

18 *La Unión Mercantil,* martes 2 de julio de 1929, p. 11.
19 Sobre este tema véase el capítulo 3 "Su vinculación con la Justicia" del libro *Alhaurín de la Torre en La Unión Mercantil. Crónicas de Sebastián roca Ortega (1907-1936), Op. Cit.*

lo hizo con un lenguaje fuerte, directo, sin ahorrar calificativos, mostrando a las claras las desavenencias que tenía con los gobernantes en el poder. Así, bajo el titular "Desde Alhaurín de la Torre para el Gobierno Civil de Málaga" no ahorrará esfuerzos en demandar justicia escribiendo:

> (...) Es de ley y justicia que cuando se va a celebrar un bautismo, los niños instigados por personas mayores, ha de capear a la familia, han de apedrear a la iglesia, y a la casa de los padres, y hasta tirarles piedras a las familias? ¿Es de justicia que cuando se celebra un entierro y va la parroquia, los niños hagan burla de las autoridades eclesiásticas? Tampoco es de justicia que cuando se celebra un matrimonio canónico dentro de la ley los niños insulten a los contrayentes. Yo creo que todas estas cosas son coacciones que están penadas dentro de la ley. Pero V. E. me perdone: lo más importante es que nos quejamos a la Guardia civil, y ésta verdaderamente no es la llamada a intervenir en estos casos. Fuimos al señor Alcalde, y éste no dijo lo mismo con que a nuestro parecer no hay autoridad. ¿Para qué dicen que hay alcalde? A mi juicio, el que no es compatible no debe mandar nada más que en su casa si sabe dirigirla. Digo esto, porque en los casos mencionados algunos católicos se decidirán a defenderse contra algunos enemigos. Yo, en nombre de los católicos de este pueblo, espero del Excmo. Sr. Gobernador Civil las disposiciones de justicia[20].

Son numerosas las crónicas en las que recurre al tratamiento de la justicia para así poner en tela de juicio el gobierno desarrollado durante el periodo republicano. Así ocurre en la crónica cuyo titular "Las arbitrariedades que se cometen" refleja ya el desencuentro con la política desarrollada:

> Dos palabras solamente para no molestar a nuestros amables lectores y sí para que conozcan las arbitrariedades que se cometen en este pueblo. El señor alcalde ha excluido de las listas del Censo Electoral a centenares de ciudadanos, y esto es una injusticia de la que protestamos enérgicamente. No han sido expuestas las listas al público; y cuando algunos han hecho la reclamación, han dicho en el Ayuntamiento que las listas ya están en Málaga. Recordamos muy bien que se prorrogó la exposición de las listas,

---

20 *La Unión Mercantil*, sábado 2 de enero de 1932, p. 3.

*para que aquél que no hubiese reclamado lo hiciera; se presentaron muchos
a hacer la reclamación contestándoseles en el Ayuntamiento que no habían
vuelto las listas de Málaga.*

*Es imposible que aceptemos estas arbitrariedades caciquiles. Denunciamos
desde estas columnas a quien corresponda, como ya precisamente se ha hecho en la Junta provincial del Censo; y si existe justicia, se nos conceda; pues
aquí por lo visto, en nombre de la Libertad se cometen bastantes injusticias.
Esperamos ser atendidos[21].*

Destacando también su amor a la justicia cuando en una noticia que
titula "¿Qué haremos con los pagos de tributos al Estado?" afirma:

*(...)Yo expreso como puedo mi sentir; yo cuando hablo en público o por
medio de la Prensa, digo la verdad, y si para otro es lo contrario, ahí están
los Tribunales; que denuncien y que hagan cuanto quieran. No es de justicia, querido lector, que centenares de ciudadanos de este pueblo hayan sido
dados de baja en las listas del Censo electoral[22].*

Pero si hay una crónica periodística en la que nuestro protagonista se
muestra más mordaz utilizando un lenguaje directo con el que expresa
una fuerte crítica es la que recoge bajo el titular "La libertad y la justicia
pisoteadas y por el suelo". Firmada el 30 de diciembre de 1932, vio la luz
en la prensa el 13 de enero de 1993 y en la misma se leían frases como:

*(...) Todos los ciudadanos somos atropellados y víctimas del caciquismo que
reina en este pueblo. Si las autoridades de Málaga oyen éstos lamentos, ¿cómo
no acuden a hacer justicia? (...) Autoridades republicanas no habladni decir
que los monárquicos desacreditan el nuevo régimen. Qué quienes verdaderamente lo desacreditan y echan abajo, son cuatro autoridades republicanas como las que existen en este pueblo. ¿Y queréis conservar la República?
¡Cómo! Por medio de la Prensa protestamos de la conducta de este alcalde y
esperamos que las autoridades competentes acudirán a darnos la justicia sí*

21 *La Unión Mercantil*, miércoles 7 de diciembre de 1932, p. 13.
22 *La Unión Mercantil*, sábado 10 de diciembre de 1932, p. 16.

somos acreedores. Por último, lector. ¿Hay libertad y justicia o no la hay? En
este pueblo no, porque está mandado por cuatro monterillas caciques[23].

Para entonces, Sebastián Roca mostraba en sus escritos la dura batalla que tenía entablada con las autoridades republicanas a las que acu-
saba en numerosas crónicas de las arbitrariedades que cometía con el
pueblo. Desgraciadamente, aquellas crónicas en las que mostró siempre
un exacerbado rechazo al gobierno republicano le costaron la vida. Fue
asesinado en la madrugada del 23 de agosto de 1936. Con él se apagaba
la voz más viva del pueblo. Atrás quedaban sus crónicas, manteniéndo-
se, en su mayoría, en el olvido hasta abril de 2008 cuando se recogieron
en el libro *Alhaurín de la Torre en La Unión Mercantil. Crónicas de Sebastián Roca Ortega (1907-1936).*

Conclusión

A través del recorrido por la producción escrituraria de Sebastián Roca
en forma de crónicas hemos comprobado el profundo compromiso que
el autor tuvo con su pueblo. Lo hizo de la forma más sencilla, pero a la vez
profunda, viviendo y siendo testigo en primera persona de los hechos que
posteriormente narraba de forma totalmente objetiva. Sin embargo, en
los temas religiosos mostraba un profundo halo de subjetividad. Su fuerte
convicción religiosa hizo que en los temas de la iglesia sus crónicas fue-
ran un vehículo de propaganda a favor de la iglesia y de los valores cris-
tianos. Sea como fuere lo cierto es que Sebastián Roca, con sus crónicas
se convirtió en una de esas personas que dedican parte de su quehacer
diario a mostrarnos los momentos en los que viven. Y esos momentos,
actualmente, son verdaderos retazos de nuestra historia, presentándose
como un legado de incalculable valor para esta localidad.

Realizó una perfecta simbiosis mezclando su lenguaje sencillo con
un espíritu profundamente cristiano y así fue capaz de arrojarnos un
importante volumen de crónicas en las que su lectura nos presenta la

---

23 *La Unión Mercantil*, viernes 13 de enero de 1933, p. 13.

cotidianeidad de Alhaurín de la Torre en los años que van desde 1927 a 1936. Así pues, sus gentes, su vida, su religiosidad, su día a día son presentadas en un importante número de crónicas donde el verbo sencillo no exime de una percepción tan profunda como la que Sebastián Roca hace de su pueblo. Roca Ortega amó a su pueblo, lo respetó profundamente y lo enalteció como suyo. Hoy su lectura nos impregna a todos y nos hace ser testigos de una época inimaginable para muchos.

La lírica de Manuel Alcántara.

Primera época

La lírica de Manuel Alcántara. Primera época

Francisco Morales Lomas

Manuel Alcántara inicia su trayectoria poética a los veintitrés años en el sexto recital de la III Serie de lecturas poéticas del Café Varela de Madrid, que se denominaban "Versos a medianoche". Y entre 1951 y 1953 será asiduo del Café Lira y del Café Molinero donde conocerá a Rafael Azcona, Rafael Montesinos, Federico Carlos Sainz de Robles, Meliano Peraile... Unos años en que empezó a configurarse la denominada segunda generación de postguerra de la que no se puede desligar a Alcántara como también lo afirma García Martín en su obra *La segunda generación de postguerra*.

Pero es a los 27 años cuando se produce su estreno poético y publica *Manera de silencio* (1955), con el que obtiene el Premio de poesía Antonio Machado que concede la revista *Juventud*, considerado el equivalente a lo que será el Premio de la Crítica al año siguiente y figurará como poeta destacado en la *Antología de la poesía española 1955-1956* de Rafael Millán comenzando a colaborar en *Juventud*.

En 1958 publica *El embarcadero*, al que le seguirá *Plaza mayor* (1961), con el que obtuvo el accésit del Premio Nacional de Literatura, premio que conseguirá en 1963 con su siguiente libro, *Ciudad de entonces* (1962), aunque un año antes Jiménez Martos lo incluyera ya en *Nuevos poetas españoles*. Sin embargo, no publicará una nueva obra de poesía hasta la década de los ochenta. En 1972 existe un tránsito y se recupera su obra poética, que se hallaba inencontrable, en la antología poética *La mitad del tiempo*.

Pero no será hasta 1983 cuando se inicie su segundo periodo poético que lleva a la publicación consecutiva de tres libros de poesía que había escrito durante los veinte años anteriores: *Anochecer privado* (1983), *Sur, paredón y después* (1984) y *Este verano en Málaga* (1985), con el que alcanzó el Premio Ibn Haydún. El mismo año que publica *Antología poética (1955-1985)*. Su última obra lírica, la octava, es de 1992 y lleva por título *La misma canción*. Desde entonces no ha publicado ninguna obra. En 2002, conmemorando los diez años de su última publicación, el profesor Gómez Yebra publicó su antología titulada *Poemas (1955-2000)*, publicado por la Universidad de Málaga.

Estos silencios en la obra poética de Alcántara se justifican, a mi modo de entender, por la concepción de una creación que nace de una necesidad: el poeta accede realmente al hecho poético cuando lo cree necesario (es mi hipótesis de trabajo; constatada recientemente en un almuerzo con el escritor donde recordaba la conocida cita de Rilke de la poesía como acto necesario), pero también (creo) a la tiranía de la columna periodística.

Sin embargo, ¿a qué se debe que no se hable más del Alcántara poeta y sí del Alcántara periodista? Lo explicaba Alfonso Canales de esta guisa:

> *Puede que al poeta le quepa en ello alguna culpa. En su mano ha estado siempre bullir donde se cuecen las antologías y editar o reeditar en las colecciones de moda. No ha querido, quizá por el legítimo orgullo de quien se sabe por encima del nivel de los que se mueven, con más desenvoltura que mérito, en esos ámbitos tan escasos de verdaderas voces. Y sabedor de que ha alumbrado ya una obra memorable, ha optado por permanecer al margen de la política poética y por derramar en la prosa periodística de su columna diaria algo de lo que rebosa su poesía[1].*

También la absorbente labor de columnista diario lo explicaría pero en última instancia sus propias palabras: «La poesía viene cuando quiere y el artículo tiene que venir cada día».

---

1 Canales, A. (2003): "Un altísimo poeta" en *Manuel Alcántara*, Ateneo del nuevo siglo, núm. 4, enero, pp. 16-21[17].

La lírica de Manuel Alcántara es nostálgica, neorromántica, cernudiana, filosófico-vital, senequista —y, por tanto, estoicista, en la línea
quevediana—, metafísica, a veces; musical, heredera del modernismo
en su musicalidad y del noventayochismo en su densidad vitalista, donde muestra las grandes raíces de lírica intemporal: la vida, la muerte,
Dios, la tierra, el paso del tiempo. Son los temas frecuentes y en un plano
secundario otros no menos baladíes: el mar, la nostalgia de lo perdido, el
olvido, la presencia de lo perecedero...

Alcántara domina con fluidez el soneto, los metros endecasílabos,
octosílabos y heptasílabos, base de su poesía, pero también las cuarte-
tas, los tercetos, los tercetillos, los versos asonantados y todo ese flujo que
procede del cante flamenco en una línea que llegaría directamente de los
hermanos Machado y se adentraría en escritores como José Luis Estrada.

Decía que a los veintisiete años publica su primera obra, *Manera de
silencio* (1955). En una década caracterizada por la preponderancia de
una gran línea teórico-literaria: el realismo social o realismo crítico.

La lírica de Alcántara será entonces una poesía comunicativa, pero
en la que existe un proceso de interiorización, una evolución personal y
vivencial que le aproxima mucho más a la autonomía de corte ascético-
místico que a la proyección social de la lírica que se lleva a cabo en esos
momentos. Aunque también llama profundamente la atención la fisca-
lización de los problemas de la existencia (que tan de moda estaban por
otra parte en Europa entonces, desde la influencia que tiene la filosofía
sartreana entre otras), en el profundo discurso interior, en lo trascendente
del mismo, muy sugestivo para una persona que escribe su primer libro.

En *Manera de silencio* el escritor organiza ya su mundo y gran parte
de las claves de lo que va a ser toda su lírica posterior, sustentada sobre
una serie de principios o vectores de pensamiento y emotividad, y sobre
una estética directa y confidencial precisa que va desde el endecasílabo
(a través del soneto) hasta la unificación de versos endecasílabos y heptasílabos con afán narrativo-descriptivo y conceptual. Partiendo de la
anécdota personal y vivencial, de su particular visión del mundo exterior
y de las claves de la conciencia reflexiva, se transciende a nivel simbólico. Entre esos vectores trascendentes figuran el concepto de hombre
como profesión; la constante presencia de Dios como problema, como
duda, como imposibilidad; la fugacidad de todo lo perecedero según la
máxima del *tempus horribilis fugit*; la pesadumbre vital; la presencia de

los elementos cotidianos; la necesidad de definir su actitud ante la existencia y la introspección interior, la constante presencia de la muerte, la mirada interior... Una lírica de corte eminentemente emotivo, elegíaco, vital,... que se irá construyendo desde una visión realista del hecho poético pero transformado con los recursos expresivos que connoten y modifiquen su percepción de las cosas, bien para ampliarlas, bien para minimizarlas en un afán siempre innovador.

Manera de silencio desarrolla dos conceptos básicos: la organización del mundo propio, sus premisas y la afectación de lo exterior en el interior y en su orden de valores; y, por otra parte (desarrollada básicamente en el apartado II), la omnipresencia de Dios como solución pero también como problema.

A la vez que proclama su entorno vital sobre el que construye sus ideas:

1. El olvido.
2. La dicotomía niño (alegría)/ yo actual (ser indefenso que va pereciendo).
3. El ser hombre como profesión.
4. La búsqueda de la esperanza.
5. La constante presencia de Dios (como conflicto y enigma):

> *Cuerpo a cuerpo con Dios se está vendido*
> *y a gritos no se alcanza.*
> *(...)*
> *Y cuando el alma suena es que a Dios lleva.*
> *(...)*
> *Que se irá mientras hacen las estrellas*
> *propaganda de Dios, allá en el cielo.*

6. La fugacidad temporal.
7. La aflicción existencial: "Ser hombres es una larga historia triste/ y un día se acaba".
8. Su lucha doliente por resolver la eterna duda y disfrutar la esperanza y el amor.

La complementariedad llega desde el naufragio vital y la traslación de la pena interior inclusive hacia la propia naturaleza, el dolor de la existencia, el dolor de estar vivos. Un aire elegíaco y desgarrador ante el vivir, aunque persiste la necesidad de levantarse desde ese hundimiento interior. No se conforma Alcántara con que la existencia sea la condena cotidiana, y en sus palabras asoma un aire de rebeldía juvenil, una necesidad de explicación permanente ante lo que considera una impostura, una arraigada zozobra

En ese tránsito atormentado y dolorido, los símbolos que la literatura ascético-mística despliega surgen entonces como un intento de alcanzar la bonanza, la claridad humana y vital. Pero su postura, aunque creyente, es permanentemente agónica y unamuniana. La duda lo acomete, lo solivianta y lo eleva por caminos diversos sin hallar nunca la respuesta. Lo que le conducirá al desconcierto vital. Esta falta de respuesta, este silencio clandestino de la divinidad hacen que el ser humano viva enajenado, apocado, extraviado, buscando las respuestas que sus límites humanos no le darán.

Plaza mayor, el libro con el que inaugura la década de los sesenta, es un excelso canto a España, a sus gentes, a su geografía, a su idiosincrasia en una línea trascendente que llega desde los grandes motivos y temas de la Generación del 98, teniendo como especial subtexto muchas de las conspicuas ideas que había desarrollado en su poética Antonio Machado en *Campos de Castilla*. Son múltiples las veces que va nombrando a España en este recorrido que va de Norte a Sur y de Este a Oeste, desde Cantabria hasta el Rincón de la Victoria y del Noguerra Pallaresa hasta Extremadura. Unas palabras en las que está presente también el espíritu de Unamuno y la tribulación de los noventayochistas que repudian esa España sórdida, esa España "guerracivilista", y ensalza, en cambio, las bondades de un país, la geografía, el paisaje, la angustia ante el paso del tiempo, la denuncia de la miseria, el desaliento y la oquedad, son permanentes nociones que desarrollan básicamente una poesía con un arquetipo socializador y adecuadamente humana.

Con esa tendencia que, a veces, existe en los poetas a la circularidad en la construcción literaria, Alcántara en el poema "Sobre la mesa" se dirige al vocativo España de este modo: "Estás desmantelada (...)/ Estás, viva y terrible,/ sangre de toro y tapias encaladas". La España que nos presenta Alcántara es atrasada, rural, vencida por sí misma, por su propia historia. Una España más cercana a la elegía y a la épica que a la lírica; de ahí la tendencia métrica al uso del endecasílabo y los versos de arte mayor que adquieren consonancia rítmica de ópera, realzando los grandes ámbitos del país que no se compadecen con una presencia sublime de los cuatro elementos de la naturaleza (agua, fuego, aire, tierra). Todos ellos están presentes como diamantes en bruto, como organizadores de una singladura geográfica y vital en la que, a la vez, que se adentra por sus campos, valles y ríos lo hace por el interiorismo del poeta creando una simbiosis entre su pensamiento y lo externo. Una característica que siempre es determinante en toda su obra, que ni es ajena a su faceta emotivo-personal como tampoco a la socializadora y humana.

España, por tanto, se transfigura en motivo y símbolo de esa Plaza Mayor y enumera, habla de sus habitantes ("leñadores del viento", "tratantes de los campos de la patria", "terratenientes de la luna", "jornaleros sin fin de la esperanza") pero también el ámbito rural: el polvo de los caminos, las acequias turbias.

Vitalismo, existencialismo, reflexión sobre el más allá y su correlato en el aquí y ahora son temáticas determinantes de *Ciudad de entonces* (1962), el poemario que le supuso el Premio Nacional de Literatura. Según Canales[2] *Ciudad de entonces* es una "vuelta al origen: los poetas también suelen volver al lugar de ese sangriento suceso que es el nacer (...) Pero su viaje había de acabar en Málaga, ciudad de entonces y de siempre ya para él y para su poesía. Su amor está donde estaba, «de donde no debiera haber salido»".

Ciudad de entonces es Málaga, pero es su manantial, su procedencia, sus señas de identidad, como reza el primer poema, que se engarza por su temática y por los aspectos formales en el tipo de poesía precedente en cuanto a su luminiscencia vitalista, a la conformación de una lírica confidencial y a la conexión con una línea siempre presente en la tradición castellana que procede de Jorge Manrique. El poeta se adentra por la contemplación exterior e interior y su discurso que objetiva o subjetiva, crea una simbiosis permanente entre el aquí y el allá (si por el aquí entendemos la vida actual y el allá la muerte perseverante), entre el yo y

2 Canales (2003: 19).

la realidad circundante, entre el discurso del ser y el del no ser, entre la lírica sustantiva del soneto y la épico-lírica de los versos endecasílabos y heptasílabos, bien blancos, bien asonantados en los pares.

Alcántara posee la percepción de que el mundo, el universo, nuestra existencia está perfectamente ordenada (formamos parte de nuestro propio estigma, de nuestra propia proclama de seres perecederos), definida y circunscrita ("Resulta que la historia estaba escrita/ cuando yo quise hacerla a mi manera"), un *fatum* que procede de la tradición romana y se adentra por la musulmana, y el escritor sólo puede ser un testigo de ese legado, un atavismo que comprende y acepta pero contra el que a veces se rebela con toda la fuerza de su esencia perecedera: "Espectador y cómplice, decía/ que la función se acaba cualquier día:/ caerá el telón y me darán por muerto". Quizá el ser humano es tiempo entre las dos nadas ("Cada hombre era una fecha"), un imperceptible espacio en la totalidad, y quizá también es nada en su propia esencia, humo. Por eso en el poema "Bulevar" nos dice:

> *En el año 3000, sin ir más lejos,*
> *importaremos nada.*
> *Nos llamarán «antepasados».*
> *(Una mala pasada).*

Se refleja la noción de inanidad como consustancial a su lírica, tanto como la percepción de la finitud y de la tensión vital, aunque haya momentos, como en el soneto en endecasílabos heroicos, "Soneto para leer en una terraza las noches de verano", en que la actitud del poeta ante la existencia pasa por no inmiscuirse en ella, en permanecer ajeno, con esa "ajenidad" contemplativa de raigambre oriental, para ser indemne, para no contaminarse; y el poeta bajo un efecto de extrañamiento lírico tan taoísta como andaluz dirá: "La vida es una historia de allá abajo". Si nosotros estamos condenados a ser un muerto es porque en nuestra esencia lo somos. La muerte no es algo importado desde lugar alguno, una adquisición *ex nihilo*, una impostura en nuestro trasiego vital, lo alienable de la existencia no es posible. Nosotros también somos el muerto que llevamos dentro. Son palabras en las que subyace un irremisible sentido de pérdida, de tener que hacer frente a algo irreparable sin tener posibilidad alguna de victoria. Una intención que siempre es agónica y unamuniana, pero también es una forma estoica y de raigambre senequista sobre la comprensibilidad del fin, la indulgencia, la transigencia ante la condición del ser.

Si en algunos poemas se produce una declaración de principios sobre el porqué de su venida al mundo y la asunción de la soledad vital; en otros hay una despedida de la existencia, en tanto que oración cívica en la que la creencia en la vida eterna es una forma de cognición, pues será como forma de revelación de la respuesta a la permanente pregunta del poeta: ¿Cuál es el secreto de la vida y de la muerte?

En un primer momento travesea con la afirmación o la negación en torno al verbo ser y su metaforización deslocalizadora: "La muerte no es de aquí (...)// La muerte es de otro sitio"; pero también la identificación del ser humano con el tiempo que le queda: "Cada hombre era una fecha", que no deja de transmitir un deje de fina ironía y de humor negro ante la confidencialidad mortuoria.

El segundo apartado lleva una cita inicial de Rilke sobre el concepto de tensión vital. Es el núcleo esencial del poemario escrito en sonetos en endecasílabos, con predominio del heroico. Surge el ser humano ante el combate de la existencia, el combate vital, la soledad a través de unos versos confidenciales que tienden a la definición y a concretar los postulados vitales tanto en el tono como en los principios rectores que lo sustentan. Considera que el niño es una persona más fuerte porque tiene una mano que lo guía, en cambio, cuando se hace hombre queda solo, expugnable ante el combate de la existencia. No nos gusta quedar frágiles e indemnes ante las acometidas de ésta y nuestra fragilidad y nuestro miedo es determinante. En el fondo subyace una negativa ante este modelo existencial que surge cuando el hombre en soledad ha de hacer frente al exterior convirtiéndose en una especie de herido Prometeo. Lo que le lleva al poeta a decir: "Voy a serte/ sincero: no me gusta". Es como si existiera la necesidad de seguir siendo pequeños para poder vivir con soltura, arraigados a la vida con fuerza.

Los símbolos de la contemporaneidad, los pequeños hechos cotidianos, la trascendencia del tiempo, la pervivencia de la memoria o la recreación de los símbolos diarios organizan una poesía vital donde siempre es permanente la simbiosis entre la reflexión meditativa y la contemplación descriptiva con tonos diversos que van desde la vitalidad consentida hasta la fragilidad desmitificadora.

En definitiva, una obra de gran trascendencia vital y existencial a través de la que el poeta recorre sus grandes preocupaciones de individuo frente al cosmos, frente a los sucesos y los símbolos del vivir.

Inés María Guzmán,

la ciudad elegíaca y vernacular:

trayectoria de un instante fugaz

Inés María Guzmán,
la ciudad elegíaca y vernacular:
trayectoria de un instante fugaz

Cecilia Belmar Hip

Nuestro tiempo en la tierra es pasajero
La ronda prevista es restrictiva
Pero el lector —el amigo constante del poeta—
es devoto y duradero.
(Ana Ajmátova)

Todos vivimos el instante de la eternidad
delante de una imagen o debajo de una estrella;
en un museo, en un libro, en una música o en
unos brazos.
(Álvaro García)

Inés María Guzmán nace en Ceuta. Su infancia y adolescencia trans-curren en un ámbito familiar cálido, eminentemente intelectual y artís-tico, aunque marcado por férreas tradiciones. A los quince años se tras-lada a Málaga, ciudad donde fija su residencia.

Su andadura poética se inicia con *Brisas*[1] (1975), luego ... *Y el verso se hizo niño*[2]. En 1980 se publica *Paréntesis*[3]; en 1986 aparece *Donde habitan gaviotas*[4], que se abre con una carta-prólogo de Jorge Guillén. Le siguen *Semanario*[5]; *El llamador*[6]; *La otra mirada*[7]; *Ni el mirto ni el laurel*[8]; *Fe de vida*[9]; *Tríptico de Dios*[10]; *Hace ya tiempo que no sé de ti*[11]; *El Tiempo*[12]; *Por la escala de Jacob*[13]; *El águila en el tabernáculo*[14]; *Javier Luna*[15]; *Impertinente Eros*[16]. Además de una serie de cuadernos antológicos como *La Sombra, Poetas en el Aula, Cuadernos de San Roque*, entre otros.

Su interesante obra poética es el resultado de una reflexiva sencillez que provoca el entusiasmo en el lector/a e invita a indagar sobre la búsqueda de la identidad humana, mediante la palabra justa, el gesto melancólico o la mirada afectiva.

---

1 *Brisas*, Prólogo de José María Amado, ilustraciones de María del Carmen y Cristina Guzmán, Edición del autor, 1975.

2 ... *Y el verso se hizo niño*, B., Ed. Timun Mas, 1978. Prólogo de Daniel Vindel. Ilustraciones de Cristina Guzmán. UNICEF lo declaró de interés para el niño. Varios poemas han sido incluidos en textos escolares de E.G.B.(Editorial Anaya).

3 *Paréntesis*, Málaga, Col. Cuadernos del Sur. Librería Anticuaria, El Guadalhorce, 1980.

4 *Donde habitan gaviotas*, Málaga, Col. Corona del Sur, 1986.

5 *Semanario*, Cuadernos de Raquel, Ángel Caffarena (ed.), Málaga, 1987. Nota a la edición de RafaelPérez Estrada.

6 *El llamador*, Col. Papeles de Poesía, Diputación de Málaga, 1988.

7 *La otra mirada*, Ateneo de Málaga, 1991.

8 *Ni el mirto ni el laurel*, Málaga, Col. Llama de amor viva, Rafael Inglada (ed.), 1995.

9 *Fe de vida*, Málaga, Hebe Ediciones, 1996.

10 *Tríptico de Dios*, Málaga, El Aula, 1998.

11 *Hace ya tiempo que no sé de ti*, prólogos de Enrique Baena, Rosa Romojaro, Matilde Moreno, Bienvenida Robles, Cecilia Belmar. Col. Plaza Mayor n° 2, Ateneo de Málaga, 2000.

12 *El Tiempo*, (Premio Giner de los Ríos 2000), Ayuntamiento de Nerja, 2001.

13 *Por la escala de Jacob*, prólogo de Encarnación Laguna Conde, ilustraciones de Víctor Puyuelo, Málaga, Unicaja, 2002.

14 *El águila en el tabernáculo*, prólogo de Enrique Baena, Granada, Alhulia, 2002.

15 *Javier Luna*, Málaga, Ateneo, Extensión de Fuengirola, 2002. Dedicado a su entrañable amigo, músico y poeta Javier Espinosa.

16 *Impertinente Eros*, Cuadernos Literarios, Ayuntamiento de Salobreña, 2003.

Cada poemario desde el primero *Brisas* hasta *El águila en el tabernáculo* bosquejan un camino, una trayectoria vital y existencial que navega entre los límites del tiempo, del amor y de la vida.

Observamos, por ejemplo, en *Hace ya tiempo que no sé de ti*[17], cómo estos tres ejes temáticos universales tiempo-amor-vida a partir de una mirada afectiva e innovadora trazan un cambio de registro hacia un nuevo estilo y una nueva voz, al dar paso a una nueva visión de la rica tradición elegíaca española.

Pues, frente a la acostumbrada descripción de hechos y situaciones reflejadas en la elegía tradicional, el poemario *Hace ya tiempo que no sé de ti* recrea, reconstruye y restituye una nueva perspectiva elegíaca, en cuanto a espacios, personajes y situaciones que se hallan inmersos dentro de un mundo contextual poético. Realidad que se visualiza en el espacio de la cotidianidad urbana.

Desde esta óptica *Hace ya tiempo que no sé de ti*, se divide simétricamente en dos partes iguales, cada una contiene nueve poemas, más un poema-prólogo y un poema-epílogo que conformarán un todo circular y unitario[18].

También, es importante resaltar el uso simbólico de la numerología en la obra guzmaniana, en tanto, le confiere un signo cabalístico, en *Hace ya tiempo que no sé de ti* sobresale el número nueve[19]. Dentro de las múltiples acepciones, en los escritos homéricos este número tiene un valor ritual. Puesto que nueve parecen ser las medidas de las gestaciones y las búsquedas fructuosas; el nueve simboliza el coronamiento de los esfuerzos, el término de una creación.

Claude de Saint-Martin veía en el nueve la destrucción de todo cuerpo y de la virtud de todo cuerpo. El nueve anuncia a la vez un fin y un nuevo

---

17 Inés Mª Guzmán, *Hace ya tiempo que no sé de ti*, *op.cit.*, a partir de ahora citaré (*HACETI*), más el n° de página correspondiente.

18 Cabe destacar también, los cinco prólogos que preceden a la obra, pues los considero cinco puertas circulares y unitarias que se abren para caminar al unísono por esa *"herida del tiempo / que marca por la espalda / igual, que un tatuaje ensangrentado"*, constituyéndose cada prólogo en un solo prólogo: enjundioso, unitario, cohesionado, preciso y novedoso.

19 En *Semanario* destaca el número siete desde su título, los siete días de la semana. También, son siete poemas que lo conforman y tanto su contenido como su forma estrófica suman siete. El siete, en este poemario indica el sentido de transformación y cambio después de un ciclo consumado y de una renovación palmaria.

comienzo, es decir, una transposición a un nuevo plano. Se encontraría en este símbolo numérico la idea de nuevo nacimiento y germinación, al mismo tiempo que la de muerte. Expresa, además, el fin de un ciclo[20]. En *Hace ya tiempo que no sé de ti* se observa esta visión.

Para Fernando de Villena, *Hace ya tiempo que no sé de ti* representa un homenaje al padre fallecido donde la conmoción, la emoción, la ternura reconstruyen la infancia de la autora. Desde esta perspectiva —acota Villena—, el libro nos parece un álbum de fotografías comentadas con voz íntima y honda. En cuanto al estilo, Inés María Guzmán consigue una sencillez y una musicalidad nada comunes[21].

Encarnación Laguna Conde comenta lo siguiente: *Hace ya tiempo que no sé de ti*, inevitablemente traen al recuerdo, por su tono elegíaco y por lo que de exaltación de la figura paterna contiene, las famosísimas *Coplas* de Jorge Manrique.

Cuando se cierra la última página del libro finaliza también la última página de una existencia, de una peregrinación por la vida que ha declinado dejando a su paso huellas imborrables: "A veces (afirmaba Mercedes Salisachs en *La gangrena*), los objetos que los muertos abandonan resultan más elocuentes que sus propios dueños". A través de ellos la figura del padre ausente lo inunda todo y, al estilo de un Marcel Proust en *Á la recherche du temps perdu*, la poesía de la autora se deleita en la mirada de las cosas como si éstas poseyeran el poder de retornar al padre perdido.

Por eso el poema es circular —comienza y acaba del mismo modo—, como si todo él constituyera un único canto que quedase detenido en el tiempo. Y es precisamente la manera de trabajar la categoría del *tempo lento* en estas coordenadas de presencia-ausencia lo que más destaca en la obra, como signo que evidencia la progresiva evolución técnica de su creadora[22].

Rafael Alcalá, por su parte, señala que *Hace ya tiempo que no sé de ti*, es la ausencia reencontrada con amor y belleza a raudales. Los poemas son

---

20 *Vid.*, J. Chevalier, A. Gheerbrant, *Diccionario de los símbolos*, B., Herder, 1999.

21 Fernando de Villena, "Una elegía malagueña", *Diario Málaga, Suplemento Literario* Nº 356, 10/09/2000, p. V.

22 E. Laguna Conde, "Recuerdo paternalista", *Diario Sur*, 09/09/2000, p.5. También publicado en Revista *El Faro*, 04/05/2001, p. 30.

de una factura envidiable: armonía, equilibrio, belleza, emoción e intensidad. En definitiva, ausencia transformada en belleza quintaesenciada[23].

Ciertamente, *Hace ya tiempo que no sé de ti* presenta un esquema elegíaco peculiar.

Si la estructura elegíaca medieval presentaba el siguiente modelo: a) presentación, b) lamentación, c) panegírico, d) consolación directa; nuestra autora sigue esta pauta, pero lo hace de una manera ágil y novedosa, pues para presentar el acontecimiento escribe una carta a su padre, poema epistolar clave:

Hace ya tiempo que no sé de ti[24].
Han pasado los meses más terribles
y está la calma sobre tu recuerdo.
Pasó el verano aplastante y dolorido;
las lluvias finas bañan la nostalgia
y un resurgir de pájaros y plantas
inunda el paisaje que dejaste
—para nosotros gris—
cubriendo un velo extraño los sentidos,
para no oír ni ver
ni percibir lo ajeno.

¡Qué abundancia de verdes
por donde paseabas!
Asfaltaron la calle que cortaba el camino
de tu casa a mi casa;
terminaron la obra de los pisos de al lado
y todas las farolas iluminan
las aceras mojadas.

¿Qué luz persigues hoy
en ese mundo nuevo donde habitas?

---

23 Carta de Rafael Alcalá enviada a la poeta, fechada 05/02/2002.
24 Este verso de Pablo García Baena encabeza el poema-prólogo y da el nombre al poemario.

Tú, de entre los elegidos,
podrías enviarnos una carta
y contarnos, al menos,
si existen los paseos y alamedas,
si son los bancos plácidos asientos
en los parques serenos
de ese lugar ignoto
en los que te reclinas blandamente
a leer los periódicos del día.
Seguro habrás leído
lo que pasa en la tierra
y sabrás, paso a paso, de nosotros;
pero de ti, ya no sabemos más
desde tu marcha
y, por eso,
se nos quedó la angustia aprisionada
en no sé qué lugar de la memoria,
tomando posesión como estandarte
que precede los pasos...

Hace ya tiempo que no sé de ti.
¿Podrías enviarnos una carta? (HACETI, 23-24)

Y, termina con un poema-epílogo notable:

Porque soy como una niña
todavía,
puedo sentir de cerca
lo pasado.

Aún puedo ser muy crédula,
inocente...
río, lloro, colecciono
esperanzas

y conservo en un cofre
sin la llave

infinidad de sueños
prisioneros.

Y es así que me lleno
de ilusiones;
pienso que tú nos vives
de otra forma

aunque estés en lugares
muy remotos,
cielos muy altos donde
tú te asomas

para ver nuestras cosas
cotidianas,
jugando con ventaja,
lo sabemos.

En balcones mirando
desde arriba,
puedes cambiar presente
por pasado.

Para estar todos juntos
como antes.
Pero nosotros nada,
no sabemos;

no sabemos qué ha sido
de tu vida,
de esa vida distinta
que ahora vives.

Y, para los que abajo
resistimos...
¿podrías enviarnos
una carta? (HACETI, 59-60)

Ambos poemas finalizan con la pregunta del requerimiento, como lo denomina Rosa Romojaro[25]. Mediante esta *interrogatio*, la autora —señala Bienvenida Robles— establece de inmediato, un diálogo íntimo con el padre ausente, a través de la carta que abre y cierra el libro, dándole un carácter de obra completa, circular que se consuma en sí misma.

El texto está dividido en dos partes, que Inés María diferencia con toda claridad en el tono contenido de los versos.

En la primera, la poesía se vuelve niña porque la autora pone al frente de ella todas sus vivencias infantiles, centradas en la vida familiar, cotidiana, con el padre. El lector reconoce enseguida que se encuentra ante un *flashback* auténtico porque Inés María vive en presente su infancia recuperada ahora para así poder atrapar la figura del padre de un modo tan entrañable.

La segunda parte recoge el distanciamiento emocional, marcado por la aceptación de la ausencia física del progenitor. Ya es posible la vida sin él, ahora los recuerdos fijan su mirada en los objetos personales, en los gestos conocidos y convocados por la memoria que se resiste a perder lo amado y por ello invoca una noticia, una palabra que llegue de ese espacio ignoto donde se desea que permanezca el padre[26].

Esta presentación de un hecho concreto, el recuerdo de un tiempo feliz ya pasado junto a su padre, reconstruido a través de un *flashback*, se constituye en un signo innovador dentro de nuestra tradición lírica elegíaca.

Ciertamente, los poemas contenidos en *Hace ya tiempo que no sé de ti*, se caracterizan por su marcado acento elegíaco lo que invita a colegir que los veinte poemas conforman un solo epicedio[27] circular y unitario. Esta característica de por sí, le otorga al poemario recién citado, un matiz novedoso e instaurador.

De igual modo, considero un rasgo innovador el distanciamiento emocional; la tierna convivencia del yo lírico con los objetos personales

---

25 *Vid.*, prólogo de Rosa Romojaro en *HACETI, op.cit.*, pp 11-12.
26 *Vid.*, prólogo de Bienvenida Robles en *HACETI, op.cit.*, pp.15-16.
27 La *Real Academia Española* define el epicedio (del gr. canto fúnebre) como una composición poética que en la antigüedad se recitaba delante del cadáver de una persona./ Cualquier composición poética en que se llora y alaba a una persona muerta.

del padre ausente, donde las actitudes y los gestos se perfilan a través de la estancia cotidiana, la invocación certera y la tenue luz de la memoria. *Hace ya tiempo que no sé de ti,* a la par de contener una marcada expresión elegíaca y manifestar un estado de ánimo, podemos considerarlo, también, un poema funeral, fundamentalmente social —utilizando las palabras y terminología de Camacho Guizado—, en el sentido que revela una actitud humana ante el *otro,* pues, siempre es un poema "a la muerte de". Este hecho condiciona de manera definitiva su estructura y contribuye de modo especial a que en el poema se revele el mundo, creencias, costumbres, ideas de la época, condición social del poeta y del muerto, la concepción del mundo, de la vida y la muerte; todos estos factores determinarán el *signo* que posee el morir de los otros[28]. En este sentido, la autora en *Hace ya tiempo que no sé de ti* desplaza de una manera novedosa y singular el universo del padre ausente a un presente cotidiano.

Para Camacho Guizado, toda elegía no es, necesariamente, un poema funeral tampoco todo poema funeral es por fuerza, una elegía[29]. Sin embargo, los poemas de *Hace ya tiempo que no sé de ti,* los podemos considerar poemas funerales, es decir, los que han brotado ante una muerte concreta, real, de una o varias personas, si seguimos la propuesta de Camacho Guizado[30].

En nuestro caso, la muerte concreta, real alude a la figura del padre en su hacer y quehacer diario. Presencia que vive en el ámbito de la memoria y se revive en el entorno de los detalles cotidianos:

> Siempre el color verdoso,
> ese verde tan raro y peculiar
> —el caqui—
> presidiendo mi vida.
> Una vida prendida en los cristales.
>
> El ros, las botas de vestir, las de montar,

28 E. Camacho Guizado, *La elegía funeral en la elegía española*, M., Gredos, 1969, p.22.
29 E. Camacho Guizado, *op.cit.,* p.14.
30 E. Camacho Guizado, *op.cit.,* p. 15.

la guerrera, los guantes avellana,
la tirilla, la gorra —la de plato—,
el traje de faena,
el sable, las medallas en cajas de colores,
los destinos, los muebles embalados...

Mi madre en su tarea
limpiando bocamangas...

Y mi padre vistiéndose de gala
con un rito especial de ceremonia. (HACETI, 34)

La memoria rescatará el pasado —señala Rosa Romojaro—, un pasado que gira sobre el ser y el estar del desaparecido: el día a día, los escenarios, las costumbres. Como símbolos de esta privación, aquellas casas que quedaron desiertas en los traslados del padre militar, y que la autora convoca al presente del libro: símbolos del desalojo del yo ante la ida: "Qué sueña en los silencios/ ¿una casa vacía?", se pregunta la voz que recorre los versos. Premoniciones de un mismo sentimiento que, entonces, el yo lírico llenaba con sus lágrimas: "inundo los espacios,/ el silencio y la penumbra,/ todo lo lleno, todo,/ de sollozos y lágrimas". Si entonces el yo llenaba lo vacío con su sentimiento, quien llenará el hueco horadado en el yo que produce la pérdida del ser que se ama. Quizás sólo sea la palabra: la carta que se espera, la carta que se cursa en los poemas, la memoria hecha verso[31]:

Se llenan de silencios las paredes.
Hoy, cuando intento rememorar
el pasado de risas infantiles,
me atenaza la angustia.

Es la herida del tiempo
que marca por la espalda
igual que un tatuaje ensangrentado.

---

31 R. Romojaro, "Prólogo", *Hace ya tiempo que no sé de ti (HACETI)*, op.cit., p.11.

Me vence la tristeza
en la tarde que miro
mi vida en los cristales.

Apenas si pretendo
ser otra vez la niña
que jugaba en la acera
y ver por la ventana
asomarse a mi padre
señalando el reloj de su muñeca
y mi madre moviendo
—un poco el gesto airado—
de arriba a abajo —insistente—
su cuidada cabeza ensortijada.

Y siento en mi nostalgia
como si, urgentemente, yo
recogiera los cromos
en la caja pequeña de madera
con aroma de puros todavía
y subiera escalones de dos en dos,
más rápida que el viejo, achacoso ascensor
que chirriaba más lento que mi prisa. (HACETI, 41)

Para Enrique Baena, la poesía tiene el don de restablecer la unidad. Los fragmentos vuelven a un todo, se reúnen, se ajustan las piezas, y en sus figuras vive la realidad de una ficción que también dejó fluir su ser en un tiempo abolido. Inés María Guzmán remonta la vida, acude a las fuentes; su poética reclama que origen y presente se identifiquen, que la génesis sea itinerante y el instante vivido continuo, hasta que la senda entre lo que fue y es no se constituya como recuerdo, sino a modo de la imagen que la luna del espejo hace intangible a base de devolvernos fidelidad y contornos[32]. El poema "19" trasunta esta realidad:

---

32 E. Baena, prólogo, *Hace ya tiempo que no sé de ti (HACETI), op.cit.,* p.9.

Pero nos queda el eco.

Nos queda en la memoria diluida

la sombra de su mano;
nos queda, como un halo de su paso,
la ausencia derramada,
su lugar en la mesa,
su silla y su sillón,

la hora de su siesta
(hora sagrada),
el gesto para hacernos callar
cuando la voz alzábamos.

Nos queda el racimo de frases
consabidas
y el sello que nos hizo
conservar la memoria. (HACETI, 55)

Sin duda, los veinte poemas que componen *Hace ya tiempo que no sé de ti* expresan un estado de ánimo, pero no de lamentación, sino de consuelo y conciliación —podríamos llamar elegía consolatoria—, cuya fuente emanaría de una concepción cristiano-renacentista, por ejemplo, las Coplas de Jorge Manrique, o el cultivo de la virtud.

En nuestro caso, con palabras de Matilde Moreno: se alza la figura humana, esencial, del padre protector, mágico, perfecto. Podríamos pensar que sólo le falta la cualidad de ser eterno, pero también ese atributo le es concedido. Junto al sujeto poético que nos habla, se percibe otra vida: el padre, aunque ausente, lo inunda todo con su presencia invisible. Milagros del amor que transforma realidades y traspasa fronteras. El amor es más poderoso que la muerte, nos recuerda Quevedo en su famoso soneto. Sin importarnos el tipo de amor, hemos de afirmar con él que el sentimiento amoroso auténtico no conoce obstáculos: mediante estos poemas, Inés María Guzmán recrea el objeto amado y lo rescata de la muerte.

Hace ya tiempo que no sé de ti nos invita, en época tan falta de valores como la actual, a reafirmarnos en la limpieza de los sentimientos
humanos y a continuar creyendo en la pervivencia del héroe. ¿Qué es
si no la figura del padre en esta obra?. Innecesaria la enumeración de
las hazañas que Jorge Manrique lleva a cabo en su elegía. Es su presencia en lo cotidiano lo que transforma al personaje en un ser excepcional.
Sus gestos diarios, contemplados en toda su dignidad, lo ennoblecen.
Unas palabras del psiquiatra Enrique Rojas pueden servir para sinteti-
zar la imagen del padre en el poemario: "Lo cotidiano nunca es banal ni
insuficiente, ni algo gratuito, sino que en ello se encuentran las claves de
muchas vidas ejemplares"[33].

Y en esto radica la innovación de Guzmán, al recrear el objeto amado; a resaltar y a reafirmar los sentimientos humanos en el ámbito de
la cotidianidad.

En efecto, las coordenadas claves y el tono elegíaco que estructura-
rán la producción literaria de Inés María Guzmán serán: el tiempo, la
vida y sus circunstancias; el amor y la ternura dibujadas en la estancia de
la mujer en su entorno cotidiano, donde la CIUDAD será testigo de sus
vivencias: LA CIUDAD ELEGÍACA Y VERNACULAR.

Desde esta perspectiva, la ternura, la traza aparente de un sosegado
amor, emergerán en la obra poética de nuestra autora, como una constante casi invariable de reprimido y perdido amor en *Donde habitan
gaviotas* (elegía erótico-amorosa); de épica templanza amorosa en *El
águila en el tabernáculo* (elegía monumental o épica); de serena estancia
en *Hace ya tiempo que no sé de ti* (elegía consolatoria).

Evidentemente, en *Hace ya tiempo que no sé de ti*, el sentimiento de
ternura hacia su padre impregna el sentido de una afectividad dulcemente compartida.

Afecto y ternura, por lo tanto, acordes con el pasado y con el devenir cotidiano; con la permanencia de las cosas donde las imágenes del
recuerdo se constituyen en ejes paradigmáticos conducentes hacia una
nueva visión de la elegía. El poema "17" corrobora esta mirada:

---

33 M. Moreno, prólogo, *Hace ya tiempo que no sé de ti (HACETI), op.cit.*, p.13.

Junto a la chimenea
y frente a la consola
—igual que antes—,
permanece tu busto.

Yo no diría inmóvil
porque tiene
tu gesto una sonrisa,
a veces,
cuando miro a hurtadillas
sin atreverme
a mirarlo de frente,
cara a cara.

Porque se sabe vivo
el noble bronce,
en otras ocasiones
se torna pensativo
y hasta parece que se marca
más profunda la arruga de su ceño.

¿Desde dónde nos miras?
Debajo del metal nos aguarda tu sombra.
Yo lo sé, lo percibo, lo siento...

De vez en cuando,
deposito
el aroma
de una vara de nardos junto al busto. (HACETI, 52-53)

Hace ya tiempo que no sé de ti, condensa en sus versos la mudanza del tiempo; la sabia experiencia de lo vivido y la prístina sencillez del acto y la palabra. En este sentido, TIEMPO-VIDA-REMEMBRANZA trazan hendiduras de nostálgica tristeza. Tristezas que socavan contornos desvanecidos por la tenue luz de la reminiscencia y por "la angustia aprisionada/ en no sé qué lugar de la memoria".

Bajo esta visión retrospectiva, la seña de ternura, la sencillez del acto y la palabra perfilan la medida del amor y de la imperturbable mirada hacia el pasado reviviendo el continuo cotidiano.

La belleza de este libro radica en la aprehensión del gesto cotidiano y en la cuidada forma endecasilábica que evocan imágenes amadas. Son siluetas, sombras, habitáculos y estancias que detienen la medida del tiempo y del espacio, lo trascienden, a su vez, recobran su fulgor en el frágil deslumbramiento de la memoria; en la serena estancia cotidiana de la casa y la ciudad.

Ciudad gris, bañada por la nostalgia:

> *La tarde, del colegio a mi casa,*
> *huele a manzanas verdes*
> *y a romero en flor,*
> *y toda llena de melancolía*
> *encamino los pasos*
> *bajo el cielo que juega a tornasoles.*
>
> *Me pierdo en el paseo de regreso*
> *y cuando ya diviso*
> *el portal de la casa*
> *—zaguán, dice mi padre—*
> *siento que ni siquiera tengo ganas*
> *de merendar mi pan con chocolate. (HACETI, 29)*

Es la ciudad elegíaca y vernacular que se abre y se cierra como un paréntesis acogiendo soledades y silencios; sueños y tristezas; pérdidas y ausencias. Pese a ello, es la ciudad y sus circunstancias.

Ciudad extraña y distante para los sentidos. Sin embargo, "todas las farolas iluminan/ las aceras mojadas" en un *tempo*-espacial circular y unitario. Ciudad elegíaca y vernacular que subsume el tiempo, la vida, la ternura y las evocaciones.

De la soledad y del miedo

De la soledad y del miedo

Antonio Garrido

Se puede aducir que la soledad y el miedo son estados que cambian con el tiempo; quizás, aunque los textos confirman a lo largo de la historia que nos encontramos con dos universales de representación, aunque, es cierto, que la soledad se corresponde con modelos más modernos, más próximos a la sensibilidad romántica y desde allí hasta ahora. El miedo, por el contrario, es tan antiguo como el ser humano y podría estar poniendo ejemplos sin parar. Dos novelas recientes, una de Garriga y otra de Rosa son magníficos ejemplos del tema de esta nota sobre soledad y miedo en la literatura reciente.

I

En la página ochenta y ocho de esta novela se afirma que *los mexicanos cuentan que el océano Pacífico no tiene memoria* justo lo contrario de lo que es este texto de José Antonio Garriga Vela editado por Anagrama. La última entrega del barcelonés, afincado en Málaga desde hace muchos años y al que se puede considerar autor andaluz de pleno derecho, es justamente un ejercicio de memoria, un volver atrás, muy elaborado, muy preciso y precioso en los valores del estilo, que es sabido que Garriga escribe mejor que bien y cada entrega de su obra lo muestra y demuestra de manera sobrada. Se trata de una escritura siempre en difícil equilibrio que se sustenta en asociaciones exactas en apariencia pero que no lo son en el fondo porque este fondo es de arenas movedizas, de incertidumbres, de espejismos que mueven la inmóvil actividad de unos personajes a los que el destino zarandea como al bergantín que da nombre a la narración con su único tripulante en la cubierta.

He escrito en otros lugares que la portada de un libro puede ser un excelente anticipo de su contenido; bien porque el autor de la misma haya leído la obra, bien porque tenga una visión del mundo coincidente con la del escritor, en este caso mi admirado Sebastián Navas ha acertado plenamente. Desde el horizonte infinito y desolado de una carretera se va acercando un hombre sin rostro, un hombre, cualquier hombre, uno más, anónimo, el caminar lento, sobre el paisaje caen lenguas de fuego, ese fuego purificador que se reclama en la página 156, unas lenguas rojas que no son las del conocimiento sino las de la destrucción. La pintura de Navas coincide en muchos aspectos con los paisajes desolados de la narrativa de Garriga.

La estructura de la novela se fundamenta en el encuentro de dos esferas, la de las noticias que podemos calificar de importantes y las de la vida cotidiana de unos personajes hijos de la desgracia que forman un verdadero *Club de la desgracia. Como si la desgracia fuera su misión en esta vida.* (p. 112). Estas palabras se pueden aplicar a todos los que intervienen en la narración, desde luego con matices, empezando por Hemingway. El 2 de julio de 1961 mientras el narrador y su hermano hacían la primera comunión el norteamericano se suicidaba pegándose un tiro en la cabeza con una escopeta de caza de dos cañones. Otros hechos que se ponen en paralelo con la *intrahistoria* de los personajes son, por citar, el asesinato de Carrero Blanco o la llegada del hombre a la Luna, junto a estas sincronías existen memorias de hechos que sirven de contrapunto al estatismo, a la resignación de los personajes, como son las carreras de Fangio o los combates de boxeo.

Pudiera parecer que la desgracia es el tema de la novela, en una primera aproximación lo es pero hay que atender a otros elementos y el humor y la ironía son determinantes. Tal cúmulo de desastres es una misma familia parecería inverosímil y hasta paródico pero no, se sostiene en ese equilibrio inestable al que me referí que reafirma el antiguo principio de que la realidad supera siempre a la ficción o viceversa. El narrador desde un punto concreto de su vida, en el momento en el que ha conseguido cierta estabilidad, escribe su primera novela, la historia de su familia, la historia de unos desgraciados.

Toda la novela está llena de claves literarias que no debemos tomar muy en serio; por ejemplo, la presencia de Kafka es canónica, qué autor contemporáneo no se ha puesto en algún momento a la sombra del checo; lo que es importante es que este camino de la ambigüedad deja espacio para que creamos en la sinceridad del narrador; esa es la piedra de toque de la calidad literaria. Garriga se puede estar riendo pero no lo transmite en su escritura; al contrario, ese es el juego que pocos pueden ganar. No es posible la lectura sin implicarse aunque sea para leer contra el texto. Toda obra se construye con una gramática finita de temas y voy a señalar algunos de esta novela.

El espacio como cárcel; casi toda la acción se desarrolla en la misma calle; no es extraño que la prisión no sea una carga para Sebastián, condenado por haber abusado de su hija de quince meses, él ya era un ser estático, casi inmóvil, no se defiende, la condena destruye su mundo, un universo que tenía como fin amar a Marta, de quien también estaba enamorado el narrador.

El triángulo amoroso. La madre del narrador, su padre y el periodista Nogueira al que tienen de realquilado por una parte. La madre del narrador, el padre y una joven que tiene una perfumería en la misma calle. El padre abandona a la familia para irse a vivir con Genoveva; tenemos pues, seis implicados en dos triángulos que se desarrollan de manera peculiar. El padre del narrador que vive con la joven va a su antigua casa todos los días y acabará en ella después del accidente de coche hasta que una almohada compasiva lo libere; antes, después de que su esposa, la comadrona, lo expulsara por última vez se trasladó arruinado a una pensión desde cuya ventana podía ver su antiguo hogar.

Los barcos, las maquetas que hace Sebastián y que son diferentes según sus estados de ánimo, como metáfora del viaje que nunca se realizará porque los personajes no desean abandonar esa burbuja en la que se van pudriendo poco a poco.

La sangre en los fetos vivos y muertos que la madre trae al mundo, en el cuerpecito del bebé violado y, sobre todo, en ese sótano claustrofóbico del hospital donde Sebastián y su compañero, que adora a los asesinos en serie, entregan en bolsas para las transfusiones. Sangre de la vida y de la muerte.

Los *sonaos* que se reúnen a beber, a jugar y, sobre todo, a hablar de boxeo. Este deporte es justo lo contrario de las vidas de los personajes.

Puede parecer contradictorio en el mundo actual el estatismo de Sebastián. Se conforma con lo que tiene pero la terrible acusación de haber abusado sexualmente de su hija, casi bebé, lo llevará a la cárcel. No se defenderá, no hará nada. Su vida quedará hecha añicos pero la impasibilidad es su estado permanente, impasible casi por genética más que por voluntad. El final de la novela es sorprendente, se trata de un excelente ejemplo del efecto único de Poe. Un nuevo atentado sexual contra una niña, en este caso, de la compañera del narrador y el descubrimiento del causante, el perro que fue de Sebastián y ahora de su hermano. Con ser este final imprevisible no afecta a la calidad de la novela, tan rica en registro y tan dinámica en su estatismo.

II

Isaac Rosa no ha entrado con mal pie, muy al contrario, en este mundo de envidias, pedanterías, dinero, mediocridad y, a veces, calidad, de la literatura. En 1999 publicó *La malamemoria* que reelaboró en *¡Otra maldita novela sobre la guerra civil!* de 2007 que tuvo éxito, la gran palabra de ayer y de hoy que justifica tantas cosas; antes, en 2044 apareció *El vano ayer* que consiguió premios diversos; además, teatro, relatos y ensayo. No está nada mal; por otra parte, Rosa ya tiene algo muy importante que es la fachenda de escritor, incluso de intelectual. La melena, las gafas y la mirada, no es poco a su juventud. He leído sus tres novelas y me han parecido obras maduras y de calidad; ahora mi juicio se consolida con esta excelente *El país del miedo*, editada por Seix Barral, que me lo confirma como de lo mejor que hay en el panorama actual. Enhorabuena y vamos a la faena.

El miedo es, DRAE *dixit, perturbación angustiosa del ánimo por un riesgo o daño real o imaginario.* Son tres los elementos que hay que tener en cuenta en la definición. La perturbación supone un cambio de estado, la ruptura de la normalidad, del orden; en este caso el orden de una familia burguesa, matrimonio y un hijo, típico, real como la vida misma, los dos trabajan y el chico, Pablo, va al instituto. Carlos, el padre, es otra historia porque de su permanente estado de ansiedad miedosa nacen situaciones claves de la novela; de hecho, su miedo es el motor de la acción. El adjetivo angustiosa es fundamental, el desorden trae la angustia, ese sin vivir del lenguaje coloquial, ese desasosiego, en fin, esa situación que convierte en vulnerable a quien la padece. El miedo puede ser real y también imaginario con lo que puede ser cualquier cosa y entrar por cualquier sitio. Nadie escapa al miedo, excepto Juan sin miedo antes de que la princesa le vertiera la jarra de agua por encima. Este es el clima psicológico en el que se va a desarrollar la acción, un clima nada extraño a miles de relatos.

La estructura del texto, la manera de organizarlo es otra cosa. Encontramos tres clases de textos al servicio del mismo propósito. Los que desarrollan la historia, los miedos de Carlos y los que llamaré *informes sobre el miedo* que tienen un carácter pretendidamente más objetivo, de hecho es así, y que recurre hasta a documentos oficiales que informan a los turistas y dan instrucciones precisas para aumentar la seguridad en general y en particular. Recuerdo, en este sentido, las normas que nos dieron en Nueva York inmediatamente después del 11-S y cómo el metro estaba vacío el día 12 con lo que el viaje fue de lo más extraño y confortable. Los tres tipos se enlazan con habilidad y crean el ambiente de desasosiego que caracteriza a la novela aunque, sin duda, la acción es el nivel más interesante, sobre todo cuando se enfrentan Carlos y el niño.

La verosimilitud es una categoría con siglos de tradición pero algo olvidada a la hora del análisis, en esta novela viene como anillo al dedo, el lector reconoce, placer del texto, que lo que allí sucede, en ese país, en ese territorio, es perfectamente posible; mejor dicho, que ha ocurrido alguna vez o que sucederá en el futuro, o quizás esté pasando ahora mismo en cualquier polígono industrial no muy lejano de esta torre, no de marfil precisamente, desde donde escribo. Claro está que algunos lectores, algo chulescos ellos dirán con una mueca que el problema que se presenta en el texto se resuelve en un plis plas, menos lobos Caperucita, a ver cómo reaccionarían esos héroes de mesa camilla ante unos hechos tan terribles y dramáticos.

Carlos es un cobarde, quizás lo lleve en un gen, es un hombre al que el miedo lo ha cercado desde su infancia y algunos episodios se cuentan en estas páginas pero la historia no empieza con Carlos, se inicia con unos pequeños hurtos que despiertan la alerta de Sara, la esposa de Carlos; lo lógico, será la muchacha que, además, es una emigrante pero los hurtos siguen y ya la chica no está en la casa, quién puede ser. Carlos lo descubre por casualidad; los hechos tienen a Pablo como protagonista de una extorsión, un compañero de clase es el que obliga a Pablo a robar. Carlos se asusta aún más de lo que en él es normal y las cosas se complican. Una excelente cualidad del texto es la sencillez y la claridad, no hay nada que ocultar. Los personajes son planos en el mejor sentido, menos Carlos que es un enfermo de miedo y que arrastra con él a los demás. La mentira es el recurso y una se enreda con otra como las cerezas, se va creando una red de la que cada vez es más difícil escapar. El niño, así denominado, es el otro polo de la narración, es un personaje que hace su papel de extorsionista, no es necesario nada más, la sobriedad es un rasgo común a toda la narración.

Los detalles son muy importantes y la violencia agazapada en cada página, los miedos de los bienpensantes, de los que disfrutan de la sociedad del bienestar, de los hipócritas, de los que abusan de niños como el niño. La imagen de Carlos agazapado en la seguridad de su casa, mirando por la ventana a los adolescentes que se juntan en la plaza es simbólica, tanto o más que las escenas de humillación y de estafa. El final de la novela es un magnífico ejemplo de efecto único, al igual que la de Garriga. Carlos queda inerme en manos de su cuñado, el guardia municipal. Él le ha resuelto el problema, el niño no volverá nunca más, pero empezará un nuevo ciclo de extorsiones, estas más importantes y onerosas. El territorio del miedo es infinito y esta es la puerta abierta que nos deja el autor.

Aprendiendo a querer.

La poesía de Carmelo Guillén Acosta

Aprendiendo a querer.
La poesía de Carmelo Guillén Acosta

Arcadio Pardo

Aprendiendo a querer[1] es un libro antológico de la obra poética de Carmelo Guillén Acosta (n. Sevilla, 1955) que reúne poemas escritos entre 1977 y 2007 y que, a juzgar por el subtítulo del libro ("Poesía, revisada, completa"), el autor considera su obra definitiva para ese período[2].

A pesar de su brevedad, el prólogo de Julio Martínez Mesanza ofrece una excelente presentación que encamina al lector a ver y captar y entender los aspectos esenciales de esta poesía: "el amor a todo y a cada cosa en particular", la amistad, "Cristo, que es el amigo inseparable", la "valoración y exaltación sincera de lo cotidiano", la vida, la esperanza, "un lenguaje rico en matices conversacionales". Pero es precisamente la brevedad de ese prólogo lo que justifica el presente intento de acercamiento a la poesía de Guillén Acosta, con la pretensión de ampliar, con mayor detenimiento, el conocimiento de su tan singular poesía.

---

1 Sevilla, Ediciones de la Fundación de Cultura Andaluza, 2007.
2 Los libros representados en esta antología son los siguientes : *Envés del existir* (1977), *Rosa de invierno* (1988), *La ternura infinita* (1991), *Nonaino* (1992), *Humanidades* (1996), *Misterio gozoso* (2000), *Quedar con alguien* (2002) y *Doble luz*.

La poesía

No es infrecuente observar en los poetas modernos, por influencia quizás de la investigación lingüística, una actitud de querer desentrañar el propio acto de creación y de tratar de explicar la naturaleza misma de la propia poesía. En primer lugar hay en Carmelo Guillén un sentido hondo de honradez y su creación tiene como justificación el respeto de sí mismo:

> *Escribo, más que nada, por respeto correcto*
> *a mí*
> *("Razón de la escritura", 101);*

y también, sin que ambos aspectos puedan disociarse, por su innata tendencia a querer a los demás, que también es amor a las cosas:

> *Escribo [...]*
> *por unas ganas profundas, indispuestas,*
> *de dar cariño*
> *(Ibídem).*

La génesis del poema empieza siendo un movimiento inexplicable que le induce al poeta, como una orden venida de lo desconocido, a acogerse, obediente, a la escritura:

> *Algo hace*
> *que me eche a escribir sin que pueda explicar*
> *la causa que me obliga*
> *("Ignoro, como tú, lector, en este instante", 129),*

causa que es una "razón oscura" (Ibídem) a la que el poeta responde, fiel. Todo lo cual está muy cerca de la convicción de que la poesía es una revelación que llega con independencia de la voluntad del poeta:

> *que me deja marcado con su sello y afirma*
> *lo que nunca pensé que fuera a revelárseme.*
> *("A la palabra voy igual que si me hiciera", 126).*

El poema en su totalidad y las palabras que lo componen le llegan al poeta sin que pueda saber por qué; desde una orden ajena:

> *me hace echarme al verso, al poema y decir*
> *cositas que ni sé*
> *("Nonaino III", 137)*

Se distingue esa recepción del poema del trabajo de búsqueda voluntaria, a veces infructuoso, cuando la palabra necesitada no le es concedida en ese momento:

> *nunca la que surgiera*
> *de pronto, simultánea con tantísimas otras,*
> *y ver que no había forma de serme revelada.*
> *("Qué dura es la verdad de estas páginas escritas", 132)*

Puede ocurrir que el poeta pretenda captar el poema a deshora sin lograrlo, pero al final llega dejándole en la ignorancia de su causa y su origen:

> *Y si el poema viene, que vendrá, alguna vez,*
> *surgirá con el mismo desatino que éste,*
> *sin que sepa, lector, como tú, qué lo impulsa.*
> *("Ignoro, como tú, lector, en este instante", 129)*

Pero cuando la revelación se concreta en el poema, y no antes, surge el conocimiento. El poeta ignora esas "cositas que ni sé" y que va pronto a decir, y que le iluminan aquella oscuridad inicial. A veces llama "revelación" a ese advenimiento, a veces "intuición"; dos denominaciones del mismo fenómeno:

> *a mí con la intuición me basta en el poema*
> *("Sobre la creación poética" II, 144).*

El amor

Tema central en la poesía de Guillén Acosta es el amor, no el amor de resonancias tradicionales, sino ese otro amor a quienes conviven de alguna manera con él, tan hondamente que el amor es el motor de su vida, su razón, su destino. La obra del poeta está sembrada de fórmulas, frecuentemente coincidentes con el verso, que expresan, más que el aprendizaje del amor, como indica el título del libro, el ejercicio cotidiano de su modo de ofrecer a los otros su cariño y a la vez gozar de él. Parecen descubrirse tres direcciones en ese amor: el que dedica a la amistad, el amor filial, el amor, también revelado, a Cristo.

Algunos versos que expresan ese amor innato, tienen una especie de rigurosa contundencia, como este que sigue:

> *Mi vida se reduce nada más que a querer*
> *("Como hasta ahora", 157),*

o bien este otro en el que el amor adquiere una dedicación, una aplicación hacia los demás:

> *que hice del amor una ofrenda de entrega*
> *("Nonaino II", 136).*

Muchos son los efectos del amor. A veces tiene un efecto totalizador y destructivo, de anonadamiento en su posesión:

> *El amor quema, quema el corazón y las cenizas.*
> *("Díptico IV, 70);*

en otros pasajes, el amor le prende al poeta "de ansiedad", o "convierte en fuego esta ansiedad", "revuelve la noche oscura", y puede también provocar un efecto perturbador:

> *No me robes la paz que es mi herencia [...]*
> *pues también entre tus muros se turba mi corazón.*
> *("Rosa de invierno II", 68).*

El amor procura el conocimiento, pues:

> *Nadie como el que ama entiende tanto el mundo*
> *("Nadie como el que ama", 287).*

El amor procura el entendimiento del mundo y la vida se identifica con ese amor:

> *estar queriendo, no sé, estar queriendo*
> *me parece el pulso que mejor le a mi vi-*
> *da*
> *("En noche oscura", 181).*

La amistad

El amor a los demás tiene las formas de la amistad. Aquella "ofrenda de entrega" se ejerce principalmente con los amigos, lo mismo que aquellas "ganas indispuestas de dar cariño". No queda la vida colmada sin esa dimensión de aceptación de los otros y de don hacia ellos; una necesidad:

> *un poquito siquiera de amistad hace falta*
> *("Un poquito siquiera de amistad hace falta,", 116)*

que reaparece en el mismo poema con alguna leve variante de forma:

> *porque sé que un poquito de amistad*
> *hace falta a este corazón tan bailable*

y también

> *Un poquito siquiera*
> *de amistad, la que veáis en conciencia.*

La amistad se define como una presencia próxima, y para ello toda ocasión es buena, como ir juntos a otro sitio:

> *Pretexto, la excursión. El caso es estar juntos*
> *("En compañía", 249);*

o de modo más explícito:

> *A lo mejor es eso la amistad: verse a la vera*
> *de alguien que contempla el mismo río azul*
> *que tú*
> *("Razón de la amistad", 173).*

¿Pero quiénes son esos amigos objetos o creadores de la amistad? Parece se trata de una amistad selectiva, aunque a veces aparece la contradicción, pues al mismo tiempo el poeta acude sin reservas a quien le ofrece también su cariño. Por una parte, esos amigos

> *Ellos, pocos, poquísimos, contados,*
> *asumen ese gesto vivo de la amistad*
> *como si en mí vertieran el cariño que buscan.*
> *("Quienes me quieren, a su modo rarísimo", 109)*

y por otra parte

> *mirad con qué presteza acudo a quien me alcanza*
> *("Yo, por dar alegrías, me levanto temprano", 110)*

que se repite con otra forma en esta otra ocasión:

> *Con quien quiera*
> *que me vaya a hacer bien me voy, ya lo saben.*
> *("Al buen motivo", 163).*

La obra de Carmelo Guillén rebosa de ese sentimiento de amistad gozosa que se hace con frecuencia confesión. El querer a los demás no es en él norma de vida, sino exigencia vital:

A los buenos amigos, y yo sé que me pueden;
a cada uno quiero con pasión más que nadie.

("Afectos especiales", 285)

Cada amigo verdadero resume en sí el mundo y la amistad esclarece los secretos de la existencia:

La inventiva del mundo, sus secretos,
me caben en un solo amigo, no lo dudo.
("Exacto paisaje", 258).

Sólo una vez, salvo error, aparece un atisbo de decepción en la relación de la amistad, cuando la edad del poeta sacude por un instante esa firmeza en el querer y le parece descubrir en los otros cierta tibieza en la amistad:

A los cincuenta y pocos [...]
sin nada atrás ni nada delante, y me sorprendo
de que no encuentre un poco siquiera en mis amigos
("A los cincuenta y pocos", 322);

impresión fugaz que en nada desvía ni disminuye el ejercicio cotidiano del amor a los demás.

El amor filial

En los poemas de *Aprendiendo a querer*, la madre aparece ya en edad senecta. Si algún recuerdo de la infancia con la madre aflora, esa presencia es fugaz. La madre es la anciana compañera en el desarrollo de la vida cotidiana. La madre objeto del amor filial aparece representada por el pronombre tú, pero también Cristo aparece representado por el mismo pronombre, de tal manera que en algunos poemas el lector puede entender que el amor se ejerce en ambos a la vez como si hubiera confusión en las personas que son objeto del sentimiento.

Los poemas que expresan el amor a la madre, y también el amor de la madre para con su hijo, adoptan un lenguaje de proximidad, más familiar o coloquial. A veces hay conversación:

> —*Nunca he querido a nadie como te quiero a ti.*
> —*Lo sé —respondo yo—. Así es todo amor.*
> (*"Así es todo amor", 309*).

El amor hacia la madre anciana supera en intensidad al amor a lo demás:

> *Como tu ancianidad, nunca amé nada tanto.*
> (*"Oscuros ojos dulces", 315*)

Y el poema adopta elementos que, aunque ajenos al sentimiento que se quiere expresar, contribuyen a crear una atmósfera de frecuencia, de costumbre, de cotidianía y de constancia:

> *Amarte se me hace contigo al fin del mundo,*
> *sentirme más en forma, consumir cocacolas,*
> *pensar que los anuncios sólo hablan de ti*
> (*"Amarte se me hace contigo al fin del mundo", 196*),

o en estos otros versos:

> *Te diré que te quiero [...]*
> *en el café puntual con cruasán*
> (*"Intimidades", 265*).

Tan denso es ese amor que la mirada de la madre consigue infundir una esperanza de eternidad:

> *Con un mirar así, ojos oscuros, dulces,*
> *nada puedo temer, pues aunque me hacen viejo,*
> *también sé que me llevan a la resurrección.*
> (*"Ojos oscuros, dulces", 315*)

Poema central en la expresión del amor a la madre es el titulado "Intimidades". Encontramos en él a la madre en casa, en el paseo, en un café, siempre con gestos de delicadeza compartida, gozando ambos de la existencia en transparente intimidad. Hasta el verso final en que la muerte futura de la madre (hoy ya difunta) se expresa con gran pudor en el verbo enfriarse:

> *te quiero[...]*
>
> *ya sabes, en tu punto, antes de que te enfríes.*
>
> *("Intimidades", 266).*

Conviene igualmente notar cómo ese amor constante encuentra un modo de expresarse en la frecuencia en el poema de anáforas en posición inicial de verso o también, con alguna variante, en el interior de los versos:

Te diré que te quiero	Verso inicial del poema
Te diré que te quiero	Verso inicial de la segunda secuencia.
ocurre que te quiero	Interna, en el verso inicial de la tercera secuencia
te digo que te quiero	Posición final en verso inicial de la tercera secuencia
y digo que te quiero	Posición final en v. 6 de la tercera secuencia.
Y digo que te quiero	Posición final en v. 13 de la misma.

Pues el amor a la madre es uno de los temas exaltados en la obra de Guillén Acosta.

El amor de Cristo

El amor religioso tiene en *Aprendiendo a querer* una evidente reciprocidad: el amor del poeta y también el amor que Cristo le otorga, y ese amor es casi exclusivo; algún poema ("Salve", 118) expone su devoción mariana, y las composiciones de *Misterio gozoso* ofrecen, a modo tradicional, la misma devoción por los personajes del Nacimiento. Pero el amor de Cristo cunde en los poemas, colma el ambiente del libro, se hace credo y vivencia inevitable. No parece arriesgado adelantar que ese amor procede también de una revelación, pero no una revelación repentina sino más bien lenta que va impregnando poco a poco el ser íntegro del poeta:

> *me gustaba escuchar tu arrimo sigiloso [...]*
> *Con qué gusto te fuiste haciendo una costumbre*
> *en mí.*
> *("Fui joven, sobre todo al ver tus intenciones", 97).*

Ha sido un proceso con etapas: lectura habitual del Evangelio, intento de comprensión, y acto progresivo de adhesión. Pueden reconocerse estos tres momentos en los versos siguientes, todos ellos en el mismo poema:

> *como a mí que me pierdo leyendo el Evangelio*
> *("De amiticia", 176),*
> *qué sentido le doy a la Pasión*
> *de Cristo*
> *(Ibídem),*
> *del que alguien me dijo*
> *he aquí el cordero de Dios y lo seguí.*
> *(Ibídem).*

Es de notar que el verbo "revelar" aparezca en proximidad de vocablos de tan denso contenido como "claridad", "gracia", "redención". Así en estos versos:

> *revelándoseme*
> *con esa claridad que da el desprendimiento*
> *como una presencia creciente de la gracia*
> *capaz de hacerme digno de cualquier redención*
> *("Yo no sé qué me hace esa voz últimamente, 90).*

El amor de Cristo se hace inevitable sin que el poeta intente ni pueda liberarse de él:

> *Y me llamas y voy, ¡qué voy a hacer si no!*
> *("Y tú", 247).*

Todas las formas del amor, el amor a la madre, el amor a los amigos, el amor de Cristo, tienen un carácter absoluto, sin que cada uno de ellos despoje a los otros una parcela de amor. Es amor simultáneo, íntegro cada vez, coexistentes siendo cada uno de ellos fundamento del vivir. El amor a Cristo se condensa en las palabras que siguen:

> *tú, en quien habito cuando cierro los ojos,*
> *me da por recorrerte, geografía total,*
> *y no hallo más límites que tu amor y tu luz*
> *("Paraíso", 260)*

La vida

La poesía de Carmelo Guillén es también una exaltación de la vida, aceptación placentera del vivir durante el cual se "aprende a querer", se ama a los otros, se contempla y se comprende el mundo. Y ese sentimiento es inalterable, constante. Salvo ese atisbo de desencanto que se percibe en el poema "A los cincuenta y tantos", desencanto pasajero y fugaz, la vida ha sido siempre motivo de gozo. Así lo dice el poeta al hacer recuento de los años vividos:

> *una vida que vista*
> *ahora en panorámica, da de sí un paisaje*
> *donde no cabe más que la felicidad.*
> *("Miradores", 301).*

Amanece, y el poeta Guillén Acosta "prorrumpe en un cántico de vida" ("Mano de música", 152), la vida que "se reduce nada más que a querer" ("Como hasta ahora", 157), la vida que es "sólo eso, / una cuestión de amor" (Ibidem).

España

Pero el amor tiene, además de las expuestas, otras vertientes: la ciudad donde se vive, los paisajes de nuestra geografía, el amor del lenguaje y sus infinitas variaciones y el amor a España. Quien ha asistido a la imagen de una España vagabunda, madrastra, desdeñosa con algunos de sus hijos, cruel, ve con gozo esta otra imagen de España que aparece en la poesía de Carmelo Guillén, mansa, antigua y acogedora, despojada de aquellos atributos que hacían de ella un ente de desamor. La visión de este poeta no es crítica, sino de afecto. Debe el lector acudir al poema "España" y entrar en él libre de todo prejuicio anterior. Descubrirá así una postura desde el afecto:

Mi españolidad es bien sentimental

("España", 225)

El poeta descubre el amor de España en su herencia lejanísima:

Lo mío es más telúrico: tiene que ver de fondo

con un modo ancestral

(Ibídem)

y considera, y en esto quizás, puede encontrarse un cimiento más reciente, que España es

perenne manantial de espiritualidad.

(Ibídem).

La ciudad

Si España puede contemplarse como un ente en cierto modo abstracto, objeto de la inteligencia y considerada en su pasado y en sus aspectos psicológicos, no así la ciudad donde el poeta vive, visible, testigo cotidiano, de contacto, y por lo tanto objeto de un amor preciso, de cada momento. Es la ciudad con su río (Sevilla) y desde hace poco, con una plaza en Camas que lleva el nombre de Carmelo Guillén Acosta. La ciudad es ser de proximidad que el poeta viene acompañando desde hace bastantes años y que recíprocamente le acoge y arropa. Son como dos amantes que transcurren juntos hacia una común ancianidad:

te amo y no me importa envejecer contigo
("Vocación de ser tú", 311).

También hay en ese amor a su ciudad una identificación, pues si el hombre es fruto de la ciudad, ésta se le aparece como creación a imagen suya:

y que no hay más ciudad que tú, hecha a mi imagen
(Ibídem).

La ciudad es el territorio donde transcurre la vida del poeta, pero a la vez por una como simbiosis constante, el poeta se hace territorio de la ciudad, alcanzando así una total identificación con ella:

que soy su territorio
como ella es el mío para acabar después,
devuelto por las olas del mar de la memoria
("Ciudad", 320).

El paisaje

Las consideraciones sobre España y sobre la ciudad nos encaminan a observar cual es la actitud del poeta frente al paisaje. Abundan en *Aprendiendo a querer* las referencias a sitios concretos que, a veces, son como una breve relación de nombres de lugar, como hizo anteriormente Unamuno, aunque en éste haya una intencionalidad de captar lo "intraducible", la última raíz de la esencia española.

Los poemas de Carmelo Guillén ofrecen tres vías de exploración: el paisaje es considerado desde un ángulo emocional, o bien desde una situación de añoranza; o como sucede en la mayoría de los casos, el paisaje sólo aparece como escenario en el que concurren gente y amigos.

La relación emocional se advierte en la querencia de aportar al paisaje las fuentes mismas de la vida individual: el corazón, el pulso de la sangre:

dispuesto a darle
un corazón, a darle un pulso al monte, a este cielo,

> a los alisos, naciendo que anda todo
> ("Mano de música", 151).

Esta actitud en que interviene el sentimiento se resuelve alguna vez en añoranza de paisaje visto y perdido para el presente. Es el caso del paisaje castellano que el poeta ha contemplado, del que ha recibido una aguda impresión y cuya pérdida le perturba la cotidianía:

> Porque ya no te tengo aquí, en esta hora,
> paisaje castellano, algo tiene mi vida
> que hace del otoño su lugar de recreo.
> ("Porque ya no tengo", 259),

y ese tan bello verso final repercute en otro lugar del mismo poema:

> parece que me hallo como falto de vida.
> Perdona que te diga, tanto me impresionaste.
> (Ibídem).

Pero el paisaje es sobre todo lugar de encuentros, es paisaje habitado por gente, y la gente son quienes disfrutan de la amistad. Son numerosas las citas que se pueden aducir; escogemos las que nos parecen más representativas:

> Como podrán creerme, cada paisaje es gente,
> es gente muy concreta. Lo demás es el marco
> ("Introducción", 246);

de tal manera que lo que importa y seduce no es tanto la calidad estética del paisaje como su capacidad para reunir:

> un paisaje distinto que contenga estos otros,
> todos estos que nunca he dejado de amar,
> todos estos paisajes de amigos y de ti
> ("Todos estos paisajes", 254);

o estos otros versos en que la presencia de los otros se hace más explícita:

> *Que el paisaje nada más sabe a eso:*
> *a gente que pervive y tira de uno y es*
> *lo único que vale la pena conservar.*
> *("Exacto paisaje", 258);*

el paisaje con gente es suficiente para colmar las exigencias de la vida:

> *A gente, desde luego, y a lugares con gente.*
> *A mí para empezar estos lazos me valen.*
> *("Afectos especiales", 285).*

Uno de los versos citados más arriba ("todos estos paisajes de amigos y de ti") nos lleva a una última consideración. El paisaje incluye también la presencia divina representada por el pronombre "ti", pero que puede aparecer aún más próxima quizás cuando el poeta pone en contigüidad las dos palabras fundamentales, el "paisaje" y "tú":

> *estando*
> *como estoy a tu aire, qué más paisaje*
> *que tú*
> *("Paraíso", 260).*

El lenguaje

Julio Martínez Mesanza ya ha llamado la atención en su "Prólogo" de la frecuencia en *Aprendiendo a querer* de expresiones familiares y, efectivamente, esas formas de lenguaje familiar constituyen una de los rasgos que caracterizan la poesía de Carmelo Guillén. El empleo de formas familiares no obedece a una tendencia inconsciente, sino que muy al contrario, es procedimiento que se puede considerar voluntario. En "La vida significa esa caricia amplia" el poeta confiesa

> *recurrir como yo a tantas frases hechas*
> *("La vida significa esa caricia amplia", 125).*

La observación del lenguaje en los poemas de Carmelo Guillén nos lleva a distinguir varios aspectos. Hay ése confesado de voluntad de utilización de los modismos y frases hechas, pero hay también otras desviaciones hacia el empleo de formas familiares, actualmente populares ("que no, tío, que no", "hala", "si no vienes te mato", "en plan de tío normal", "¡Palabra!", "te juro que es muy guay", "como una regadera", "pareces un fantoche", "Mamá, estoy jodida", "Me tienes hasta el gorro", etc., etc.), como es la utilización del lenguaje para ponerse en situación de mofa o burla de sí mismo o de parodia de alguna fábula venida desde tiempos abolidos. La mofa de sí se establece en general poniendo de relieve algunos rasgos físicos del propio personaje:

> *Sin duda es la amistad que engorda y que me lleva*
> *a tener este tipo de barrigón*
> *("Ah de la vida", 174),*
> *En serio, yo era calvo, al menos lo era antes*
> *y enorme*
> *("Sin duda no soy yo", 292),*

o aspectos morales o intelectuales del mismo:

> *Siempre hallé en las palabras un modo de ser bobo*
> *("Siempre hallé en las palabras un modo de ser bobo", 128).*

Cabe incluir aquí probablemente la presencia y la frecuencia de expresiones relativas al acto de orinar. El acto de la micción puede ser individual:

> *Uno se acostumbra a estar de vacaciones,*
> *a orinar en el mar mientras se baña*
> *("Radiografía", 21),*

o en situación de mayor intimidad, en acto cotidiano:

> *pasa al cuarto de baño,*
> *orina, se acicala, regresa al dormitorio*
> *("Estampa de fidelidad", 262).*

Pero igualmente puede ser un acto en compañía, efecto de la amistad, cuando los amigos, después de un esfuerzo de subida en una excursión, alivian la necesidad a la vez:

> *allí, sin miramientos, orinamos a gusto*
> (*"Mijares 1570", 252*).

Más sorprendente es el recurso tratándose de situaciones de diálogo amoroso:

> *Espérame, cariño, que me estoy orinando*
> (*"El lado bueno del amor", 278*)

que tiene parentesco con el hecho de denominar a alguien con palabra inesperada:

> *mi ángel, mi orinal, mi gajo de naranja*
> (*"Pero tú de qué hombre te has enamorado", 276*).

Si hay algo en la obra de Carmelo Guillén que le enlaza con nuestra poesía clásica, puede ser esta familiaridad entre la poesía seria y la poesía que admite formas o situaciones inhabituales que incluyen cierta comicidad. La parodia de las fábulas puede ser una manifestación de lo mismo:

> *Al principio, supongo que es lo natural,*
> *me vi raro de árbol*
> (*"Dafne y Apolo", 192*),
> *¡Mi Apolo! soy tu Dafne; puedes llamarme Daf*
> (*"Nuevamente Dafne y Apolo", 290*).

La expresión de la mofa de sí permite la utilización de superlativos para acentuar precisamente el carácter de burla, respetando la forma gramatical, o bien creando un superlativo nuevo:

> *¡Bobo yo, sí, bobísimo!*
> (*"Siempre hallé en las palabras un modo de ser bobo", 128*),

pero también para acentuar el acto religioso de entrega:

tuyo, tuyo, tuyísimo
("Díptico II, 66),

yendo el poeta por ese camino a crear formas verbales a partir de los adjetivos utilizados, como es el caso del verbo "boboser" que sustituye la expresión "ser bobo":

más bobo aún si cabe y quedo bobosiendo
("Siempre hallé en las palabras un modo de ser bobo", 128).

Efecto de sorpresa producen expresiones en las que el complemento habitual viene sustituido por otro que no lo es: en vez de "chocar la mano" encontramos:

para dar buenos días, choca ahí esa vida.
("Los graves problemas que azotan mi ropero", 113),

y este otro caso en el que la voz "camisa" es sustituido por "cariño":

ir por la vida en mangas de cariño
("Y no les cuento todo", 282),

siendo probable que la sustitución viene facilitada por el hecho de las palabras empleadas tienen igual número de sílabas o identidad en alguna de ellas (sílaba inicial de "camisa" y de "cariño"). Pueden verse otros casos como "dar a ramas llenas" (pág. 203), "ponen el grito en el suelo" (pág. 222) y otros.

En relación siempre con el lenguaje, Carmelo Guillén inaugura otras formas de expresividad difícilmente explicables, y entre ellas, la que consiste en situar en posición final de verso, un poco a manera de un eco, sílabas que repiten o modifican las que se encuentran en la palabra original, sin otra posible razón que la de alargar la musicalidad del verso con sonidos no necesarios, pero que aportan algo como una magia de canción infantil, o como el recuerdo de retahíla escolar. En el primero de los ejemplos:

> *no hay forma de lograr*
> *que me sea revelado el poema me mí*
> *("Hoy sé que pierdo el tiempo delante de mi vida", 124)*

se podría entender que los pronombres "me" y mí" situados a continuación de la sílaba "ma", vienen a ser un refuerzo de la forma pronominal del verbo, como pretendiendo insistir en la dimensión estrictamente personal de la revelación. Efecto de eco, como se dice en el poema, tienen los sonidos finales en:

> *el eco*
> *repitiera todo es absurdo burdo urdo ú.*
> *("Si no se redujera tu vida al amor", 98)*

y de lección aprendida la serie de preposiciones en:

> *haber puesto los medios para por según sin*
> *("Hoy sé que pierdo el tiempo delante de mi vida", 124).*

Puede incluirse aquí una forma distinta de las ya citadas y que consiste en poner en relación palabras de alternancia fonética ("sentido" / "sentado") con otra que teniendo semejante apariencia, es sin embargo invención del poeta:

> *y me ha sentodo bien, o sentido o sentado*
> *("Alegría", 295)*

que tiene algún parentesco con otras formas que recogen modos del habla o de la canción popular en los que se producen alargamiento de una sílaba final:

> *Aquí en la mi almama, te llevo metidodo*
> *("Paisaje", 323).*

La variedad de formas en la lengua poética de Carmelo Guillén es tan rica que no es posible examinarlas todas. Sí podemos aconsejar a quien venga a estos poemas siga una lectura vigilante para poder disfrutar de tanta riqueza.

Referencias

En muchos poemas de Carmelo Guillén se utilizan palabras que remiten a otros poetas, clásicos o no. No se trata de un influjo venido secretamente a la conciencia, sino de una claridad que el poeta no oculta y con la que contribuye a iluminar el poema. Con frecuencia se encuentran signos que remiten a San Juan de la Cruz ("el Amado que pasa", "la noche oscura", "aunque aún no es de noche", "de amor herido", "sin que me guíe otro afán", "la noche del sentido", "en solo aquel cabello", "que bien sé que es de amor", etc.). Uno de los versos en los que la intención de acercarse al místico resalta es este que sigue:

aunque no vistas de hermosura mis versos
("Cántico espiritual", 84),

que tiene apoyo en los tan conocidos de San Juan:

y yéndolos mirando
con sola su figura,
vestidos los dejó de su hermosura.

Las referencias son muy variadas, desde el poema del Cid hasta Rubén Darío y Neruda, pasando por el romance del Conde Arnaldos, Garcilaso, Gutierre de Cetina, Fray Luis de León, Quevedo y otros probablemente. El lector atento podrá ir descubriendo esta otra riqueza pues la referencia lejana contribuye a dar al poema amplitud y luminosidad. Nótese también la referencia a Juanito Valderrama en el verso citado: "Aquí en la mi almama, te llevo metidodo".

Métrica

En general los poemas de *Aprendiendo a querer* no adoptan formas regulares. La mayoría de los poemas están escritos en alejandrinos, aunque no siempre el esquema de 7+7 sea respetado. Pocos poemas se vierten en endecasílabos. Generalmente los poemas no se someten a formas estróficas aunque algunos de ellos agrupan sus versos en conjuntos que pueden considerarse como tales. Cuando en un poema los conjuntos no obedecen a igual número de versos, los hemos llamado secuencias. La serie de *Misterio gozoso* adopta formas tradicionales, romances, seguidillas. En esta serie precisamente hay poemas con sílaba final de verso elidida:

> *Pero qué tendrán los o-*
> *de este Niño tan divi-*
> *que purifican mi vi-*
> *cuando os miro en la no-*
> *("Escena", 239)*

recurso o figura que también le acerca a las modas clásicas. A este mismo conjunto pertenece la composición titulada "El buey" donde se han utilizado rimas internas consonantes y asonantes con gran virtuosismo:

> *Pues yo no quiero ser menos*
> *porque buey rima con Rey*
> *y mugido con Ungido,*
> *y sin ser vaca ni jaca,*
> *ni torito ni cabrito,*
> *ni un lumbrera de la era [...]*
> *(225)*

Se denomina *encabalgamiento léxico* o también *tmesis* la fractura de una palabra en dos, de modo que el primer fragmento se encuentra en fin de verso y el segundo en posición inicial del verso siguiente. Es un recurso que ya se encuentra en Berceo, utilizado con relativa frecuencia por Calderón y se ha empleado hasta nuestros días. Pero conviene señalar que en los poemas de *Aprendiendo a querer* este recurso aparece no de modo aislado y como de uso excepcional, sino al contrario con frecuencia voluntaria que determina sea señalado. El empleo más frecuente es el que separa solamente la sílaba final:

> *más suave, si no, mírame, llevo corbata, tra-*
> *je azul*
> *("Cántico espiritual", 83),*

pero no es infrecuente encontrar casos en que las sílabas encabalga-
das sean más de una:

> si no podía oír mas que gritos es-
> tridentes
> (Yo qué iba a querer sino tus manos alzándo-, 93).

Bastante frecuente es el empleo de la anáfora que puede tener un
valor de refuerzo, por su repetición, de la idea expresada. Puede aparecer en posición inicial de versos contiguos, o en posición inicial en el primer verso de cada estrofa o de cada secuencia. También se encuentran
anáforas a distancia diseminadas en el poema, tanto en posición inicial
como en posición interna. La lectura de *Aprendiendo a querer* revela
que el empleo de la anáfora se mantiene a lo largo del libro, aunque con
menor frecuencia en los poemas finales. Todas ellas se pueden detectar
fácilmente y descubrir en cada caso esa intencionalidad de insistencia
en el significado que se expresa.

Afirma Carmelo Guillén que

> Lo mío es más bailar que zurcir adjetivos
> (Sobre la creación poética II, 144)

o sea, que sus preferencias van más a crear el ritmo del verso que a
colmarle de elegancias superfluas. Y en efecto, aunque los versos de los
poemas, alejandrinos preferentemente, no siempre tienen su rigor for-
mal, los poemas se apoyan en un ritmo sostenido de difícil consecución:

> el ritmo, nada más falta el ritmo, así que
> ya podéis empezar a bailar...¡A ver, poeta!
> (Ibídem)

O sea, otro territorio que explorar.

La poesía de Carmelo Guillén resulta, por todo lo expuesto, una poesía sumamente diferenciada de toda la poesía de nuestro tiempo. Esta
poesía de exaltación de la conformidad total con la existencia, de confesión del amor a los demás, de un sentido poco frecuente de la convivencia, de la amistad, de la generosidad, de una vivencia religiosa que no

tiene nada de actitud literaria sino de sentimiento de plenitud gozosa, constituye verdaderamente una poesía singular, única. No sólo por sus contenidos, sino también por la riqueza y variedad de sus formas y por venir vertida en un lenguaje original, rico, culto y familiar a la vez con el que esta poesía transmite la vocación y el contentamiento de existir.

Con el fin de facilitar la iniciación del lector a tanta riqueza de temas y de formas, se ha optado en este trabajo por multiplicar el número de ejemplos. Esperamos que su lectura tenga alguna eficacia.

Índice

ÍNDICE

ÍNDICE

Este ejemplar de
Patrimonio Literario Andaluz (III)
se terminó de imprimir
el 29 de mayo de 2009.